わたしの源氏物語

瀬戸内寂聴

集英社文庫

わたしの源氏物語　目次

わたしの源氏物語

出逢い

はじめて源氏物語を読んだ日を、わたしはなぜかはっきり記憶している。

今から半世紀も昔のことで、晩春の雨の土曜日の午後だった。昭和十年（一九三五）、わたしは十三歳で、その春、徳島県立の女学校に入ったばかりの一年生だった。入学してすぐ陸上部に入れられたので、毎日放課後は日が暮れるまで、練習があったが、その日は雨なので、練習がなかった。真っ直ぐ家へ帰る気にもなれず、体育館の隣に建っている図書館に入っていった。そこでは生徒が自由に書庫の棚の本を取り出して選び、それから借り出しの手続きをして、階上の閲覧室で読むという規則になっていた。

わたしは書庫に入り、棚の本の背文字を眺めていった。壁ぎわから二列めの本棚の上から三段目に、その本があった。

「源氏物語　与謝野晶子《よさのあきこ》訳」という文字が、わたしの目を引きよせた。与謝野晶子の明星派の歌に、その頃のわたしは魅せられていた。わたしはその本を抜きだし、階上に行った。閲覧室には、四、五人しか生徒はいず、静寂がみちていた。窓ぎわに席をとり、雨空を見上げてから、わたしは厚い本を開いた。

「どの天皇様の御代《みよ》であったか、女御《にょうご》とか更衣《こうい》とかいわれる後宮《こうきゅう》がおおぜいいた中に、最上の貴族出身ではないが深い御愛寵《ごあいちょう》を得ている人があった。……」

読みやすい歯切れのいい文章に案内され、わたしは一気に源氏物語の世界に引きこまれていった。

「もう時間ですよ」

と、声をかけられた時は、生徒は誰もいなくなっていた。本の館外貸出しは禁止されている。

それ以後、わたしは与謝野源氏を買いもとめ、学校にいる以外のすべての時間をあてて、熱狂的に読み終えた。

世の中にこんな面白い小説があろうかと思った。すでに文学少女だったわたしは、岩波文庫などで、外国の小説も読みあさっていたが、トルストイやフローベルにも紫式部は負けないと感嘆した。

紫式部が源氏物語を書いていた平安の昔、受領《ずりょう》菅原孝標《すがわらのたかすえ》の娘として生まれた文学少女がいた。後の更級《さらしな》日記の作者だが、彼女が憧《あこが》れの源氏物語をおばさんから貰《もら》い、几帳《きちょう》のかげにひきこもって、一冊ずつ櫃《ひつ》から取りだし、読みふけり、その嬉しさを、「后《きさき》の位も何にかはせむ。昼は日ぐらし、夜は目のさめたるかぎり、灯《ひ》を近くともして、これを見るよりほかのことなければ……」

と、大感激したのも、やはり十三歳の時であった。もちろん、彼女が読んだのは、源氏物語の原文であり、紫式部が書いたものを、書き写した写本である。印刷術のなかった当時は、そうしてすべての物語は書き写されていた。写経にも写経生という専門家がいたように、物語を写すのにも、当時はプロがいて、その製本も様々に意匠を凝らす製本屋のプロがいたのではないだろうか。

小説にうつつを抜かして、夜も昼もなく読みふけるなどということは、若い時代の特権かもしれない。

谷崎潤一郎《たにざきじゅんいちろう》訳の『源氏物語』が、中央公論社から刊行されはじめたのは、それから四年後の昭和十四年一月からであった。

緑色の和紙の表紙の和綴《わと》じのその本を注文し、毎月本屋から届くのを楽しみにしていた。この訳も「である調」だったが、それでも与謝野訳よりは、ずっとなだらかで原文に近い長いセンテンスがやわらかかった。これは戦後に新訳がされて「ございます調」に変わり、いっそう原文の感じに近くなった。

「何という帝《みかど》の御代のことでしたか、女御や更衣が大勢伺候していました中に、たいして重い身分ではなくて、誰よりも時めいている方がありました。……」

という形になっている。

それから更に三十三年たって、円地文子《えんちふみこ》訳『源氏物語』が、新潮社から刊行されはじめた。その書きだしは、

「いつの御代のことであったか、女御更衣たちが数多く御所にあがっていられる中に、さして高貴な身分というではなくて、帝の御寵愛を一身に鍾《あつ》めているひとがあった。……」

となっている。

「いづれの御時《おほむとき》にか、女御更衣あまたさぶらひたまひける中《なか》に、いとやむごとなき際《きは》にはあらぬが、すぐれて時めきたまふありけり。……」

という原文でも、訳者によって、このように三様になってくる。三人の訳者が、それぞれわが国の近代文学史上での大家と呼ばれる人々であるのを見ても、源氏物語は、都に遠い東国の受領の娘や、四国の片田舎の女学生の心を捉《とら》えるだけでなく、文豪と呼ばれるような大作家の心まで魅了しつくして、その大切な人生の何年かを虜《とりこ》にし、現代語訳に打ちこますのだから恐ろしい魔力を持っているといわねばならない。

特に円地源氏の誕生にあたっては、仕事場が同じアパートになったという偶然から、

わたしはその悪阻《つわり》から難産まで、ごく間近にいてつぶさにつきあうという因縁を持ってしまったので、源氏物語の持つ恐ろしいまでの魅力も魔力も、いやというほど見せつけられてしまった。

円地さんは、与謝野、谷崎におとらず、源氏物語に早くから心酔していられたが、訳にとりかかられたのは昭和四十二年からで、六十二歳になられていた。完成されたのは、昭和四十七年で、六十七歳の時であった。五年半の歳月を要された。谷崎源氏の、準備に二年、執筆に三年より少し長い。

その間に右眼を、終えられた翌年には左眼を、網膜剝離《もうまくはくり》で手術され、八十一歳でなくなる時は、ほとんど視力を失っていた。源氏物語が円地さんの両眼を奪ったともいえよう。

円地さんは御自分の訳を、人の愛し方にたとえられ、床の間にそっと大切におく愛し方と、略奪結婚があるとすれば、自分の訳はその略奪結婚に及ぶ愛し方だといいきっておられる。筆のおもむくままに加筆もある円地源氏は、訳というより小説円地源氏ともいうべきもので、はじめて源氏物語に入っていくには最も入りやすい訳といえるだろう。

桐壺いじめ

学校でのいじめの問題が社会的に扱われて、論議されている。なぜそんなことが起こるのか、なぜいじめられる子が出来るのか、教育者や社会評論家のお歴々が、様々な意見を発表されているが、いつの時代どこの国でも、人間のいるところ、多かれ少なかれ、いじめっ子といじめられっ子というものはあって、大人の社会にだって、それは引きつづいている現象だった。今ほど陰湿でなかっただけで、私の子供の頃《ころ》だって、やっぱりあった。勉強の出来る出来ないは問題でなく、何となく強い子供がいて、勢力を持ち、その子に抗《あらが》うといじめられるので、みんなが機嫌をとっていた。

機嫌をとるような気の回らないおっとりしたおとなしい子がいじめの対象になった。その他に先生の御ひいきの子供というのが必ずいて、その子もいじめの対象になった。成績がいいなら仕方がないが、何となく可愛《かわい》らしい顔をして、素直で、家庭環境もよくて、などという子は、先生が可愛いと思うらしい。

それは、ひいきにされない子たちにとっては目障《めざわ》りで、実に癪《しやく》に障るのだ。遊びの仲間外れにしたり、その子の椅子《いす》の上に汚いものを置いたり、持ち物をかくしたりする。そしてわざと聞こえよがしに、「ひいき、ひいき」とかげ口をいう。

源氏物語の冒頭の桐壺《きりつぼ》の巻を読んだら、誰《だれ》だって何となく思い当たる節があってくすぐったいのではないだろうか。五十四帖という長い小説の最初の部分なのだから、大河小説の発端としての重みが必要なところである。私たち小説家にとっては、書きだしの数行が決まったらもうその小説の大体の出来工合はわかってくる。手応《てごた》えというのが実作者にはあるものだ。

源氏物語は、はじめに桐壺の巻を書いたのではなく、途中で評判がよくなったので長篇《ちょうへん》の形にして、後にこの書きだしがつけられたという説もある。すべて学者や研究家の推定で、作者の執筆日記が残されているわけでもないから、本当のところはわからない。まあ素直に冒頭から読んで、この大河小説の中に流され、まきこまれていくのも悪くない。

古典を愛し、古典にいれあげて、広く深く読みこなし、しっかりと嚙《か》みくだき食べてしまって、自分の血や肉にしてしまった女流作家に田辺聖子《たなべせいこ》さんがいる。おそらく当代女流の中では田辺さんほど古典を読みこんでいる人はいないだろう。その田辺さんにも源氏物語を現代語訳ではなく、すっかり自分のものとして食べてしまった後で、改めて、繭糸《まゆいと》を吐き出すようにして織りあげた『新源氏物語』という大作がある。これは源氏を下じきにした田辺さんの全く新しい小説といっていいだろう。面白さでは円地源氏よりずっと這入《はい》りやすい。その中で、田辺さんは、ばっさり桐壺の巻を切り捨ててしまって、いきなり読者を、十七歳の恋多き貴公子として光源氏《ひかるげんじ》と逢《あ》わせてしまう。そのほうがいきいきした物語の息吹の中へ入っていかれるという見解である。たしかにそれも一つの見識であるし、実作者らしい自信の程でもある。

私は何となく悠長なこの桐壺の巻がそれほど退屈に思えない。歌舞伎《かぶき》の舞台の、それこそ間のびのした御殿女中たちの会話のようなもどかしさはあるが、歌舞伎を見る時、それも約束ごとの一つとして私たちは納得し、辛抱《しんぼう》する。

桐壺の巻の悠長さは、大らかで、まずこれが千年昔の物語だということを読者に信じこませてくれる。

明らかに白楽天《はくらくてん》の「長恨歌《ちようごんか》」の玄宗《げんそう》皇帝と楊貴妃《ようきひ》を下じきにした、桐壺帝と帝に溺愛《できあい》されるうら若い更衣《こうい》があらわれる。更衣は身分が低いのに、後宮のお歴々の妃《きさき》たちの寵《ちよう》を奪いひとり占めにしてしまったので、妃たちの猛烈な嫉妬《しつと》を受ける。桐壺を与えられるので桐壺更衣と呼ばれる。

ここで妃たちから一斉攻撃され、いじめの対象にされてしまうのだ。このいじめ方がまことに他愛《たわい》なく、笑ってしまう。

桐壺更衣が帝に召されて清涼殿《せいりょうでん》に上がる途中、通らねばならぬ打橋《うちはし》や渡殿《わたどの》などのあちこちに、不浄なものをまき散らして置いて、お供の女房たちの着物の裾《すそ》が汚れてそのままでは清涼殿に上がれないようにしてしまう。またの時には、どうしても通り道になっている馬道《めどう》の戸に錠《じょう》をさして、その両方の側で示しあわせて、更衣の一行を閉じこめて立ち往生させるというようなことも度々《たびたび》する。まるで子供のけんかのようないじめ方ではないか。今時の子供たちはもっと凄《すご》いいじめを考えつくし、実行する。

平安朝の貴族たちは、おまるを使って用をたしていたので、その中のものをぶちまけておいたということになる。きれいなおまるをかかえて、そんなことをしている十二単《じゅうにひとえ》の女房たちの姿のほうが、漫画じみている。

ところが更衣はおとなしい内向的な性質だったので、こんないじめの執拗《しつよう》さに次第に神経も肉体も攻められて弱り、病気になってしまう。

帝との間に皇子を産んだのに、皇子の三歳の時、夭逝《ようせい》してしまうのだ。

その時も、帝は更衣を里に帰すのがいやで、病気が重症になり、もはや手遅れになるまで、宮中から退出させない。ついに物もいえないほど衰弱しきってから、ようやく里帰りを許され、更衣はその夜のうちに死んでしまった。残された皇子、光り輝くように美しい物語の主人公は、こうして三歳で生母に死別するという悲運に逢う。

光源氏の生涯の恋のハントは、顔も覚えぬうちに死別した生母への追慕の念の変形である。更衣が死んだのは、後宮の女たちの物凄《ものすさ》まじい嫉妬と怨念《おんねん》によるが、同時に桐壺帝の過剰すぎる愛と執着にも殺されたといえよう。

おそらくこんないじめは、紫式部の作ったことではなく、当時の後宮では日常的に行われていたのだろう。

初恋のひと藤壺

生母の桐壺更衣《きりつぼのこうい》が逝去《せいきょ》した時、父帝と共に宮中にいた皇子は、人々が泣き悲しむのを見ても、何のためかわからないほど頑是《がんぜ》なかった。六歳で祖母に死なれた時は、はじめて死の意味がわかって慕い悲しんでいる。

桐壺帝は自分ひとりしか頼りにする者もなくなったこの皇子がいとしくてならず、異例の処置で、宮中にひきとって育てていた。それまでは更衣の生家で祖母が育てていたのだ。帝は皇子が幼いのをいいことにして、女御《にょうご》たちの局《つぼね》へもつれていき、御簾《みす》の中まで入れている。

この帝は愛情過剰で、そのため、帝王としてはあるまじいほど偏愛したり、きまりごとを平気で破ったりする。そのため、後宮《こうきゅう》で一番勢力のある弘徽殿女御《こきでんのにょうご》などを怒らせることになる。更衣いじめの総大将のような弘徽殿女御の局にさえ、幼い皇子を同道し、

「もう今となっては、誰もこの子を憎めないでしょう。母もない可哀《かわい》そうな子だから、

かわいがってやってください」

などという。

どうも桐壺帝というのは、やさしいおだやかな人柄だけれど、愛情のコントロールのきかない人で、帝王としてはもうひとつ人柄的に頼りない。

この帝が唯《ただ》一度、理性的決断を下したのは、溺愛《できあい》していて、本心は皇太子にしたいこの皇子を、臣下にして源氏《げんじ》姓をたまわったことであった。

高麗人《こまびと》の優れた人相見にひそかに見せたところ、

「この若君は、天子の無上の位に昇る相のお方ですが、そうして見ると、国が乱れ、民《たみ》の憂《うれ》えとなることが起こりそうです。国家の柱石の臣となって、国政を補佐する方面で見れば、それもまたしっくりしません」

といい、結局は、帝王でも臣下でもない地位につくだろう、と予言したことを参考にして、臣下に下し、源氏姓を与えた。皇子はすべて親王宣下《しんのうせんげ》というのがあってはじめて正式に親王になり、皇太子にも、天皇にもなる可能性が生まれる。臣下に下すとは、この親王宣下がなかったことで、桐壺帝は自分の死後、しっかりした後ろ楯《だて》もないこの皇子が、親王としても肩身のせまい立場になることを心配した。桐壺更衣の二の舞を、この皇子にはふませまいと配慮したのである。ここから物語の主人公に源氏の君という名がつく。

しかし、桐壺帝のお人よし加減はやっぱり片方でぬけていて、もう十歳にもなった源氏の君を相変わらず後宮でつれ歩く。

更衣の死後、帝は悲しみに耐えず、ノイローゼ気味になって政務もおこたり、どの女御たちも近づけなかった。まわりで心配し、亡き更衣にそっくりの姫君を探し出してきた。更衣の死から七年もたっていた。帝も、更衣に瓜二《うりふた》つの若い姫君を後宮に迎えて以来、心身とみに元気になった。この姫君は先帝の忘れ形見の内親王というので、格式の高い藤壺《ふじつぼ》の局を与えられ、最初から優遇される。他の女御たちも、身分としては最高の方なので、表立って文句もいえない。

この藤壺の局へも、帝は源氏の君を自由に出入りさせていた。

当時の習慣として、女は兄弟といえども、年頃になると顔をかくすのが礼儀で、几《き》帳《ちょう》のかげや扇のかげから、声だけをほのかに聞かせるくらいだった。

子供だからという甘やかしから、後宮へ自由に入っていた源氏の君は、おかげで、几帳のとじ目や、屏風《びょうぶ》のかげから、ついちらほらと、藤壺女御を垣間見《かいまみ》てしまう。これまで逢《あ》った父帝の女御たちはそれぞれ美しかったが、幼い源氏の目から見れば、しょせんおばさま族でしかない。藤壺女御はまだ初々《ういうい》しく、この時十五歳ぐらいだから、源氏の君とはせいぜい五歳くらいしか年の差はない。女房たちから、亡き母そっくりだと口ぐせに聞かされるにつけ、なつかしくて、常にそばへいってなつきまとわりた

いと慕わしくなる。その上、帝が藤壺女御に向かって、

「どうかこの子をきらわないでやってください。なぜかあなたが、なくなったこの子の母のように思われてなりません。なついてきても無礼だと思わないで可愛がってやってください。頰《ほお》のあたりや目もとなど、ほんとに亡くなった母によく似ているので、あなたが実の母のように見えてもおかしくはないでしょう」

などと頼んだりする。源氏の君は父帝の言葉からいっそう継母への思慕をつのらせていく。亡き母のかわりという想いがいつの間にか多感な少年の心に初恋をかもしていた。

この間の源氏の君の継母への思慕は、いわば、父帝が気づかずそそのかしたようなもので、後に父帝の最愛の女御と密通するという物語の悲劇のクライマックスへの種がまかれる。

この頃から源氏の君は光 君《ひかるのきみ》と呼ばれ、藤壺女御はかがやく日の宮と並び呼ばれるようになる。

光源氏が藤壺女御への初恋をはっきり自覚したのは、結婚した時からだった。

十二歳で元服した夜、光君は、加冠《かかん》の役をしてくれた左大臣家へ伴われ、その夜添臥《そいぶし》として左大臣の姫君をあてがわれる。これが正式の結婚式の初夜であった。

左大臣の姫君は、光君より四歳年上だったので、まだどこか子供っぽい光君に対し

て、自分は似つかわしくないように思い、はじめからコンプレックスを抱いている。添臥の役はたいてい女のほうが年上で、まだ幼い男君《おとこぎみ》をリードするのが慣わしであった。

美しいけれど、自尊心が高く、どこか権高《けんだか》な年上の姫君に、初夜から光君はなじまない。

ここでも父帝はまたしても気のきかない振舞いをする。

結婚したての光君を、しきりに宮中へ呼びよせて、自分の傍《かたわ》らにひきつけておこうとするので、光君は、それをいいことにしてなかなか左大臣家へ帰らない。父帝はいつでも自分本位の感情で光君を溺愛する。光君が境遇の変化についていけないのも無理はない。この時から、光君は、内心はっきりと、藤壺女御のような人こそ自分の好みで、妻にしていつも一緒にいたいものだと思いつめてしまう。結婚という現実から、男女の愛の実態を教えられ、それまでの淡い初恋が、性愛をふまえた切ない恋情となり、「いと苦しきまでぞおはしける」という本物の恋に結実する。

雨夜の品定め

帚木《ははきぎ》の巻から、いよいよ光源氏《ひかるげんじ》の華々しい恋愛遍歴が始まる。すでに源氏は数え十七歳、結婚して足かけ六年めの夏に入っている。

官位は近衛中将《このえのちゅうじょう》というところ。妻の葵上《あおいのうえ》としっくりいかないので、御所にばかりいたがって、葵上のいる左大臣家へはたまにしか寄りつかない。この頃の結婚は、男が妻の家に通うのが例で、妻の家で夫の衣裳《いしょう》など一切調《ととの》えていた。

そんなある梅雨《つゆ》の長雨の降りつづく一夜、物忌《ものい》みで御所に籠《こ》もっている源氏の宿直《とのい》の部屋に若い公達《きんだち》が集まってくる。源氏の親友で、何かにつけてライバル意識のぬけない頭中将《とうのちゅうじょう》と、左馬頭《さまのかみ》と藤式部丞《とうしきぶのじょう》の三人で、当代きってのプレイボーイと自他共に許すラブハンターたちである。それぞれ内心、自分こそは相当な女蕩《おんなたら》しだと自惚《うぬぼ》れている。

若い男が四人集まって退屈な夜を語り過ごすとなれば、女の話に落ち着くのは、今も昔もさして変わりはない。たちまち、とっておきの経験談や打ち明け話から、恋愛論、女性論へと話題は展開していく。

座談会スタイルのこの夜の恋愛論は、実にいきいきとして面白い。女が作者であることを、つい忘れてしまうほど、男の立場からの女性論がしっかり語られているからだ。

頭中将は、源氏の妻の葵上の実の兄で、源氏とはいとこ同士の間柄でもある。左大臣家の嫡男《ちやくなん》だから、出世の道も約束されている。この時の官職は源氏と同じ近衛中将で、同時に蔵人頭《くろうどのとう》を兼職していた。近衛府の将官は最精鋭の親衛部隊で、皇居を守らなければならない。そんな役が十七や二十《はたち》前後で勤まるのだから、今の若者に比べたらずいぶんませていたといえる。

左馬頭は、官馬の世話をする役所の長官である。式部丞とは式部省の役人で、公文書の審査をする役目に当たる。藤式部丞とは藤原某《ふじわらのなにがし》の式部丞ということだ。この二人は身分がまだ低いから、源氏や頭中将よりさらに自由で、恋の経験も豊富で下情に通じている。

この夜の話は、専《もつぱ》ら論客の左馬頭がリードして進めていく。

頭中将が、まず、女を上、中、下の身分に分けて、上流の女はまわりが欠点をかくして、さもいい女のように宣伝するので当てにならない、中流くらいの女に案外、個性的ないい女がいるのではないかという意見を出したのに対して、左馬頭が経験談から、中流の女にやはり軍配をあげる。彼の中流の定義は、今を時めいていても、もとの出の家柄が低ければ中流で、元は高貴でも、現在落ちぶれていればやはり中流だとする。受領《ずりよう》がやはり中流で、このあたりの女に掘り出し物が多いという。受領とは地方長官のことで、今なら県知事というところ。

紫式部自身が受領の娘で、受領の妻なのだから、この主張は面白い。国民の大方が中流意識の現代の女なら、まず彼等の好奇心の対象になるところだ。

左馬頭は調子に乗って喋《しやべ》りつづける。

「淋《さび》しく荒れはてた葎《むぐら》の宿に、思いがけずいい女がこっそり暮らしているのなど偶然みつけるとなかなかいいものですよ。また父親は老いて不様《ぶざま》に肥《ふと》り、兄は見るからに憎さげな顔をしているのに、家の奥に思いもかけないいい娘がいて、ちょっと芸事のたしなみなど心得ていると、それはまた意外性から魅力があって惹《ひ》きつけられます」

などいって、妹二人が近頃評判になっている式部丞をちくりと皮肉ったりする。紫式部のこういう手際は鮮やかで、しかもユーモラスなのに愕《おどろ》かされる。生真面目《きまじめ》で秀才ぶっていて、小意地の悪そうな日記を書く式部が、源氏物語の中では、思いの外ユーモアをちりばめている。

それにしても、雨夜《あまよ》の品定《しなさだ》めの左馬頭の女性論は、千年後の現代に持ってきても、一向に古くないのはどうしたことか。

「世間にはこれこそ完全な理想の夫婦なんてのは、とんとお目にかかりませんなあ。まあ女の第一の難は、貞操観念のない浮気な女です。女房にはあまり、趣味性や芸術性のあるのはいけません。かといって、真面目一点ばりで、髪もろくにとかさず、なりふりかまわず家事ばかりにかまけているのも味気ないもんですよ。男は外で、散々厭《いや》な目を見てきますから、家の女房にでも気がねなくうさ晴らしをして、聞いてもらい理解してほしいと思っても、何をいったところで、どうせわかりもしないと思うと、馬鹿《ばか》らしくて、そっぽをむいて、思い出し笑いをしたり、『ああ、そうだった』などついひとりごとをいうと、『どうかしたの』と、きょとんとした顔で訊《き》いたりするので、うんざりしてしまいます。いっそ、あどけない素直な娘を何かと仕込んで自分の好きなように教育して妻にするのが無難でしょうか。かといって、もし、留守でもさせるとなると、無邪気で可愛らしいだけでは頼りなくて、安心してまかせられないのも困りものです。やっぱりぜいたくいわないで、妻にするなら、家柄も身分もまあ望まないことにします。容姿や器量なども条件から外しましょう。ことさらねじくれた根性でさえなければ、ただいちずに生真面目で実直な女を、生涯の伴侶《はんりょ》とするのが無難でしょうかね。その上に何かの才芸のたしなみや気働きでもちょっとあれば、もうけものとしましょうか。女房として貞操固く、むやみに嫉《や》きもちやきでさえなければ、まあ文句はいいますまい」

と、案外なところで手を打ってしまう。

自分は浮気者のくせに、女房には浮気だけはされたくないというところが、千年後の現代の亭主族とそっくりだ。

通い婚だから、妻は夫を待つしかない。そのかわり、通って来なくなれば、外の男を迎えいれても、夫は文句はいえないのだから、妻の貞操に対して常に不安を抱いている。それもまた最近の女たちの不倫志向の世情から見ると、世の夫族にとっては左馬頭の述懐に、他人事でなく身につまされるところがあるのかもしれない。

女さまざま

左馬頭《さまのかみ》は調子に乗って、女に対する蘊蓄《うんちく》のほどを、とくとくと披露しつづける。現代でもこういう男はよくいる。自分の色事をさも自慢らしくぺらぺらいう男は、女にとって全く魅力がない。本当の色事師というものは、決して自分の情事や女について人に喋《しゃべ》らない。雨夜の品定めの夜の源氏がまさにその例で、左馬頭が得意気に女性論をまくしたてている間に、居眠りをしている。本当に眠っているのかどうかはわからない。

左馬頭の話が経験談になってくると目をさまし耳を傾ける。

女の嫉妬《しっと》についてしきりに論じた後で、左馬頭は昔の女について語っている。器量はさほどでなかったが、その女はぞっこん左馬頭に惚《ほ》れていて、衣裳《いしょう》や化粧にも気をくばり、習い事なども熱心にして、何とかして気に入られ捨てられまいといじらしい努力をする。左馬頭も結婚するほどの気持はないが、女の純情にほだされて通っていた。ただひとつ嫉妬深いのが欠点で、そのうるささに耐えかねて、ちょっとこらしめてやるくらいの軽い気持で、愛想づかしをいうと、女も負けずに食ってかかり、激情にかられて、いきなり左馬頭の指にがぶりと嚙《か》みついてしまった。左馬頭はそれをいいがかりにして、

「ああもうこんな疵者《きずもの》にされては世間へ恥ずかしくて顔出しも出来なくなった。出世の望みも絶えた。女に指を嚙まれた男なんて恥さらしだ。もうもうこれ以上の我慢は出来ない。今日こそおさらばだ」

と憎まれ口を叩《たた》いて別れてしまった。とはいっても女を心底憎んでいるわけではなく、嫉妬も愛情のうちと思えば、そうまで嫉《や》く女が可愛くないこともない。少しこらしめてやるつもりでいたら、そのうち、女は嘆きがつのって、病にかかりあっけなく死んでしまった。

「今になって思うと、生涯つれそうにはまあいいほうの女でしたよ。話はわかるし、染物も縫物もそれは堪能《たんのう》でして……」

など左馬頭の話は未練たっぷりになる。

「まあ、あなた様方も、今のようにお若いうちは、触れなば落ちん風情《ふぜい》のなびきやすそうな、見る目にも露のようにもろい女に魅力をお感じになるでしょうが、そのうちおわかりになるでしょう。なびきやすい女は必ず何か間違いをしでかしてこちらの面目を傷つけられます」

頭中将《とうのちゅうじょう》も左馬頭の打ち明け話につられて、女の子までなしたおとなしいやさしい女が、ある日、ふっと居なくなってしまって探す手だてもなくなったことを話しだした。頭中将の知らない間に、正妻から女の方へ脅迫がましいことをいってこられ、気の弱い女は、そのまま身をかくしてしまったのだという。

「女のおとなしいのをいいことにして、わたしが浮気をして訪ねないでも、しばらくぶりに行けば、じっとこらえて、恨《うら》んでいる風もみせない可憐《かれん》な女でした。嫉きもちやきも困るけれど、この女のように頼りない女も、妻としたら危なっかしくて不安だろうし、なかなか一長一短、理想の女はいないものですな」

それまでおとなしくひかえていた式部丞《しきぶのじょう》も、頭中将に責められて、

「下々《しもじも》の私ごときに、ろくな話もございませんが……」

といいながら、仔細《しさい》らしく語りだした。

「まだ私が文章生《もんじょうのしょう》の時でした。賢女の見本のような女とつきあいました。何しろ、インテリを絵に描《か》いたような女でして、公の勤めの話も個人的な悩みも、何を相談しても、即座に的確な返事が返ってくる賢い女でした。漢学の素養などなまじの博士など恥ずかしいくらいでして。実は、ある博士の娘でした。まあもの珍しさに言いよって逢《あ》うはめになったのはいいのですが、ベッドの中の寝物語でも、学問の話や、公の勤めに役立つような堅苦しい話ばかりしてくれます。手紙も漢字で理路整然としたも

ので何とも味気ないのですが、別れ話も恐ろしくて出来ず、その女に漢文や漢詩を習いました。何しろ堅苦しいので、とても妻になどは肩がはって出来そうもありません。そのうち、ちょっと御無沙汰《ごぶさた》してしまって久しぶりに訪ねますと、いつも通す部屋にはいないで、ものものしく几帳《きちょう》などをへだてて他人行儀に逢おうとしますので、嫉いてすねているのかなと、馬鹿らしくなりましたところ、几帳の奥から熱のある声で息も苦しそうに、

『この間から風邪をこじらせて苦しいので、にんにくを服用しています。今とても臭《くさ》いのでお目にかかれないわ。何か御用なら、直々《じきじき》でなく承りましょう』

とものものしくいいます。何しろ、その臭いことといったら、もうたまったものじゃありません。

あわてて逃げ帰ろうとしますと、

『この臭いが消えた頃にいらしってね』

と高い声が臭気と共に追っかけてきました」

源氏もさすがに笑いだして、

「つくり話だろう」

という。

「全くひどい話だ。そんな女の相手をするなら、鬼とつれそったほうがよっぽどまし

だ」

と頭中将が呆《あき》れはてる。

左馬頭が、

「女は才があってもそれをかくして、風流がったり、気取ったりしないほうが無難だ。知っていても知らないふりをして、いいたいことも十のうち一つ二つはいわずにひかえるほうが、おだやかで奥ゆかしいものですよ」

などと、断定する。

どうも千年昔の男たちの理想の女は、おとなしくひかえめで貞淑で、才能はかくし、しおらしく、嫉妬しないというのにつきるようだ。現代では、もはや、女が酒をのんで男の品定めを臆面《おくめん》もなくする時代になってしまった。紫式部に男の品定めを、今書いてもらいたいものだ。

不良少年の自信

光源氏《ひかるげんじ》は十七歳の年、実に旺盛《おうせい》にラブハントに明け暮れている。

後になって徐々にわかってくるのだが、雨夜の品定めをした梅雨の頃までに、源氏はすでに六条御息所《ろくじょうのみやすどころ》という前東宮《さきのとうぐう》の未亡人の若い燕《つばめ》になって、六条にある彼女の邸《やしき》へ始終通っている。御息所は東宮が早世しなければ、やがて皇后にもなったはずの第一級の高貴な女人《にょにん》で、その魅力は公達《きんだち》の憧《あこが》れの的であった。

どうやら、その前に、父帝の女御《にょうご》の藤壺《ふじつぼ》とも、すでに夢のような密会をとげているらしい。大した度胸の図太い青年で、札つきの不良といっていい。藤壺は五つ年上だし、御息所は七つ年上で、共に上品《じょうぼん》の上の階級である。

フランスの女流作家コレットは、『シェリ』という傑作の中で、高等娼婦《しょうふ》の息子のシェリが、十八歳で四十三歳の母の友人の、これも娼婦のレアの情人になる話を書いている。人生の入口で年上の女に摑《つか》まった男は、とうていノーマルな年下の女との結婚生活は送れず、不幸になって破滅するということを書きたかったのだと、コレットはいっている。

　紫式部とコレットの間にはおよそ九百年という年代が横たわっているが、その不良少年のイメージは大して差がないのが面白い。片やハイソサエティーの情事であり、片やパリの娼婦の世界の恋愛だが、どこか相通じるのは、年上の女と少年という組み合わせの妙だろう。

　ただし、源氏物語の場合の年上の女たちは、せいぜい五つや七つの年の差で、四十すぎのレアのような海千山千の、その道のわけ知りではない。

『シェリ』の感動的なのは、遊びや浮気のつもりのふたりの関係が、知らぬ間に正真の恋愛に昇華していたところにある。情事や浮気は互いに心が傷つかないが、正真の恋は心が血を流す。

『シェリ』を読み終わった時、思わず感動で瞑目《めいもく》したくなるようなのは、恋に傷ついた心の美しさ哀《かな》しさにある。

　源氏物語の光源氏のドンファンぶりが、女の読者には許せるのは、彼の心の底に初恋のひと藤壺への変わらぬ哀切な恋の想いが、涸《か》れることなくつづいているからであろう。

　十七歳の光源氏が、すでに父帝の寵妃《ちょうひ》と通じていたということは、彼が雨夜の品定めの翌日、方違《かたたが》えで紀伊守《きのかみ》の邸に泊まりにいった夜の話に、こっそり書きこまれている。急いで読むと見落としてしまいそうなさりげない書き方なのだ。

たまたま、紀伊守の邸には、単身赴任している父の伊予介《いよのすけ》（愛媛県の次官）の後添《のちぞ》いの妻、紀伊守には継母に当たる女が、これも方違えで家族づれで泊まりこんでいた。源氏は昨夜左馬頭《さまのかみ》が中流の中になかなかいい女がいるといったのは、こういう階級だろうかと興味をそそられる。そういえば、伊予介の後妻は、気位の高い娘だったとの評判を思い出し、逢《あ》ってみたいと触手が動きだす。それとなく邸の中を偵察にいくと、急のことで一間に押しこめられたらしい女たちの声が、ひそひそ聞こえてくる。

「ずいぶんお若いのにまじめぶって、貴いお家柄の姫君と結婚していらっしゃるなんて、つまらないでしょうね」

「でも、結構、こっそり相当な御発展だってことよ」

どうやら自分の噂《うわさ》らしいと気がつくにつけ、

「思《おぼ》すことのみ心にかかりたまへれば、まづ胸つぶれて、かやうのついでにも、人の言ひ漏らさむを聞きつけたらむ時など、おぼえたまふ」

と怯《おび》える。

「胸の中には藤壺のことばかりあるので、まずどきりとして、こんな時にでも人々があの秘密をいい漏らして噂するのを聞いたらと思うと、恐ろしくなる」

ということの意味である。「言ひ漏らす」という表現には、秘密の匂《にお》いがする。単なる源氏の片想いの噂ならば、これほど怯えることはないだろう。もうすでにこの時点で、藤壺との最初の密会がとげられていると、解釈していいのではないだろうか。

六条御息所のプライド高い心の扉を攻めの一手でついに押し開き、情人として通い所（恋人として、夜いつでも訪ねていける場所）にしてしまった押しの強さには、すでに藤壺ほどのひとを手にいれてしまった若者の、それとは自覚しない自信と心おごりが感じられる。

一度は夢のような逢瀬《おうせ》を持ったものの、それ以後の首尾が思うにまかせぬ源氏にとって、藤壺にひけをとらない高貴の女人で、美しさと才気と魅力で若い公達の心を捉《とら》え、第一級のサロンのように人々を常に集めて、女王蜂のようにふるまっている御息所が、秘めた恋のかのひとの代用として、どうしても手に入れたい欲望の対象になったのだろう。それまで貞操堅固で、誰にも摘《つ》みとらせなかった高嶺《たかね》の花としての誇りを、自ら潰《つい》えさせ、若い源氏の一途《いちず》な情熱に押し流されてしまった御息所の苦悩に、この頃の源氏は全く気づかない。つづいて二人も、最高の女人をわが手に摘んだ源氏の自信は、紀伊守の邸に泊まった夜、誰はばからぬものとしてあふれだす。

女の亡父の衛門督《えもんのかみ》は、宮仕えさせようと望んでいたのに、運命のいたずらで、こんな身分になっているのを源氏はあわれにも思い、好奇心をそそられる。興奮して眠れないので、それらしい部屋のかけがねを外してみると、内からはかかっていない。闇《やみ》の中を手さぐりでしのんで、小さな女の寝ているのに近づき、そっとかぶっているものをはがしてしまった。その時になって、女は気づき、声をあげたが、もう逃れようもなかった。あたりには源氏の放つえもいわれぬ芳香がみちている。

「びっくりなさったでしょうが、前々からお慕いしていたのですよ。出来心じゃないんです。信じてください。こんな機会を待ち望んでいた甲斐《かい》がありました」

と、やさしくかきくどく。「鬼神《おにがみ》も荒だつまじきけはひなれば」と、その時の源氏の魅力を描写している。はじめて逢った女に、前から恋していた、というのは、このプレイボーイの常套《じょうとう》手段で、私たちはこの大長篇を読了するまでに、数えきれないほどこのくどき文句を聞かされていく。

不倫妻

不用意に源氏にふみこまれてしまった伊予介《いよのすけ》の妻は、

「お人ちがいでございましょう」

と辛《かろ》うじて抵抗したものの、源氏は放してくれない。小柄な彼女は軽々と抱きあげられて、源氏の寝所へつれこまれてしまう。その途中、女房の中将《ちゅうじょう》が出あい頭《がしら》に逢うが、源氏の放つすばらしい芳香にはっとそれと気づき、事の重大さにうろたえるが、源氏の身分の高さにおびえて、女主人の危機をどう救っていいかわからない。

この時の源氏の態度はまことに傲慢《ごうまん》で愕《おどろ》かされる。あっけにとられて茫然《ぼうぜん》としている中将の前を素通りして寝所に入り、障子を閉めてから、

「夜明けになってからお迎えに参れ」

といってのける。大様《おおよう》というか、図々しいというか、自分ほどの身分の男は何をしてもいいのだという思い上がりがあふれていて憎らしい。この時、女は女房の中将がこの有様をどう思うだろうと死ぬほど切なくて、流れるほど冷や汗を出している。源

氏の思い上がりはやがて女の手強《てごわ》い抵抗に打ち砕かれる。女は高貴の女人たちの示した抵抗に負けないくらいの気位の高さで、源氏を拒もうとしたのだ。

「例のいづこより取《と》う出《で》たまふ言《こと》の葉にかあらむ、あはれ知らるばかり情々《なさけなさけ》しくのたまひ尽くすべかめれど」

とこの時の源氏の求愛の様《さま》が書かれている。いつもの調子でいったいどこから取りだすのか、情の深さが相手にしみとおるような甘い愛の言葉をかけたけれど、女はそんな言葉になびかず、

「あんまり御無体なお仕打ちです。まさか現実のこととも思えません。どうせ私などしがない身分の女とあなどってのことでしょうが、身分の低い者には低い者なりのプライドもあれば恥もあります」

と口惜《くや》しがる。小柄できゃしゃだし、性質もたおやかそうだが、なかなか芯《しん》が強くて、そうたやすくなびかないのが、なよ竹のように折れそうで手折《たお》れないのだ。とはいっても結局、若い源氏の情熱は強引に想いをとげてしまう。そんな乱暴を心底からあんまりだと泣き沈むのを見ると、可哀《かわい》そうなことをしたと思う一方、もし未遂に終わっていればやはり悔いを残しただろうと、この思い上がったドンファンは考えるのだった。

女は日頃、そっけなくて味気もなくつまらないと馬鹿にしている年老いた夫が、も

しこのことを夢にでも見はしないかとぞっとする。

心ならずも不倫を働いてしまった伊予介の若い後妻は可哀そうである。今風にいえば不良少年にレイプされた人妻というところだ。

内心侮っていた中の品の女の思わぬ芯の強さに、源氏はかえって魅力を感じ、肉体関係だけでなく、心までわがものにしたいと憧《あこが》れをかきたてられるのだった。

彼女と連絡をとりたいばかりに、女の弟の小君《こぎみ》を自分の家来にひきとって文使いさせたり、手引きをさせたりする。まだ十四、五歳の少年に、伊予介に嫁ぐ前に、自分と彼女とは恋仲だったのだとつくり話を聞かせ、少年を納得させる。女はあれ以来、心を鬼にして、決して二度と過《あやま》ちをくりかえすまいと用心している。源氏の魅力に女が一夜で身も心も激しくゆさぶられたからこそ、彼女は必死で自分の貞操を守ろうとするのだ。どうせ一時のもてあそびにして、捨てられる恥に、どうして耐えられるものかという女の自尊心がある。

ついにある夏の夜、小君の手引きで、しのびこんだ源氏は、女が継娘と碁《ご》をさしているところを間近に盗み見してしまう。王朝の男の覗《のぞ》き見は軽犯罪にもならず、恥にもならなかった。この夜はじめて源氏はありありと女の容貌《ようぼう》を見る。あんな一夜を持ちながら、源氏は真っ暗な中で女と逢っていたとみえ、女の顔もろくに見ていない。女は小さく手などやせ細り、髪もさほど長くも豊かでもなく、鼻筋も通っていずひねこびた感じで、まぶたははれぼったく、どっちかといえば不美人のほうに入る。「わろきによれる容貌《かたち》」と原文ではいっている。それに比べて継娘のほうは、白い羅《うすもの》、つまりシースルーの着物をしどけなく着て、赤い袴《はかま》のあたりまで胸をはだけてだらしない様子だが、色がたいそう白く「つぶつぶと肥《こ》え」背も高い。グラマーでセクシーな女である。ただし、娘のほうは品がなく、継母のほうがやはり情感があると源氏は思う。

この夜、小君の手引きで二度めの夜這《よば》いをした源氏は、女を抱いてしまってから、どうやらお目当ての女ではなく、継娘のグラマーのほうだったと気がつく。小柄な女は、気配に感づき、上に着ていた薄い小袿《こうちき》だけを脱ぎ残して逃げていたのだ。人まちがいだともいえず、源氏はあのセクシーな娘も悪くはないと、とっさに腹を決め、またしても、前々からあなたを好きだったなど、例の甘い言葉を囁《ささや》いてやる。

娘は可愛いが、初々しさに欠け、情趣に乏しい。それにつけても、こうまで拒み通すあの女は何という情のこわい女だろうと憎らしく、それだけにいっそう未練が出て女の残した小袿を持ち帰り抱いて寝る。思うことのすべて叶《かな》わぬこともない源氏にとって、この思いがけない人妻の抵抗は、生まれてはじめての経験だった。それだけに自尊心も傷つき、かえって忘れられない女となる。

「空蟬《うつせみ》の身をかへてける木《こ》のもとに

　なほ人がらのなつかしきかな」

「空蟬の羽《は》におく露の木《こ》がくれて
　しのびしのびにぬるる袖《そで》かな」

この相聞歌《そうもんか》によって、伊予介の妻を空蟬と呼ぶようになる。

この年の秋、空蟬は夫に伴われて伊予国《いよのくに》に下っていく。老いたコキュは妻の不倫に全く気づいていなかった。

夕顔の宿

十七歳の光源氏《ひかるげんじ》は、プレイボーイナンバーワンといいたいところだ。藤壺《ふじつぼ》との不倫をはじめ、人妻の空蟬《うつせみ》を襲ったり、その継娘を空蟬とまちがえてものにしてしまったり、何とも目まぐるしい。しかもその間に、六条のあたりに邸《やしき》を構えている前東宮《さきのとうぐう》の未亡人六条御息所《ろくじようのみやすどころ》まで通い所にしてしまっていた。

この人は源氏より七歳年上で、この時二十四歳ということになる。美しく高貴の身分の上、文学、音楽の趣味も広く、あらゆる教養をかね備え、美的感覚がすぐれていたので、若い公達《きんだち》の憧《あこが》れの的であった。六条の邸は、彼女のもともとの財産か、東宮の遺産かよくわからないが、おそらく、彼女の里方《さとかた》の邸だったのではないだろうか。

自然にその邸へ文学好きの若い公達や、音楽好きの貴公子たちが集まってくるようになり、一種のサロンを形成していたらしい。気位が高く才能豊かな御息所は、男たちの誰とも特定の間柄にならず、サロンの女王としての立場で、優雅に身を処していた。

その中で、源氏がどう迫ったのか、いつの間にか、人々はだしぬかれて、気がついた時は、御息所は源氏を愛人として、邸に通わせるようになっていたのだ。

その日も源氏は、六条御息所を訪ねるつもりで出かけ、途中、休み処《どころ》として、五条のあたりにある乳母《めのと》の家へ立ち寄り、かねて病気の乳母を見舞おうとした。

この乳母の息子に惟光《これみつ》という若者がいて、源氏の乳兄弟なので、早くから源氏に仕えて、常にお側《そば》にいる。数多い女のことも、惟光には一切かくすことが出来ず、惟光だけは源氏の恋愛問題の秘密もすべて心得ていた。

乳母の病が重いので、このところ惟光も実家に帰り、病母の看病をしている。

源氏の車がついた時、家の表の門は閉ざしてあるので、家来に命じ裏口から惟光を呼びよせ、迎えさせようとした。その間、源氏は車の中で退屈しのぎに、ごみごみした五条の建てこんだ家並みを眺めていた。

乳母の家の隣に檜垣《ひがき》を新しく結《ゆ》いめぐらせた家が目についた。上手の方は半蔀《はじとみ》を四、五間《けん》ずっと吊《つ》りあげて、そこにかかった簾《すだれ》なども新しく白くさっぱり見える。その間から、額《ひたい》つきの美しい女たちの顔がたくさんこっちを窺《うかが》っているのが透《す》いて見えている。

覗いているつもりが、向こうから覗かれていたわけだ。

高い塀《へい》の中の大きな邸ばかりが都の家々でもない。こういう下町の埃《ほこり》っぽい庶民の暮らしぶりが一挙に源氏の前にひろげられるところも、作者の腕の冴《さ》えで、読者は、自分の暮らしに近いこの場所で、何が起こるだろうと期待に胸を弾ませる。

簾のかげで立って動きまわっている女たちの下半身の動きから推察すると、無暗《むやみ》に背が高そうに見える。いったいどんな女たちの住まいなのだろうと、源氏の好奇心はそそられ、珍しく思われる。

今日は全くのおしのびなので、車もわざと粗末なのを使い、前駆《さき》の声も立てさせぬようこっそり来ているので、自分とはまさか、誰も気づくまいと思う安心感から、源氏はいっそう露骨に覗こうとする。

門らしいものもなく、蔀のような格子《こうし》を扉にして、棹《さお》でそれを押しあげただけである。その内はみるからに手ぜまな小さな家で、この世も仮の宿と思えば、宮廷もここも同じものかもしれないなど興味をそそられる。切掛《きりかけ》めいた板囲いのところどころに、青々とした蔓草《つるくさ》が這《は》いのび、白い花がひっそりと咲いている。

「何という花だったかな」

とつぶやくと、お供の一人が、夕顔だ、と花の名を教えた。

「一房折ってまいれ」

と命じられて家来の一人がその家に入っていくと、可愛らしい女童《めのわらわ》が出て来た。

白い扇に濃く香《こう》のたきしめられたものをさしだし、

「この上にのせてさしあげてください。蔓が扱いにくい花ですから」

という。丁度《ちょうど》その時惟光が家から出て来たので、家来は花の取次ぎを惟光に頼んだ。

惟光の家では、兄や妹聟や、妹などもみんな集まって重病の乳母を取り囲んでいた。

乳母はすでに病床で出家して尼になっていて、泣いて源氏の見舞いに感激した。

源氏はここで、病気の乳母に若者とも思えぬようなやさしい情の深い言葉を数々かけてやる。源氏の口のうまいのは、何も恋人に向かってだけのことでないのが、この乳母の見舞いのところでわかる。

関西では口のうまい人を口べっぴんと呼ぶ。その中には、口先だけがうまく心が伴っていないと非難めいた意味もあるようだが、源氏の口べっぴんは、その都度、どこから出てくるのかわからないような甘い調子で、すらすら出てきて、相手はお世辞とわかっていても、ついうっとりと幸せな気分にさせられる。

「自分は幼い頃、母も祖母もつぎつぎ失って、そなた一人に馴《な》れむつんできて、ちょうど子が親を慕うようにいつでもなつかしく思っているのだから」

などといわれると、死にかけている老婆《ろうば》は、すでに極楽にいるような嬉しい有り難い気分になるのは当然である。

互いに涙を流しあったしみじみとした別れの場面の直後、このプレイボーイは早速、その部屋を出るなり紙燭《しそく》を惟光に持ってこさせ、さっきの扇を開いてみる。使いならした香がしみて黄色く染まったその扇には、風情《ふぜい》のある字で、

「心あてにそれかとぞ見る白露の
　光そへたる夕顔《ゆうがお》の花」

と書いてあった。白露の光を添えた夕顔の花のようなお姿は、もしかしたら光源氏の君では……という歌で、なかなかしゃれている。

源氏は早くも、このわけありげな家の女に心がそそられていく。

可愛い女が永遠の女

　男にとってどんな女が理想かといえば、雨夜《あまよ》の品定《しなさだ》めで色々論じられているけれども、結局、素直で、自分のことを世界一いい男と思いこみ、ぞっこん惚《ほ》れこんで頼りにしてくれる女ということではないだろうか。

　チェーホフがいみじくも『可愛い女』という短篇小説で、目の前にあらわれたその時々の恋人の、いうことなすことに感化されて、男の仕事、男の考えが世界一だと思いこんで、すっかり洗脳されていく女を描いた。チェーホフは女の無定見、無思想を嘲《あざけ》ったのではなく、その筆つきはそんな素直な女の可愛らしさをいとおしがっているようである。ウーマンリヴの女性たちが、女性を侮辱していると目くじらたてるのは見当ちがいであろう。

　源氏物語の夕顔《ゆうがお》を、私は若い時、この女のどこがいいのかさっぱりわからなかった。頭中将《とうのちゅうじょう》に愛され、女の子を産むが、中将の本妻の方から、脅《おど》しをかけられると、何の抵抗もせず、頭中将に自分の窮状を訴えることもせず、身をかくしてしまう。

そして行きずりの男のような、身分も名も明かさぬ源氏に、やすやすと誘惑されると、そのままなびき、男を通わせつづけるのだ。

男が別の静かなところで、ゆっくりふたりきりで過ごそうと誘えば、気味悪がりながらもついてゆき、そこで物《もの》の怪《け》におそわれてはかなくなってしまう。まことに頼りないかぎりの女で、摑《つか》み所がない。

こんなおとなしい、初心《うぶ》で素直な女こそが、永遠に男の理想の女だとうなずけてきたのは、自分が人生の大方を過ごして、恋とは何か、男女の間とはどういうものかが、とくと理解された後である。

この頃の男性は、自立した女、自我のある女に魅力を感じ、話し相手になり、しっかり自分の意見もいえる女でないと手応《てごた》えがないといったりする。果たしてそうだろうか。女のほうはやさしい男がいいという。やさしいばかりで頼りない男なら、たしかに頼もしいしっかり者の女のほうが一緒に暮らして安心だと思うかもしれない。

光源氏《ひかるげんじ》は青年の入口で、美しい五つ年上の継母に初恋を覚え、その代用品のように七つ年上の六条御息所《ろくじょうのみやすどころ》と恋愛関係になり、正妻葵《あおいのうえ》上もまた自分より四つ年上である。三人とも高貴な生まれと育ちで上品で堅苦しい。うっかり冗談などいえない女たちで、常に緊張感を強《し》いられる。

そんな中でめぐり逢ったのが夕顔であった。夕顔もどうやら源氏よりは二、三歳年上である。すでに頭中将との間に女の子を産んで、その子は三つくらいになっているのだから、十六で出産したとしても十九歳くらいと見ていいだろう。素姓も明らかでないところが夕顔は源氏に年上の女の圧迫感を全く感じさせない。男にたやすく身を許し、すんなりと添ってゆく。

円地文子さんは夕顔の中に自然に備わった娼婦性《しょうふせい》を見ていられるが、私は娼婦性というより、「可愛い女」的な、全く自我のない幼児性を感じる。自分がついていてやらねば、どうなるか不安心な気持を男に抱かせ、保護せずにはいられない想いを男にかきたてさせる女。どの男にも無色に見え、どんな色にでも染めてみたいように思わせる女。一度身を許せばどんな要求にも応じ、男の欲するままに飴《あめ》のように身を曲げる女。捕らえどころもないほどの素直さは、嬰児《えいじ》のそれに似て、男に哀憐《あいれん》の情をわきたたせる。

「人（夕顔）のけはひ、いとあさましく柔らかに、おほどきて、もの深く重き方《かた》はおくれて、ひたぶるに若びたるものから世をまだ知らぬにもあらず」

と紫式部は夕顔を表現する。源氏の見た夕顔の様子は、呆《あき》れるほど素直でおっとりしていて、思慮深さとかしっかりしたところなどは全くなく、頼りなげで、ひたすら若々しく世間知らずに見えながら、男を知らぬ生娘《きむすめ》というのでもない。嫋々《じょうじょう》としたやわらかな女のいいようもない可憐さ、そのくせ、童女性の中にすでにはっきり手応えを見せるエロティシズム。そんな女がいたら、今の世の男だって夢中にならずにはいられないだろう。

「柔らかに」というのは、素直と訳されるが、この言葉には心の素直さの外に、女の肉体のいかにもやわらかな手触りまで感じさせるエロティシズムがある。

素姓も知れない下《しも》の品《しな》のこんな女に、こうまで夢中になっては身分にかかわると、源氏の理性は自制しながら、どうしようもない女の魅力に、生身《なまみ》の源氏は惑溺《わくでき》してゆく。

「世を知らぬ」の世は、男女の仲をいう。性愛にすでに目覚めている手応えということで、決して男に木偶《でく》の坊のように抱かれるだけの女ではないのである。文中には、はっきりとは書いてないが、夕顔は源氏が知ったこれまでの女の中で、抜群に源氏に性の愉《たの》しみを与えたにちがいない。そのため、源氏は、朝帰って夕方会いにゆくまでの昼間の時間がもたないほど夕顔にのめりこんでいく。

ついに自分の二条院《にじょうのいん》につれて行って、世間の非難などかえりみず朝も晩も一緒に暮らしたいとまで思いつめる。自分の目の届かないうちに、ふっとかき消えてしまうのではないかという不安が、源氏を捕らえるのだ。自分に対してこうもやすやすとなびいた女なら、他からの誘惑にも風のようになびくかもしれない。こう思わせたら女の勝利である。

源氏はついに女とふたりだけのより濃密な性愛の時間を持とうとして、女を連れだし、そこで夕顔は突然急逝《きゅうせい》してしまう。激しい愛の燃焼の只中《ただなか》でかき消えていった夕顔は、いよいよ永遠の女としてのイメージを、源氏の中に完成させるのである。

源氏物語の中でエロチックな場面は数えるほどしかない。その中で夕顔の巻は屈指の場面になっている。こんな女を書いた紫式部が、インテリで自我が強く、頑固で、意地悪い女のように思えるのが皮肉である。小説家というのは、常に願望を小説の中に書き残すのかもしれない。ジュリアン・ソレルを造型したスタンダールが、およそ醜男《ぶおとこ》だったというように。

紫式部の顔

源氏物語に女たちが次々登場してくるにつれ、作者の紫式部とは、どういう顔をした、どんなスタイルの女だったのだろう、と想像せずにはいられなくなる。

今では小説家が誕生するや否や、雑誌に写真がのるので、読者は、小説を読みながら、作者の顔を想い浮かべ、へえ、あの顔でこういうことを書くのかと、納得したり、愕《おどろ》いたりする。

王朝ではまだ肖像画がなく、その筆跡が残っていれば、辛《かろ》うじてその文字から人物を想像するくらいである。

紫式部を自分の娘の中宮彰子《ちゆうぐうしようし》の女房として雇用した、藤原道長《ふじわらのみちなが》の筆跡は残っているが、残念ながら紫式部や、清少納言《せいしようなごん》、和泉式部《いずみしきぶ》、赤染衛門《あかぞめえもん》などの才女たちは、誰もその筆跡を残していない。

私たちは、彼女たちの書き残した小説や、随筆や歌などで、彼女たちの俤《おもかげ》を想像するしかない。

王朝の絵巻物にみる美女たちは、まんまるいおかめ顔にひき目かぎ鼻、髪の長さが美女の条件の第一といわれていて、スタイルは問題にされなかったようだ。あの十二単《じゆうにひとえ》のかさ高《だか》な着物の中に入ってしまえば、どんなデブも、やせっぽちもわからない。絵巻物で見るかぎり、個性などは一切認められない。

ところが紫式部は、小説の中でわりあい女の容貌《ようぼう》をはっきり、書きわけている。

美女の容貌を書くのは苦手だったらしく、桐壺更衣《きりつぼのこうい》も、藤壺女御《ふじつぼのにようご》も、葵上《あおいのうえ》も夕顔《ゆうがお》も、六条御息所《ろくじようのみやすどころ》も、容貌は描かれていない。

「いとにほひやかにうつくしげ」というのが、桐壺の容貌に用いられているが、「にほひやか」はつやつやとあでやかなことで、「うつくし」は、美しいより可愛いという要素が強い。こういう漠然《ばくぜん》とした抽象的な表現でしか紫式部は美女を語らない。

ところが醜さを書く時には、まことに潑溂《はつらつ》と筆が躍動している。

覗《のぞ》き見した時の空蟬《うつせみ》の顔の描写なども、まぶたがはれぼったいとか、鼻筋もすっきりしていなくてひねこびた感じで、どっちかといえば不器量だなど、ずいぶんはっきり書く。末摘花《すえつむはな》の象のように垂れ下がって先の赤い醜い鼻の描写なども残酷なほどだし、色好みの老女の源典侍《げんのないしのすけ》のことは、

「目皮《まかは》らいたく黒み落ち入りて、いみじうはづれそそけたり」

と表現している。目の皮が黒ずみ落ち窪《くぼ》んで、髪の毛は薄くそそけているというの

で、リアリズムの描写である。

　こんなふうに、同性の顔の醜さを、はっきり凝視出来る紫式部は、もちろん、自分の顔だって、鏡の中ではしかと見据えて、欠点も長所もわきまえていたことだろう。美しいとはいえない空蟬や、末摘花や、花散里《はなちるさと》に対して、源氏は不思議なほど愛情を持ちつづけ、生涯の面倒を見る。美女たちより、むしろ、醜女《しこめ》たちに幸福を与えたがる紫式部の心の内には、同病相憐《あいあわ》れむところがあったと見るのは勘ぐりすぎだろうか。

　空蟬に紫式部が自分を一番托しているというのは、円地文子さんの見解である。美しくないけれど、肉感的で派手で美貌の、彼女の継娘軒端荻《のきばのおぎ》より、空蟬のほうがずっと奥ゆかしくて魅力的だと源氏にいわせるところに、紫式部のナルシシズムがこっそりかくされているという説である。

　紫式部は自分を美女とは思っていなかったらしい。しかし魅力的な女、それも、知性や教養で培った精神的魅力のある女と自認していたのではないだろうか。

　紫式部の歌集に自分で編纂《へんさん》して採《と》った歌から推《お》して、式部の明るい爽《さわ》やかな少女時代を発見されたのは清水好子《しみずよしこ》さんで、名著『紫式部』の中には、思いの外、潑溂とした男まさりの少女の俤《おもかげ》が活写されている。女友だちが多く、同性から頼りにされるようなどこか少年っぽい頭のよすぎる女の子。それが清水さんの見た少女紫式部である。母親は早くに死んだらしく、受領《ずりよう》の父藤原為時《ふじわらのためとき》は、この利発な娘が「男だった

るいているのに」と、いつもいっていた。弟の惟規《のぶのり》が父から漢籍の講義を受けている
のを、横で聞いていた彼女が、弟より早く覚えこんだというのである。この話を「童《わらは》
にて書《ふみ》読みはべりし時」と、日記に書き残しているのだから、式部自身、頭のよさは
得意だったにちがいない。

頭がいいけれど器量のよくない娘、そんな彼女は二十歳すぎまで未婚で、すっかり
文学少女になって漢籍や仏典を片っぱしから読みあさったらしい。

田辺聖子さんは、二十七歳くらいで父ほどの年の藤原宣孝《ふじわらののぶたか》と結婚した式部は、そ
の前に他の男に失恋していたのではないかと小説的空想をされている。文学少女の彼
女は、娘時代は積極的で、方違《かたたが》えに泊まりに来た男が、明け方、自分と姉の寝ている
部屋へしのびこんできて、「なまおぼおぼしきことありて帰りにける翌朝《つとめて》」自分から
朝顔の花にそえて、

「おぼつかなそれかあらぬか明《あけ》ぐれの
　空《そら》おぼれする朝顔の花」

という歌を届けている。「なまおぼおぼしきこと」というのは、何だかはっきりし
ないことだが、男がしのんできて、何をしたのか、どの程度の接触があったのかぼか
されている。しかし、その事を見過ごさず、
「あなたの顔を見てしまったわよ、とぼけたって」

と挑戦的にいってやるのである。当時の深窓の令嬢の決してとるべき態度ではない。この頃の紫式部は血色のいい、色の浅黒い、額ぎわの涼しい、目のきらきら輝いた容貌ではなかっただろうか。男性によりも、宝塚の男役のような倒錯した魅力を若い娘たちに与えていたかもしれない。

その紫式部が、短い結婚をして一人の女の子を産み、中年になって宮仕えする頃は、すっかり、引っこみ思案で人嫌いの、陰気めいた女の顔になっていたと、わたしには想像される。顔色は青白く貧血気味で、冷え症で、意地悪そうな冷たい目をいつも伏目にして、人に自分の心を覗かせまいとしている。

小説を書けば、女の器量は落ちるのだ。昔も、今も。

紫式部の男性的要素

今はやりの血液型でいえば、紫式部は何型だっただろう。陽気な社交型のB型ではないに決まっている。堅実でしっかり者の神経の太いO型でもないだろう。一見神経の細い傷つきやすいA型のようにも見えるが、あれだけの小説を書きあげ、様々な人間心理の裏も表も知っていた紫式部は、可憐《かれん》純情なA型ではおさまりきるはずがない。やっぱり、彼女はAB型ではないだろうか。両極端の性質をひとつにつきまぜ、複雑で矛盾をいっぱいはらんだ性質、こんな性格が小説を書くには最もふさわしい。

女性に生まれたことがすでに、どこかで間違っていたような男性的要素は、少女時代からあったと見られる。同性に好かれた彼女の爽《さわ》やかさ、それは男性に通じるもので頼もしさにもつながるが、仕事をするエネルギーの裏がえしともいえるのではないだろうか。

およそ物を書いて発表するなどいうことは、おとなしい内向型の人間のすることではない。自己顕示欲とは男性的要素から生じるもので、真におとなしい家庭的な女性的要素の女ならば、ものを書いて人目にさらすなどはしたない行為は決してしないはずである。

たとえ、雇い主の道長《みちなが》にすすめられたにしても、あれだけの大長篇を書き、しかもその中には相当な濡《ぬ》れ場もあるのだから、今ならともかく、千年昔の、娘になれば人前には顔も見せないようにして暮らすのを常識とされていた時代に、そういうエロチックな小説を女の身で書くということは、並大抵《なみたいてい》の決心で出来ることではなかったはずである。王朝の女たちは、歌の中では、相当大胆に自分の心を吐露していたが、それはあくまでなまの感情を詩的に昇華させたものであった。歌においては、散文のなまなましさとはちがう感覚で受け取られ、激しい表現にしても、詩的操作のデフォルメと、解されていたのではないだろうか。

性的には相当自由で乱れていたらしい後宮《こうきゆう》でも、行うのと、口にするのとでは受取り方がちがったであろう。表向き地味で、無口で、非社交的な紫式部が、目も綾《あや》な恋物語を濃厚な筆で描き出すのを、同僚たちはどんな思いで見ていたのだろうか。

「あんなに取りすましていて、お高くとまって、あれであの人相当な経験者なのね」

「でも、宣孝《のぶたか》さんとの結婚生活はわずか三年くらいでしょう。その後、これという男との噂《うわさ》も聞かないし」

「結婚前から、宣孝さんとは相当なつきあいだったっていうわよ。何しろ、ドンファンで口上手で、女にかけては達人の宣孝さんですからね、不器量で頭でっかちの男に持てない文学少女なんか、くどき落とすのは、赤ん坊の手をねじるようなものだったと思うわ」

「まあ、見ていたようにおっしゃるのね。案外、あなたもあの女《おんな》蕩《たら》しさんにくどかれた経験がおありじゃないの」

「よしてよ、あたしはあんなオジンは好みじゃないの。ぴちぴちした若い公達《きんだち》でなくっちゃ」

「そういえば、宣孝さんは、方違《かたたが》えにあの人の家にいった時、あの人の部屋にしのびこんだって噂は専《もっぱ》らですよ」

「だから空蟬《うつせみ》が書けたのよ。源氏が暁方《あけがた》小君《こぎみ》と帰っていく時、寝ぼけた女房たちにみつかりそうになってはらはらするでしょう。あの場面なんかとても想像では書けないわ」

「まあ、じゃ、あの小袿《こうちき》を残して逃げだすのも実体験かしら」

「それはわからないけれど、あんなしたり顔の小細工はしそうな人じゃないこと」

「じゃ、替玉になった軒端荻《のきばのおぎ》は、あの人の美人のお姉さん？」

「あなたったら、何でも小説と現実をまぜこぜにして読みたがるのね。小説はあくまでフィクションよ。そういう私小説的読み方は旧《ふる》いのよ。一昔前の蜻蛉日記《かげろうにっき》は純然たる私小説だから、まあ、あんな事実があったかもしれないけれど……それだって、作者は、自分のほんとうに都合の悪いことや恥ずかしいことは書いてないと思うわ。かえって、紫式部さんのように、これは全部つくりものですよ、なんて姿勢で書いてある中に、案外、作者のなまの心や、経験が、顔を覗かせるってことがあるかもしれないわね」

「だから、わたしが軒端荻はお姉さんかっていってるのに……」

こんな会話が女房たちの退屈しのぎに交わされていなかったともいえない。

あるいは、

「あの人って、レズっ気があるんじゃないの。きれいな女《ひと》を見る時の目つきなんか、ちょっと異常じゃない？」

「まあ、あなた、紫式部さんと何かあったの？」

「まさか」

もしもこんな会話が交わされていたとしたら、その時彼女たちは、現代のコーヒーやクッキーに代わるどんな飲物とお菓子を口にしていたのだろうか。

紫式部が同性愛的傾向があったのではないかなどという妄想は、紫式部日記による。この日記には、和泉式部や清少納言のことを実に辛辣《しんらつ》に悪口をいっている。和泉式部は歌はうまいが、品行が悪いとか、清少納言は、得意がって漢字を書きちらしているが、よく見れば大したことはない、思い上がっていい気になっているが、どうせ末はみじめに落ちぶれるだろうなど、憎らし気に書いている。

その一方、宰相《さいしょう》の君などという女房は、言葉をきわめて美しい、可愛い、愛嬌《あいきょう》がある、上品だとほめちぎっている。彼女の局《つぼね》を覗いた紫式部が、昼寝をしている宰相の君の美しさに思わず、かけている着物をはらいのけて起こしてしまうところなどは、エロチックな匂いがしてはっとさせられる。他にも数人の女房をあげてほめているが、それは容姿が美しく素直で可愛らしく、いいかえれば、才能のない女たちばかりである。

和泉式部や清少納言は、紫式部に感情的な悪口を書かせるほど、無視しきれない才能があったということであろうか。

女はやはらかきがよし

父帝の妃《きさき》藤壺《ふじつぼ》に邪恋を抱き、誇り高き未亡人六条御息所《ろくじようのみやすどころ》を恋人にし、素姓も知れぬ夕顔《ゆうがお》に理性を失うほど熱中し、伊予介《いよのすけ》の妻の空蟬《うつせみ》を強引に手にいれ、その継娘までまちがいとはいえ一夜の関係を結ぶ。この目まぐるしい女出入りが、わずか十七歳の一年間の出来事なのだから、光源氏《ひかるげんじ》のプレイボーイぶりも大したものだが、それでも源氏が魅力ある男として女の読者の心を惹《ひ》くのはなぜか。

それはひとえに、源氏をやさしき女蕩《おんなたら》しとして書きあげた紫式部の手腕によるだろう。

病気の乳母《めのと》をわざわざ見舞うのもやさしさなら、夕顔の急死にショックを受け、落馬するほど嘆き悲しむのもやさしさである。

夕顔の頓死《とんし》という事件を秘密裡《ひみつり》に解決しなければならないので、惟光《これみつ》のとっさの判断で、夕顔の死体は東山の惟光の知人の尼の庵《いおり》へこっそり運びこむ。二条院《にじようのいん》へこっそりひとり帰った源氏は、辛《つら》くてたまらず、どうしてさっき、亡きがらと一緒に車に乗ってついていってやらなかったのかと後悔する。もし万一、息を吹きかえしたら、女が、どんな気がするだろう。気を失った自分を見捨てて、よくも逃げ出したものだと恨《うら》みに思うにちがいない。そう思うと、自分まで胸がせまり、このまま死んでしまうのではないかと切なくなる。

やっぱり、死体にもう一度逢いたいと思い、馬でひそかに東山の庵へしのび、最後の別れをつげにいく。この時の愁嘆場は読者の涙を誘うように、紫式部は筆を尽くしてこまやかに描きこんでいる。生前のようにまだ可愛らしいままの亡きがらにとりすがり、

「せめてもう一度声を聞かせておくれ。どんな前世の契《ちぎ》りがあったのか、あの短い間に、ある限りの思いをかたむけ、愛さずにいられなかったのに、あんなにいとしくてたまらなかったのに、わたしひとりを残して逝《い》ってしまうなんて、あんまりひどい」

と源氏はあたりはばからず声も惜しまず泣き悲しむ。

こんなくだりを読めば、自分が死ねば、夫や恋人はどう思うだろう、どんなに惜しんでくれるだろうかと、想像せずにはいられない女たち読者にとっては、男の真実を見せられたように思い、少なくとも慰めにはなるはずである。

めめしいほどの源氏の悲嘆ぶりに、読者は限りなくやさしい源氏の心を読み取る。その上、源氏は、このショックで二十日余りも病気になってしまうのだ。おそらく源

氏物語のファンの女房たちは、ここで自らも涙をこぼしながら、

「まあ、何ておいたわしい光 君《ひかるのきみ》さま」

と、ため息をついたのだろう。源氏は、女主人に取り残され途方にくれていた右近《うこん》という夕顔の女房にも同情し、自分の邸《やしき》につれ帰って、召しかかえてやる。

右近は、源氏が夕顔をしのぶよすがになり、何かと話し相手になって慰めにもなる。右近から、源氏ははじめて、夕顔が十九歳で、早く死んだ三位中 将《さんみのちゅうじょう》の娘で頭 中 将《とうのちゅうじょう》に三年ほど愛され、数え三つになる女の子もあるという話を聞かされる。そして夕顔のほうは、どうやら源氏らしいと察してはいたものの、名乗ってくれないのは一時の慰めにするつもりなのだろうと、情けなく思っていたと告げられるのだ。

どう思っても奇妙で不自然なのは、源氏が夕顔の所に通いつづけながら、寝る時もずっと覆面《ふくめん》をしていたということだ。源氏が顔から布を外し、はじめて自分の素顔を夕顔に見せるのは、怪しい院につれだした夜で、その時、源氏は、こうして顔を見せるのも、夕顔の縁で結ばれたからでしょうと歌い、

「露の光やいかに」

と夕顔に問いかけている。どうだい、私のハンサムぶりはというくらいの意味で、冗談らしくいいながら、光源氏としての美貌《びぼう》の自信を見せたのである。この時の夕顔の反応が実に意表をつく。それまで、まるで意志などないように、源氏になよなよと

つき従ってばかりいた夕顔が、横目でちらと源氏の顔を見て、

「光ありと見し夕顔の上露《うはつゆ》は
　たそかれ時の空目《そらめ》なりけり」

と、ほのかに答えたというのである。歌の意は、あの時、光り輝くように見えたお顔は、たそがれ時のため、見まちがったのですわね、今、はっきり見ると、大したことないわ、しょってらっしゃること、とでもいったところである。これまで、夕顔の描写を、子供のようだとか、無邪気だとか、素直でおっとりしているとか聞かされてきた読者は、思わずおやっと目をみはる。文中でも「をかしと思《おぼ》しなす」という源氏の反応を書いてある。「お、なかなか味なことというじゃないか」という感じが、この時の「をかし」にはこめられている。

夕顔が決して、美しいだけの女だったのではなく、結構、ユーモアもわきまえた面白い面も持っていたことを、この場面は感じさせてくれるのだ。この印象的な場面のおかげで、私には夕顔という女が心に残るようになった。その上、この時も夕顔は自分の素姓を名乗ってはいない。これまでの源氏のやり方に対してちょっと仕かえしするような意外な抵抗は、「名乗るほどもない海人《あま》の子ですもの」という古歌をふまえた味な返事にもあらわれていて小気味がいい。

源氏が右近に向かって夕顔をしのび、しみじみ述懐する場面に、「はかなびたるこ

そはらうたけれ」にはじまる女性観がのべられている。

「女は嫋々《じようじよう》と頼りないようなのがいとしい。我意が強くて利巧ぶって人に従わないのは憎らしい。私自身が意志が弱いほうだから相手の女もひたすらやさしくて、どうかすると男にだまされそうに見えながら、つつましく内気にふるまい、男の心に従うというようなのが可愛い。そんな女を自分の思うように仕立ててみたい」

という。「ひたすらやさしくて」と私の訳したところは「女はただやはらかに」とある。

コキュのあわれ

源氏物語には妻を寝取られた男、いわゆるコキュが何人もあらわれる。

その中の最も大物は源氏の父帝、桐壺帝《きりつぼてい》である。次に中《なか》の品《しな》に当たる空蟬《うつせみ》の夫の伊《い》予介《よのすけ》、源氏の異腹の兄の朱雀帝《すざくてい》、そして最後に、思いがけなくも、源氏物語の主人公光源氏《ひかるげんじ》その人までコキュにされてしまう。

これは紫式部が仏教を信じていて因果応報をねらい、源氏が人の愛する女を数々かすめ、夫たちを馬鹿にした報いであるというような、単純な発想では決してないだろう。

仏教的道徳観を小説のバックボーンに据えていたら、こんな大きな美味《おい》しい大長篇は書けるはずがないからである。

平安朝の通い婚制度の時代では、夫が妻のもとに毎日通うわけでもないので、そのすきに他の男が這入《はい》りこむ場合が大いにありうる。

貴族の邸《やしき》では、妻や娘は自分で身のまわりのことなどせず、多くの女房たちがかしずいていて、そのまわりを取り囲んでいるので、なかなか男が近づけないように見えるが、実際はその女房たちが、恋の手引きをする最も重要な役目を果たすので、気のきく女房さえ自分の味方にしてしまえば、信じられないくらいたやすく、深窓の妻や娘の寝所にもしのびこむことが出来るのである。

女房の中には、欲深で、その役目から、ちゃっかりわいろを貰《もら》って貯《た》めこんだ人間も多かったのではないだろうか。

元来、コキュというものはどこの世界においても、第三者から見れば、どこかあわれで、こっけいな感じがする。第三者は、彼の立場に同情しながら、心の片隅では、コキュにされた男の間抜けさ加減を嘲笑《ちょうしょう》して、優越感を味わうものだ。

桐壺帝が、自分の最愛の息子の源氏に、寵妃《ちょうひ》を寝取られ、あまつさえ二人の間に不倫の証《あかし》の皇子まで生まれてしまうというのは、何としても気の毒である。

不義の子は、「あさましきまで、紛《まぎ》れどころなき御顔つきを、思《おぼ》しよらぬことにしあれば」と表現されている。あきれるばかり、源氏にまちがいなくそっくり似ている顔つきだけれど、帝は二人の不倫など想像も出来ないことなので、という意味である。「思《おぼ》しよらぬことにしあれば」というのに、いかにも鷹揚《おうよう》な玲瓏《れいろう》とした帝のおおらかさが出ているが、

「またとない、比類なく美しい者同士というのは、こういうふうによく似ているものなのだろう」

などと、そっくりの源氏と皇子を見比べたりされると、人の好さを通りこして、愚鈍な感じがして、読者は苛立《いらだ》ちもし、嘲笑したくもなってしまうのだ。どこまでも人のいい帝は、源氏の前に自分で罪の皇子を抱いてきて見せ、
「この子はそなたに実によく似ている。赤ん坊の頃というのは、みんなこんなふうに似ているものなのかな」

などと、のんきなことをいう。源氏のほうは顔色が変わり、罪の深さの恐ろしさにおののくが、父帝のほうは一向に気づかない。果たして、桐壺帝が最後まで妻と息子の不倫を知らずに死んだかどうかは、謎《なぞ》として残されている。

帝とは比較にならない、身分の低い伊予介は、妻を寝取られた上、娘まで犯されたのを全く知らず、伊予から帰ると、まっ先に源氏に御挨拶《ごあいさつ》にゆく。

海の旅のせいで陽やけして黒くなっている伊予介は、むさくるしいが、生まれも相当な血筋なので、年をとってはいるものの、容貌なども、どことなく端正で品があり、風格のある人物として源氏の前に現れる。

源氏はさすがに心にやましいところがあるので、気楽に声をかけることは出来ない。
「あいなくまばゆくて」という表現は、妙にまぶしくてまともに顔が見られない、と

いうことである。こんな真面目《まじめ》一点張りのような誠実な年輩の男を前にして、後ろめたい恥ずかしい気持になるのはみっともない、これも人妻を盗むなどという悪いことをしたせいだと後悔する。伊予介も全く妻を疑ってはいない。

その純真さが、ここでは源氏の心を打ってくる。空蟬が情こわく、あれ以来、決して自分を近づけないのは口惜《くや》しいものの、こういう老人にとっては、貞淑な妻というべきで、感心なのだと考え直す。

それでもその後では、伊予介が今度は妻も伊予へ連れていくというので、それまでに何とかもう一度逢いたいと、手を尽くす。幸い空蟬が源氏を寄せつけないので、伊予介は二度とコキュになる辱《はずかし》めからまぬがれるものの、何もかも知らされている読者には、伊予介が気の毒と思う一方、知らぬは夫ばかりというのんびりさが、やはり鈍に見えるのは仕方がない。

伊予介は全くの他人だからまだ罪が軽い気がするが、父の次に、異腹とはいえ実の兄の寵姫朧月夜《ちょうきおぼろづきよ》の君にも手を出した源氏はいっそう罪が深い。

はじめは、それと知らず、異母兄が東宮の時ちぎるのだが、その姫君が右大臣の娘で、自分の母を殺したも同様の弘徽殿女御《こきでんのにょうご》の妹で、東宮妃になると決定している身分とわかってからも、源氏は、朧月夜をあきらめない。それどころか、その後三十余年も、彼女との仲はつづき、恋を貫く。朱雀帝の後宮に彼女が入って後も、やはり大胆な密会をつづけている。

朱雀帝もまたあわれなコキュにされるのだが、この場合は前者たちとちがって、帝がはっきり、源氏に寵姫を寝とられたという事実を知っていることである。それでも尚《なお》、朧月夜をゆるし、愛してやまない朱雀帝の純情は、女にとって男の鑑《かがみ》ともいうべきなのに、何となく朱雀帝が、めめしく、男らしくなく見えるのは、どういうわけだろう。そのことを知らなくても、知っていても、やはりコキュにされるのは男の不名誉である。しかも紫式部は、次々コキュをつくった男、源氏をもまた、最もドラマチックなコキュにして、大鉄槌《だいてっつい》を下すのである。

コキュのあわれさを十二分に見て来た源氏は、必死にその事実を世間にかくし通す。やはりその姿はあわれを誘う。

政略結婚

光源氏《ひかるげんじ》は困難な恋とか、支障の多い恋、危険の伴う恋などに情熱をそそられる面倒な嗜好《しこう》を持っていた。それを自分で充分自覚していながら、それを直すことが出来なかった。

父の最愛の妃《きさき》、自分には継母に当たる藤壺《ふじつぼ》への恋がその最初の兆しであったし、頑固に自分を拒み通そうとする空蟬《うつせみ》をいつまでもあきらめられないのも、その性質からである。六条御息所《ろくじょうのみやすどころ》が気位高く、近寄りがたい時は、必死になって情熱をかきたて、ついに手に入って、御息所のほうで愛してくると、もう熱がさめてしまうのも、その困った性質による。

正妻葵上《あおいのうえ》を源氏が好きになれないのは、葵上が冷たく、意地が強いからばかりではなく、元服と同時に、天下り的に、父帝と左大臣の間で取り決められ、源氏自身の意向など全く無視して進められた縁談であったからだ。葵上を得るために、十二歳の源氏は、何の努力もしないでよかった。

天皇の寵愛を一身に受けている皇子としての身分からいえば、望むものはすべて手に入って不思議でもない。幼い頃から、早く生母に死別した可哀《かわい》そうな、しかも稀有《けう》に美しい源氏に対しては、女たちの中から同情と憧《あこが》れが同時に渦巻き、華やかに取り囲んでいただろう。

そういう源氏にとっては、時の最高官左大臣家の深窓の姫君が、正妻としてあてがわれても不思議ではなかった。まだ自分ではしかとは自覚していないものの、すでに恋の、身を削《けず》られるようなせつなさを知ってしまった少年にとっては、自分より四つ年上の葵上の、権高《けんだか》な態度に、何の魅力も感じなかった。

葵上の母左大臣の北の方大宮《おおみや》は、桐壺帝《きりつぼてい》の妹宮だから、源氏と葵上は従姉弟《いとこ》同士という関係である。

葵上は、本来なら生まれた時から、当然宮中に上がり、東宮妃となり、やがては中宮、皇后へと進む運命を負っていたはずであった。当時の風習として、左大臣《じゆだい》のような最高級の貴族の家では、女の子が生まれると、娘になるのを待ちかねて入内させ、その子の産んだ皇子を即位させ、自分が外戚《がいせき》として権力を得ることが、最も確実な地位の足固めであったからだ。

左大臣と帝の妹宮を両親に持つという葵上は、入内するには最高の条件を備えていた。

葵上が源氏と結婚したのは十六歳で、むしろ、葵上の立場なら、その結婚は遅いほうであった。

葵上は源氏との結婚の前に、東宮妃として望まれている。時の東宮は源氏の異腹の兄に当たる後の朱雀帝《すざくてい》である。東宮の母弘徽殿《こきでんの》女御《にょうご》は右大臣家の出だから、とかく勢力を争う立場に置かれている左右大臣両家は、この縁組みによって政敵との関係がなめらかになったかもしれない。

ところが左大臣はこの縁をことわって、皇子でありながら、生母の地位の低いことを案じた桐壺帝のはからいから、臣下に下され源氏姓をたまわった光源氏に葵上をめあわせてしまったのだ。そこには母の大宮の意志も働いていただろう。しかしそれ以上に左大臣の深い政略的計算がなかったとはいえない。

左大臣は、将来の安泰に賭《か》けるより目下の栄誉を採《と》ったのではなかったか。

桐壺帝は臣下に下した母のない光源氏が可愛く、不憫《ふびん》でならなかった。彼に最も必要なのは確かな後見者であった。今は自分が見てやれるが、自分なき後、源氏を支えてくれる立派な後見者を探してみる時、現在、最高の大官となって帝を補佐している左右大臣家でなければならない。

ところが右大臣の娘が入内したのが弘徽殿女御で、この女御が源氏の生母の桐壺《きりつぼの》更衣《こうい》を嫉妬《しっと》していじめ殺したような関係なのだから、右大臣に源氏を托するわけにはいかない。そこで左大臣が選ばれる。おそらく、桐壺帝は、妹の大宮にも左大臣にも、ひそかに自分の意中を洩《も》らし、源氏の後見を頼んだことがあるだろう。

左大臣は温厚な人柄で、心優しかったし、もののあわれも解する人格者なので、帝の心を察し、葵上を東宮妃に入れるよりは、臣下ながら、帝の最も寵愛してやまない光源氏に娘をあたえる決心を固めたのだ。当然そこには深い政略的計算もなされていた。

左大臣のこの計算は外れなかった。帝は、かねがね左大臣を信任していた上に、葵上と源氏の結婚がまとまったので、いやが上にも左大臣への信任が増した。

「この大臣《おとど》の御おぼえいとやむごとなきに、母宮、内裏《うち》のひとつ后腹《きさいばら》になむおはしければ、いづかたにつけてもいとはなやかなるに、この君さへかくおはし添ひぬれば、春宮の御祖父《おほぢ》にて、つひに世の中を知りたまふべき、右大臣の御勢は、ものにもあらずおされたまへり」

とあるのはこの間の事情をいったものだ。

左大臣は帝の御信任がたいそう篤《あつ》いところへ、大宮は帝の同腹の妹にあたられたので、夫妻のどちらからみても立派な申し分ない立場であったのに、その上、源氏の君まで婿にとられたので、東宮の御祖父で、ゆくゆくは天下の政治を支配なさるはずの右大臣の勢力はくらべものにならないほどけおされてしまった、という意味である。
もちろん、左大臣が源氏の只《ただ》ならぬ魅力に捉えられていたということもあっただろうが、今、ただちに帝が最も何を望んでいるかという機微を見抜く人間観察の目が、左大臣に備わっていたからである。

ひとりの楊貴妃《ようきひ》が出て玄宗《げんそう》皇帝の寵を一身にあつめたため、「長恨歌《ちょうごんか》」に、
「姉妹《しまい》、弟兄《ていけい》、皆な土《くに》を列《つら》ね
憐れむ可《べ》し、光彩《こうさい》、門戸《もんこ》に生ず
遂に天下の父母の心をして
男を生むことを重《おも》んぜず、女を生むことを重《おも》んぜしむ」
と歌われたことは、平安朝の日本の貴族社会にもそのままあてはまることで、貴族の娘たちはすべて、親の野心の政略結婚の資とされていたのだった。

正妻のプライド

葵上《あおいのうえ》は、はじめから自分が源氏より四歳の年上だということでコンプレックスを持っていたようである。

左大臣が宮腹に産ました姫君なので、下へもおかぬよう大切にいつくしみ育てていたので、葵上は、自然に自分は誰からも敬《うやま》われ、大切にかしずかれる身分なのだと思いこんでいた。内親王にも劣らない葵上のプライドの高さは、左大臣の甘やかしともてなし方が生んだといっていいだろう。

当然、葵上は美しいし、品も高く、教養もあり、源氏の正妻として、何の非の打ちどころもない。源氏にとっては、何といっても最初の妻なのだし、大切にしたい気持に嘘《うそ》はない。

それでも葵上の所に行こうという気持がなかなかおきないのは、すでに源氏の心が藤壺《ふじつぼ》に占められているからだ。明けても暮れても、藤壺とどうやって密会しようかということしか考えていないのだから、他に心が動かないのも仕方がなかった。

しかも、夕顔《ゆうがお》のショックからなかなか立ち直れなかった源氏は、北山に祈禱《きとう》を頼みにいった時、偶然発見した紫《むらさきのうえ》上を自分の邸《やしき》へひきとってしまう。紫上が藤壺の姪《めい》に当たり、どこか似ているというだけで執着してしまったのだ。

葵上にそんな情報はすぐ伝わる。当時の貴族社会の情報網は、女房たちであろう。それぞれの邸に仕える女房たちは、縁故が輻輳《ふくそう》していて、里帰りの時などに、自分の仕えている邸のことを喋《しゃべ》りあうのが愉《たの》しみなのだ。また自分の女主人の夫が、今、どんな女にかかわりを持ち、誰に一番心ひかれているかをさぐりだすのは、彼女たちの義務のひとつのようでもあった。

女房たちは早速、けしからぬ情報として葵上にそれを伝える。

「光君《ひかるのきみ》さまは、どこやらから若い女君《おんなぎみ》をさがしだしてきて、終日外にも出ないで、おこもりだそうでございます。その女君の御機嫌をとるのに大わらわで、女房たちもあきれかえっていいます。正気のお沙汰《さた》じゃございません」

「こちらへ、こんなに長くお立寄りがないのも、その女君の物珍しさのせいでしょうよ」

「どこの誰とも素姓さえわからぬ姫君だと申しますよ」

「何だか、人形や、ままごと遊びが好きだなんていうことです。厭《いや》ですわね、カマトトぶって、光君さまに甘えているんですよ」

など、情報は女房たちの嫉《や》っかみも加わって、次第に肥大化していく。葵上の女房の中にも幾人か源氏の手のついているのもいる。

葵上としては、そんな噂《うわさ》を聞いて面白かろうはずはない。自分がかえりみられない悲しさや、淋《さび》しさよりも、自分のプライドが傷つけられたことに腹が立つ。

たまに、源氏が訪れても、にこやかに迎えることは出来ない。冷たい硬い表情で、

「何しに来たんですか」

といわぬばかりのあしらいをする。そんな態度をされた時の源氏の心理を、紫式部はこう書いている。

「うちうちのありさまは知りたまはず、さも思《おぼ》さむはことわりなれど、心うつくしく、例の人のやうに恨《うら》みのたまはば、我もうらなくうち語りて慰めきこえてんものを、思はずにのみとりないたまふ心づきなさに、さもあるまじきすさびごとも出《い》で来るぞかし」

葵上としては、こちらの実情、紫上がまだほんの子供で、とても性の相手になどなれないということは知らないので、とてもけしからんことと怒るのはもっともだけれど、こんな場合、素直に、普通の女のように、恨みごとをいったり、泣きすがってくれたりすれば、こっちだって、腹蔵《ふくぞう》なく、ありのままを話して、何の心配もないと、なぐさめてあげる手だてもあるのだけれど、心外なふうに誤解ばかりしているのが

癪《しやく》にさわるので、ついつい、つまらない浮気沙汰も引きおこしてしまうのだ。

一応もっともらしい言い分だが、随分虫のいい話で、源氏のような浮気な夫を持つ妻が、こんな寛大なゆとりのある態度を出来るものではない。

源氏はそれでも、葵上が安心のできる、軽率でない重々しい心や態度の女なので、いつかは誤解もといてわかってくれる日もあるだろうと期待している。

たまに源氏が義理を感じて、つとめて葵上を訪ねると、葵上は例によって、一分のすきもない端然とした態度で、心やさしく素直な女らしい風情《ふぜい》は全く見せない。源氏としては、少しもくつろがず、面白くないので、

「せめて今年あたりからでも、少しは世間の夫婦らしく、心のうちとけた態度をとってくださったら、どんなに嬉しいだろうに」

などとかえって恨みごとを訴える。葵上が、紫上のことにこだわっているのを百も承知で、源氏はわざと、それに気がつかぬふりをして、じゃらじゃらと冗談などをいうと、さすがに、取りすましてばかりもいられず、つい返事をする様子などは、やはり、品がある中にも女らしさがほのみえて、源氏は、どうしてこんないい女なのに不足があるのだろうと反省もする。

その時の葵上の描写は、

「四年《よとせ》ばかりがこのかみにおはすれば、うちすぐし恥づかしげに、盛りにととのほり

て見えたまふ」

とある。

四つばかり年上なので、貫禄があり、気おくれするほど、非のうちどころもないほど美しい。ということは、端正な美人で誇り高く権高というのだから、およそ、男にとっては可愛い女ではないというタイプである。現在でも、こういう女はよく見かける。夕顔と両極端に位置するタイプである。

ロリータ趣味

ウラジーミル・ナボコフの小説『ロリータ』は、芸術だ、春本だと毀誉褒貶《きよほうへん》半ばしながら、「ロリータ趣味」という、少女嗜好《しこう》の男の性癖を表す言葉として、いつの間にか定着してしまった。中年男のハンバートは、初潮期の美しい少女、彼がニンフェット（小妖精）と呼ぶ十歳前後の少女にしか性的情熱を感じない。一種の性倒錯者の彼は、ロリータという十二歳の少女の義父となり、彼女を伴って悦楽の旅に出る。

今から二十数年前、初めて大久保康雄氏訳の『ロリータ』を読んだ時、私は源氏物語の紫《むらさきのうえ》上を連想した。

『ロリータ』が背徳の書なら、源氏物語もまた背徳の書である。あらゆる性的背徳が出揃《でそろ》っているのが源氏物語といっても過言ではないだろう。両書ともいまわしい性関係が濃密なエモーションをともなって書かれ、尚《なお》かつ淫猥《いんわい》におちいらないのは、文体の魔術によるという大久保氏の説に賛成である。

男の中にニンフェット嗜好がある例として、『ロリータ』の解説の中には、九歳のベアトリーチェに恋して『新生』を書いたダンテ、十三歳のヴァージニア・クレムを得て『アナベル・リー』の不朽の名作を残したエドガー・アラン・ポオの例をあげている。

光源氏《ひかるげんじ》がニンフェット紫上に出逢《であ》うのは十八歳の春三月であった。源氏は瘧病《わらわやみ》にかかり、北山に霊験の高い聖《ひじり》がいると聞いて、祈禱《きとう》してもらいにいく。わらわやみとは、おこりのことで、マラリアのことだ。王朝の病気はすべて法力の高い高僧たちに加持《かじ》祈禱してもらって治していた。病気の原因を物の怪《もののけ》の業と考えていたから、その調伏《ちょうぶく》をしてもらうことが、病気を退治する最もいい方法だと信じられていたのだ。

その北山で、源氏は偶然、ある僧の庵室《あんしつ》に祖母と共に身を寄せていた美しい少女を見そめる。少女は藤壺《ふじつぼ》の姪《めい》に当たるので、幼顔ながら藤壺にどこか似ていた。

例によって源氏はその少女を垣根の外から盗み見していた。

上品な四十余りの尼が清楚《せいそ》にやせていて、尼そぎにした髪がかえってすっきりと美しい。他に小ぎれいな女房が二人ほどかしずき、子供たちが出たり入ったりして遊んでいる。その中に十歳ぐらいだろうか、とりわけ可愛らしい少女がいる。白い袿《うちき》や山吹襲《やまぶきがさね》の着物を着たその子が、源氏の視野の中に走り出してきた。

成人したらどんなに美しくなるだろうかと思われるほど可愛らしい。髪は扇をひろげたようにゆらゆらして、顔はこすって真っ赤に泣きはらしている。

「どうしたの、また子供たちとけんかしたの」

と尼が訊《き》く。どこかふたりは似ているので、覗《のぞ》いている源氏は母親かなと推察する。

「雀《すずめ》の子を犬君《いぬき》が逃がしてしまったの、せっかく伏籠《ふせご》の中へ入れておいたのに」

と、さも残念そうに少女がいう。

顔を泣いて赤くして走り出してくる紫上の出現は、源氏物語の中のどの女よりも鮮やかで可愛らしい登場ぶりである。

尼がそんな無邪気な少女の行く末を案じてしみじみいってきかせるのも、舞台で演じられているような気がするのは、覗き見している源氏の視点で書かれているので、読者まですっかり覗き見の心境にされてしまうのだ。そんなところが紫式部は実にうまい。

尼の述懐も、舞台の役者のせりふを客席にいて聞いているような錯覚を呼ぶ。

「なんてまあ、いつまでもねんねちゃんなの。あなたのお母さまなんか十歳ばかりで、あなたのお祖父《じい》さまに先だたれておしまいになった時は、もうちゃんと分別がついていらっしゃいましたよ。こんなにいつまでもあどけなくては、もしわたしが明日にも死んでしまったら、いったいどうなさるつもりなの」

といって尼がさめざめと泣く。

源氏はこの少女を、ほんとに可愛い子だ、あんな子を引き取って、藤壺のかわりに、明け暮れ可愛がって一緒に暮らしたらどんなにいいだろう、と思う。

その子が藤壺の姪とわかってからは、いっそうその想いがつのっていく。

「かの人にも通ひきこえたるにやと、いとどあはれに、見まほし。人のほどもあてにをかしう、なかなかのさかしら心なく、うち語らひて心のままに教へ生《お》ほし立てて見ばや、と思《おぼ》す」

藤壺の姪なのでこんなに似ているのだろうかと、いっそう心がひかれ、妻にしたいと思う。人柄も上品でかわいらしく、小ざかしいところがなく、無邪気でおっとりしているようなので、引き取って自分の好きなように教え育ててみたいものだと思う。これはもう、ロリータ嗜好である。源氏の申し出を聞いた尼は、気味悪がり相手にしない。

尼が死に、紫上はひとりぼっちになってしまう。紫上の父親は、藤壺の兄で兵部卿宮《ひょうぶきょうのみや》だが、後妻をもらい、その間に子も出来ているので、紫上はほんとうは邪魔な子供なのだ。今までは姑《しゅうとめ》に預けっ放しでいたけれど、そうもいかないのでいよいよ引き取ろうとする。それを察した源氏はいきなり、自分の邸《やしき》に少女をつれて帰ってしまう。まさに略奪結婚である。年より稚《おさな》い少女に源氏は次第にのめりこんでいく。源氏は少女を育てあげながら、少女が女になる日を息をひそめて待ち望んでいる。

ロリータ嗜好といっても、源氏の少女への恋は気が長く、待つことに我慢強い。見ようによっては、このほうがずっと淫蕩《いんとう》な感じがする。

源氏は二条院《にじょうのいん》に引き取った少女とままごとや人形遊びをつきあいながら、気長に少女に初潮が訪れる日を待つ。こう書くと、源氏が中年のオジンくさく見えるが、まだ源氏はこの時十八歳で、紫上と新枕《にいまくら》をかわすのは二十二歳の時である。おくての紫上は初潮も十四歳の頃で、まだ十二歳くらいの子供っぽさを残していた。

若　紫

源氏物語は、五十四帖という巻立てになっていて、各巻に、桐壺《きりつぼ》、帚木《ははきぎ》、空蟬《うつせみ》などと、美しい題がつけられている。その題を見ただけで、内容が想像されるような上手なつけ方である。

各巻の長さは一定していない。空蟬のような短い巻もあれば、若紫《わかむらさき》などは、その四倍くらいの長さである。

一巻毎《ごと》に、短篇小説のように話が大体まとめられているので、どの巻をいきなり読んでも面白い。現代の小説にも連作小説という書き方がある。川端康成《かわばたやすなり》の『千羽鶴』や『山の音』などがそれで、各短篇が独立しても読め、それらがまとまると、登場人物が同じなので、そのまま長篇小説として読むことが出来る。源氏物語もそういう連作小説だと思えばいい。連作小説の形としては、源氏物語の前に伊勢《いせ》物語があり、「むかし、をとこありけり」の書きだしで、各篇が独立した短篇になって、全篇通せば長篇を形づくっていた。

各巻の題名は、その巻に登場する人物の名をつけたものが多い。桐壺、空蟬、夕顔《ゆうがお》なども そうだし、若紫もその例である。紫上《むらさきのうえ》の幼少時の話なので、春、萌《も》える紫草をさしとしないで若紫としたのは、紫上の幼少時の話なので、春、萌える紫草をさしている。伊勢物語の初段の「春日野《かすがの》の若むらさきのすりごろもしのぶの乱れかぎりしられず」によっている。

伊勢物語の初段は、元服した男が奈良の春日の里で、美しい姉妹が住んでいるのを覗《のぞ》き見して、狩衣《かりぎぬ》の裾《すそ》を切り、歌を書きつけて贈るという話である。

源氏が若紫を覗き見して発見する経緯は、伊勢物語のこの話に想を借りているとみられる。

若紫の巻は源氏が終生の伴侶《はんりょ》となる紫上を見つける大筋の他に、藤壺《ふじつぼ》との密会、その結果として懐妊という最も劇的な事件がおさめられている。その上、正妻葵上《あおいのうえ》との不仲も書きこまれている。短篇としては三つに分けても書けそうな材料がつまっていて、面白さにおいては全篇の中でも屈指である。

満たされない結婚生活、罪におののきながらの止《や》むに止まれぬ不倫の邪恋、そういうどろどろした話の中に置かれるから、まだ十歳ばかりの、年より稚《おさな》げな少女の清純さと可憐《かれん》さが際立ってくる。

罪の子を宿した藤壺が宮中へ帰るのは七月で、その子が自分の子ではないかという

推察に源氏は懊悩《おうのう》して、若紫のことなど忘れきっていた。原文では、

「この月ごろは、ありしにまさるもの思ひに、ことごとなくて過ぎゆく」

とある。藤壺の妊娠が心配で、それどころではなかったということだ。秋も終わり頃、源氏は淋《さび》しくてたまらなくなり、通いなれた六条御息所《ろくじょうのみやすどころ》のもとへ行こうとして、その途中、山から下りて病床に臥《ふ》している若紫の祖母にあたる尼の邸《やしき》を見つける。尼は自分の寿命を知って、若紫の後事を源氏に頼む気持になっていた。しんみりした話をしているところへ、奥の方から若紫が、

「おばあさま、源氏の君がいらしたのですって、なぜお逢いしないの」

と高い声をあげて走って来る。女房たちは、もう姫君はぐっすりお寝《やす》みになって、など源氏にいった手前あわてて、

「しっ、お声が高いですよ」

とたしなめるが、若紫は一向にこたえず、

「あら、だって、源氏の君を見たら、気分の悪いのまで治ってしまったたって、いつか北山でおっしゃってたわよ」

と、得意気に声をはりあげている。源氏はそんな若紫の子供っぽさを、心から可愛いと思う。

　尼君が死に、二条院に引き取ってきた若紫を、源氏は妻として扱ってはいるが、ま

だまるで子供で性の対象にはならない。それでも葵上や六条御息所あたりは、源氏が若く美しい姫を邸に入れたと思いこんで嫉妬《しっと》している。

若紫のこの頃の可憐さを紫式部はくりかえし書きこんでいる。二条院へつれて来られてはじめての夜、源氏が一緒に寝ようとすると、若紫はこわくて、いったいどうされることかと震えている。さすがに声をだして泣くこともせず、

「少納言《しょうなごん》のところで寝たい」

とむずかる様子を、源氏はたまらなく可愛く思う。少納言は乳母《めのと》で、これまで若紫は乳母と寝ていたのだ。

「もうこれからは、乳母と寝たりはしないのですよ」

源氏は若紫をおびえさせないよう、やさしく髪を撫《な》でてやりながらいいきかせる。乳母はその帳台の外で、どうなることかと、生きた心地もなく心配している。

尼君の死後のある日、源氏が見舞いに来た夜、たまたま霰《あられ》が降り荒れて、不気味な夜になってしまった。警護の者もいない心細い邸に、源氏は宿り、女房たちを頼もしく指揮して格子を下ろさせなどする。

その夜は当然のように馴《な》れ馴れしく若紫の帳台の中に入って寝ようとするので、乳母は肝をつぶして、なすこともしらない。若紫はいくら源氏でも、大人の男と寝るのは初めてなので怖くて震えている。肌さえ恐ろしさに白くそそけ立っているのがいと

しくて、源氏は自分の肌着で包みこんで抱きしめてやる。われながら、「いったいどうなっているんだ自分は」と呆《あき》れながら、やさしく「二条院へいきましょう。美しい絵や、お人形がいっぱいありますよ」などと、機嫌をとる。若紫はそんな源氏にやや安心してそれほど怖がらなくなったが、さすがに落ち着かず、一晩中、もじもじして寝苦しく明かす。

絵を描けとすすめられ、「まだ上手に描けないの」と見上げる瞳《ひとみ》の無邪気さ。それでもとすすめられると、片手でかくしながら描く可愛らしい様子。紫式部は娘を一人産んでいる。その子を育てた経験から、こんな幼女のいとしさを、これほど完璧《かんぺき》に、描写することが出来たのだろう。

末摘花

光源氏《ひかるげんじ》が愛した女君《おんなぎみ》たちは、すべてが美人だったわけではない。藤壺《ふじつぼ》、夕顔《ゆうがお》、六条御息所《ろくじょうのみやすどころ》、紫上《むらさきのうえ》、朧月夜《おぼろづきよ》、明石《あかし》、女三《おんなさん》の宮《みや》、玉鬘《たまかずら》、朝顔《あさがお》等はそれぞれに美人だが、空蟬《うつせみ》は源氏の心を捉えたが、美人ではなかった。美人ではないけれど、雰囲気があり、源氏を拒むという性格の自主性が、空蟬を魅力的に見せたのである。不美人系統には、他にも花散里《はなちるさと》や末摘花《すえつむはな》がある。

不美人でも源氏は性格の中に美点を認めればそこに愛着を感じるし、一度関《かか》わった女は、最後まで面倒を見て、捨てないという律義《りちぎ》なところがあった。

当時の貴族階級の男女の結びつきは、顔を見て好きになるのではなく、噂《うわさ》を聞いて、まず男から相聞歌《そうもんか》を贈り、それに返事が来て、手紙のやりとりが始まり、やがて気のきいた女房のはからいで逢瀬《おうせ》がつくられるという例が普通だったから、いよいよ逢ってみて、相手が予想と反した女だったという例もあって当然である。

その最たるものが末摘花であった。

末摘花の噂を源氏に聞かせたのは、源氏の乳母《めのと》の娘の大輔命婦《たいふのみようぶ》であった。故常陸《ひたち》の宮の忘れ形見が、荒れた邸《やしき》に淋しくひっそりと暮らしていて、しっかりした後見の人もいないらしい。姫君は琴《きん》の名手らしいというのだった。

好奇心の旺盛な源氏はその噂だけですぐ心を動かしてしまう。

命婦の話だけで源氏はまだ見ぬ姫君をロマンチックに想像してしまうのだ。その上、その姫君は琴がうまいという。当時の姫君たちの教養として欠かすことの出来ないものに、音楽があった。楽器の演奏で、これは必ず小さい時から教養のひとつとして仕込まれる。琴《きん》、和琴《わごん》、琵琶《びわ》などが、姫君の習う楽器の種類であった。

故常陸の宮は琴の名手として聞こえていたので、源氏はその手ほどきを受けた姫君なら、どんなに上手だろうと想像する。薄幸な若い美しい姫君が、頼れる人もない邸の奥でひっそりと琴を弾《ひ》いている。もうそれだけで、物語の主人公のようではないか。源氏は必ずこの姫君と出逢いたいと思う。

今でもドンファンと呼ばれる男たちは、まめである。まめでなければ女を手に入れることは出来ない。好奇心が強くて、まめという条件を源氏は備えていたから、源氏は次々女を手に入れることが出来たのだ。

命婦をせっついて、源氏は琴を弾く薄幸の姫君を取りもつようにと、しきりにせめたてる。

ついにある日、望みが叶《かな》って、源氏は憧《あこが》れの姫君と一夜を共にすることが出来る。姫君は深窓に育ったせいか、気のきいた女房に恵まれないせいか、万事物堅く世馴《よな》れていない。

話しかけてもだまりこんで、まるで木偶《でく》の坊と向かいあっているようだ。受け答えもろくに出来ず、やわらかみも面白味もない。

源氏は恋愛の結晶作用で、勝手に姫君にすばらしいイメージをつくりあげているので、何事も好意的に見て、本当に深窓に育って世馴れていないのだと、まあまあの一夜を明かす。

つきそっている女房たちは、年寄りが多く、ここを離れては身のたたないような女たちばかりなので、これまた、降って湧《わ》いた姫君の幸運にぼうっとなってしまって、男君《おとこぎみ》を迎えても、どうもてなしてよいかもわからない。

逢ってみてがっかりした源氏は、後朝《きぬぎぬ》の文を夕方にやっと送る。しばらくすておいた後で、やはり気になって訪ねていく。前は暗くて手さぐりだったので、今度はもっとはっきり見たいと思っていた。

あくる朝、源氏は寝床を出ると、庭の雪景色があんまり美しいので、部屋の中の姫君に、

「出て来てごらんなさい。いつまでもうちとけてくれないのも困ったものです」

と声をかける。

姫君は素直ににじって出てくる。朝日の光が姫君の顔を照らす。源氏はぎょっとなって思わず声をあげそうになる。

明るい陽の下で見た姫君の顔は、むやみに顔が長い上に、鼻がまた異様に長くて、先が象のように垂れ下がっている。その鼻の先が紅《べに》をつけたように赤いのだ。

髪は黒くて長く豊かなので、閨《ねや》の中でその髪の手触りを楽しんで、絶世の美女を想像していた源氏は、あまりの現実の無残さに茫然《ぼうぜん》自失《じしつ》する。驚きの次に源氏を襲ったのは、おそらく耐えがたいおかしさだっただろう。吹きだしたいのを辛《かろ》うじてこらえ、源氏はさりげない表情をつくる。

あらわな陽光から自分の顔をかくす技巧もない姫君は、男のほめた雪景色に、素直に目をそそいでいる。

何とも残酷な場面である。

この後も、源氏はこの姫君を末摘花と呼び、ことごとに嗤《わら》い者にする。

若紫の所に帰った源氏は、可愛らしい若紫の相手をして遊んでやりながら、自分の鼻の先に紅をつけて赤くして、

「わたしがこんな鼻になってしまったら、どうなさる?」

などとからかう。若紫は本気になって、その紅が永久にとれないのではないかと、

心配しておろおろする。

この場面を紫式部はユーモラスに書いたつもりなのだろうか。私はこうまで末摘花を侮辱しないでもいいではないかと、この不器量な姫君に同情してしまうのだ。

この姫君は、誠実で融通がきかない。自分の受けた古風な教養の範囲で、物事を判断し、その通り実行しては、当世風でないと源氏に馬鹿にされ、何かにつけて嘲笑《ちょうしょう》される。

私はこのユニークな、心の真っ直ぐな姫君のファンである。

貧しい貴族

末摘花《すえつむはな》の巻で、読者は、貴族といえども様々あり、貧しい貴族がどんなにみじめなものかと教えられる。現代の私たちは、へえ、そういう貴族もあったのかと愕《おどろ》くだけだが、源氏物語の書かれた当時では、こういう落ちぶれた貴族の誰彼《だれかれ》が、すぐ読者には思い当たったのだろう。モデルがないようであったりするのが源氏物語なのだから、末摘花のような境遇の貴族の姫君もいたことだろうが、噂《うわさ》になるほど不器量な姫君のことも、女房たちから洩《も》れて、いつとはなく世の中に知れわたってしまうということもあっただろう。

末摘花があわれなのは、容貌《ようぼう》の醜さや貧乏そのものではなく、まわりに仕える女房たちが、揃《そろ》いも揃って時代遅れで、野暮ったくて、姫君を引き立てて見せる何の能も才もなかったということであろう。

ある日、源氏が、姫君の正体をもっと知りたいと思い、何の予告もなしにいきなり常陸《ひたち》の宮邸へ出掛けていった時の描写がある。

「うちとけたる宵居《よひゐ》のほど、やをら入りたまひて、格子のはさまより見たまひけり。されど、みづからは見えたまふべくもあらず。几帳《きちやう》など、いたくそこなはれたるものから、年経《へ》にける立処《たちど》変らず、おしやりなど乱れねば、心もとなくて、御達《ごたち》四五人ゐたり。御台《みだい》、秘色《ひそく》やうの唐土《もろこし》のものなれど、人わろきに、何のくさはひもなくあはれげなる、まかでて人々食ふ。隅《すみ》の間《ま》ばかりにぞ、いと寒げなる女ばら、白き衣《きぬ》のいひしらず煤《すす》けたるに、きたなげなる褶《しびら》ひき結《ゆ》ひつけたる腰つき、かたくなしげなり。さすがに櫛《くし》おしたれてさしたる額つき、内教坊《ないけうばう》、内侍所《ないしどころ》のほどに、かかる者どものあるはやと、をかし」

と、紫式部は常陸の宮家の女房たちの不用意な食事中の様子を源氏が覗き見したという視点で、こと細かく書きこんでいる。

「やをら入りたまふ」とは、そっと入っていったということである。女房たちが、源氏が来ることなど全く予想しないで、すっかり気をゆるしてのんびりしている宵《よい》を見はからって、そっと訪れて、声をかける前に格子の間から覗いてみたという設定である。中では几帳《きちよう》など、ずいぶん古びて傷《いた》んでいるものの、昔からの位置にちゃんと置かれていて、隅におしやったりはしてないから、奥までは覗けない。丁度《ちようど》女房たちが四、五人居て、姫君のお下がりの食事をしているところであった。食器は舶来物ながら、もう古びきってみっともない。料理も貧しく粗末なものばかりであわれである。

女房たちはいかにも寒そうな様子で、白い着物がいいようもないほど古ぼけて鼠色《ねずみいろ》にすすけているのを着て、汚れたきたない裳《も》を腰に結《ゆ》いつけている。それでも櫛《くし》をずり落ちそうにさしている額ぎわの髪かたちは、御所の舞姫が舞を練習する内教坊や、神器のおさめてある賢所《かしこどころ》の奥の内侍所に、こんな古女房がいたとおかしくなる。今はもう、陪膳《はいぜん》の女房がこんな髪をしたり櫛をさすのは、すっかりすたれていて時代おくれなのであった。

紫式部は、異様なほど古風で、貧しげな邸内を描いた上、その不気味なほど古めかしい女房たちにこんな会話をさせる。

「ああ、ああ、なんて寒い年でしょう。長生きすると、こんなみじめな目にもあわなければならないのですね」

「宮さまが御在世の頃、どうして辛《つら》いなんて思ったのでしょう。こんな心細い暮らしになっても、どうやら死にもせずに過ごせるものなのですね」

ひとりは泣き、ひとりは飛び立ちそうに寒さに身震いしている。

このリアルな貧しさの描写は、紫式部が、父の任地に行く旅の途上や、任地での暮らしのうちに目のあたり見聞きしたこともあったのだろうが、宮仕えしていても、目はしっかりと、世の中のすべての現実を冷静に見据えていたことを明かしている。

この場面に匹敵するのは、夕顔《ゆうがお》の巻で、源氏が仲秋の満月の夜、夕顔の宿で一夜を明かした朝の描写である。五条あたりの下町の、家のたてこんだ町家の中では、夕顔と寝ている枕元《まくらもと》に、隣家の貧しい暮らしをしている男たちの声がそっくり聞こえてくる。

「ああ、寒い寒い。今年は世の中がさっぱり不景気で、田舎へ行商にいけそうもないし、ほんに心細いことよのう。北隣さんや、聞いていなさるかね」

そんな庶民の貧しい生活のなまの声が、こうもリアルに伝えられたため、一方で繰りひろげられる富んだ貴族や皇族の栄華のさまが対照的に生きてくるのである。

紫式部は、恋人同士の枕元に、ごろごろと雷よりも恐ろしい碓《からうす》の音まで伝えている。

光源氏《ひかるげんじ》が、こんな庶民の生活の底まで降りてくるところに、物語の幅が生まれ、絵に描《か》いたような美女ばかりを恋人に選ばないところに、物語の深みが増すのだ。

紫式部は末摘花に、みっともない真っ黒になった袴《はかま》を着せ、まだその上に黒貂《くろてん》の皮衣《かわぎぬ》を上着に着させている。毛皮は今の女たちの憧《あこが》れのファッションではあっても、つやつや光った黒貂の皮衣をあの優雅な王朝の衣裳の上に、チョッキのようにまとった姿の珍妙さは、何とも漫画チックでおかしいものだっただろう。この時代、皮衣は男の用いたもので、この姫君は父宮の使っていた古い毛皮のチョッキを寒さしのぎに着こんでいたというわけだ。

それでも、紫式部は、この古風で、人を疑うことを知らぬ素直で誠実な姫君に、豊かで丈より長い見事な黒髪を与えることを忘れない。

平安朝の美女は髪さえ長ければよかったというのは、風評にすぎず、やっぱり、女たちは、髪だけで優劣は決められず、顔も軀《からだ》つきも、美人の条件には数えられていたようである。骨ばってむやみにやせ、胴長だと書かれた末摘花の唯一の美点は、その鮮やかな丈なす黒髪で、辛《かろ》うじて面目を保っていた。

聡明な女の心の鬼

紅葉賀《もみじのが》の巻は、私の好きな巻のひとつである。ここには藤壺《ふじつぼ》が懐妊して悩みながらも、源氏の青海波《せいがいは》を舞う美しさを見て感動し、珍しく源氏にやさしい返歌をする場面がある。

そしてついに藤壺は、不倫の結晶の皇子を里邸の三条宮《さんじょうのみや》で産む。このお産は十二月と世間では思われていたのに、十二月は過ぎてしまい、一月にはいくら何でもと三条宮の人々も待ちくたびれ、帝もまたそのつもりで、様々なお産のお祝いの用意などなさっているのに、一月もまた空《むな》しくすぎてしまう。

世間では、物《もの》の怪《け》のせいかなど、次第にあれこれ噂《うわさ》しあってきた。

藤壺自身は、源氏との密会が四月のことなので、思い当たっている。懐妊を宮中から三条宮に下がる前と仮定すれば、去年の二月のことなので、二か月の月の差をごまかして帝には二月の懐妊と報告してあったのだ。この嘘《うそ》の自責に苦しみ、藤壺はこのお産で命を失うか、または、様々な憶測《おくそく》をされ、やがて秘密がばれるのではあるまいかと思い悩む。

　源氏はお産の遅れで、いよいよ自分の子にちがいないと思い当たり、いっそう切なく、秘《ひそ》かに様々な御修法《みずほう》をお寺でさせている。もちろん、藤壺のお産のためとはいえないので、そのことは伏せてある。

　やがて、藤壺は二月十余日に皇子を無事出産する。

「命長くも、と思ほすは心うけれど、弘徽殿《こきでん》などの、うけはしげにのたまふと聞きしを、空しく聞きなしたまはましかば人笑はれにや、と思《おぼ》しつよりてなむ、やうやうすこしづつさはやいたまひける」

　という原文は、出産を終えた藤壺が、ひそかにこのお産で死ぬことを願っていたのに、よくぞ生きながらえたことよと、生きたことがむしろ苦しく情けなく思うものの、弘徽殿女御《こきでんのにょうご》などが、この出産を呪《のろ》うようなことをいっていたそうだが、もし自分がここで死んでいたら、かえってそれみたことかと物わらいの種にされるだろうと、気を強く持ち直して、少しずつ快方に向かっていったということである。

「思しつよりて」という表現に、藤壺が、ただ気のやさしくおとなしいだけだった桐壺更衣《つぼのこうい》とはちがい、自尊心と負けぬ気もしっかり持った自主性のある女であったことが示されている。藤壺は源氏の情熱にほだされてしまったものの、後は受けつけない聡明《そうめい》さと気の強さで、自分と皇子の立場を守りぬいていく。あきれるほど源氏に瓜《うり》

二《ふた》つの皇子を見て、彼女はもう源氏の子としてしか認めようもない現実に、
「御心の鬼にいと苦しく、人の見たてまつるも、あやしかりつるほどのあやまりを、まさに人の思ひ咎《とが》めじや」
と嘆き苦しむ。御心の鬼とは、良心の呵責《かしやく》ということで、今風にいえば罪の意識にさいなまれるということであろう。女房たちが見ても源氏とあまりにも似ていることから、あの月勘定の狂いに気がつくのではないだろうか、どんな些細《ささい》なことでも、人の欠点を発見しようとしている世間に、この秘密が、かぎつけられずにいられようか、どんな情けない浮名が立つだろうと思うと、つくづく自分の身の上がうとましくて、藤壺は嘆きつづけるのだった。

源氏はもうまちがいなく自分の子だと信じているので、何とかして一目逢《あ》いたいと、色々手をつくすが、藤壺に頑として退《しりぞ》けられる。

しかし子までなした源氏に藤壺が心底から冷たいわけではない。この間の藤壺の理性と情念の葛藤《かつとう》の心理は、近代小説にひけをとらない。

藤壺は源氏の子を産んだものの、一度いつわった嘘をあくまで世間に対して守りぬこうと決意している。それが、皇子の身を守ることであり、ひいては源氏の身の上をも守りぬくことだと考えているのだ。

紫式部はそうとは書いていないが、藤壺の配慮がそこまでゆきとどいているように

読みとれるほどに、彼女の心の鬼を書いている。

源氏に皇子を一目見せれば、情熱的な若い源氏が、前後の見境もなく取り乱し、喜びのあまり、何を仕出かすかわからない。

帝に対しても、帝に見せる前に源氏に皇子を抱かせることは、何重にも帝を侮辱することになろう。藤壺は源氏に皇子を抱かせたい想いを必死にこらえて、この危ない瀬戸際を切り抜けようと決意している。

そのため、事のすべてを承知している王命婦《おうみようぶ》までうとましくなり、次第に冷たく扱うようになる。

そんな藤壺の深い配慮に一向に気がつかぬ源氏が、しきりに三条宮に訪れて、何とか皇子に逢いたがるのを、藤壺は人目にもたつし、噂の種にされるのにと、しまいには苛々《いらいら》して、何ときわけのない男だろうと思いもし、命婦には腹だたしく話したりもする。

いよいよ、皇子を内裏《だいり》へつれてゆき、帝に見せた後も、藤壺の心の鬼はおさまるはずもないのだった。お人よしの帝が、気味が悪いほど源氏とそっくりの赤ん坊を見ても、

「世にも稀《まれ》な美しい者同士というのは似るものなんだね」

などといって、疑いもしないのが辛く、この皇子を目に入れても痛くないほど帝が

可愛がるのもまた、心の鬼に責められる種になるのだ。

原文では、

「宮はいかなるにつけても、胸の隙《ひま》なく、やすからずものを思ほす」

とある。

「いかなるにつけても」とは、皇子が源氏に似ていることや、帝が疑わず、皇子を可愛がることをさす。何につけても、藤壺は心の晴れる時もなく、不安で心苦しい想いばかりして、良心の呵責の絶え間もないのである。

それは藤壺の聡明さが抱く罪の意識であろう。

春の夜の誘惑

源氏の運命に影がさし、須磨流謫《すまるたく》という思いもかけない悲運に遭遇する原因となったのも、もとはといえば源氏の女出入りであった。その直接の原因は、朧月夜《おぼろづきよ》の君で、事ごとに源氏を憎みつづけている弘徽殿《こきでんの》女御《にょうご》の妹に当たる姫君であった。父は右大臣で、これまた源氏の舅《しゅうと》の左大臣を何かにつけてライバル視している。

弘徽殿女御が源氏を憎むのは、源氏の生母桐壺更衣《きりつぼのこうい》に対する嫉妬《しっと》と恨《うら》みのつづきの感情であり、自分の産んだ東宮より、源氏が帝の寵愛《ちょうあい》をほしいままにしている不安も加わっていた。いわば宿命的な怨敵《おんてき》と見なされている家の姫君と、源氏は関《かか》わりを持ってしまったのだ。日本版ロミオとジュリエットである。

それはある春の日、原文はきさらぎの二十日あまりとあるから、新暦でいえば、三月も下旬に入ってのことで、もうすっかり春である。その日、宮中では、紫宸殿《ししいでん》の前の左近の桜の花見の宴があった。源氏はこの日も、舞を舞っても詩を作っても抜群の出来栄えで人気を一身に集めてしまう。

華やかな宴が果てた後、人々がすべて退出し、ひっそりとした宮中で、源氏は宴の酔いの残った気持で、ひそかに藤壺中宮《ふじつぼのちゅうぐう》との密会の折はないものかと、大胆にも人目をしのんで、局《つぼね》のあたりをさまよっている。いつも手引きをしてくれる王命婦《おうみょうぶ》の局の入口の扉も、固く中から錠《じょう》が下りていて連絡の仕様もない。がっかりしたが、まだ未練がましく向かい側の弘徽殿の女房の局の並んだ廊下のあたりをうろついていた。

宴の後、今夜は弘徽殿女御がそのまま帝の夜のお召しに預かり、清涼殿《せいりょうでん》に上がっているので、女房たちもそのお供をして行き、このあたりは人の気配もなくひっそりしている。弘徽殿が夜のお召しなので、藤壺中宮は自分の局にいるとみて、源氏はそのすきを狙《ねら》っているのだ。

弘徽殿の細殿《ほそどの》は戸締まりもよくされていず、油断と隙《すき》がある。源氏はこれ幸いと細殿にすべりこんだ。女房たちの局を覗いて歩くと、居残りの女房たちもすっかり寝こんでしまった様子である。その時、たいそう若々しい美しい声で、いかにも上流の姫君らしい人が、

「……朧月夜に似るものぞなき……」

と口ずさみながらこちらへ向かって歩いてきた。源氏は、しめたと思い、そばへ来た姫君の袖《そで》をいきなり捕らえてしまった。相手は恐怖にかられた様子で、

「まあ、無礼な、誰」

とがめたけれど、源氏は、

「何もこわがることはありません。

深き夜のあはれを知るも入る月の
おぼろけならぬ契りとぞ思ふ」

と、やさしく歌いかけ、いきなり抱きおろして板戸を閉めてしまった。

姫君はあまりのことに恐れおののき震えている。その様子が何とも可憐で美しい。

怯《おび》えきってわななきながら、

「誰か来て、ここに人が」

と声をたてるのに、源氏は動じる気配もなく、

「私は、何をしても誰からも咎《とが》めだてをされない人間なのですよ。人を呼びたてたって、ちっとも困りはしませんよ。さ、じっと静かにしていらっしゃい」

という。この思い上がった言葉に現代の読者は、まあ何て図々しい、とあきれるだろう。ここに源氏の特殊な身の上や立場があり、源氏の人も天も恐れぬ自信のほどがある。姫君のほうは、その声や言葉で、ああ源氏の君だったのかと、幾分ほっとするのだった。ここは原文では「いささか慰めけり」とある。相手がかの有名な、美しい、すべての女たちの憧れの君だったということで、ほっとしたという女心が面白い。

こんなとんでもないことになって、情けなく困ったと思う反面、恋の情緒もわきま

えない情のこわい女と、源氏に思われたくないという見栄も起きる。源氏のほうは酔いも手伝い、藤壺中宮への想いが満たされなかった欲求不満もあって、このままこの姫君を手放すものかと思う。

姫君のほうはまだ世間知らずのまま若々しくなよやかで、男をはねつけるような強い意志も持たないのか、次第に源氏にされるままになっていく。その様子がいじらしく可愛いので、源氏は思いの外の拾いものだとすっかり喜び、姫君に恋の手ほどきをじっくりとしてしまう。

その間にもはや夜が明けたので、源氏も気がせくし、姫君のほうはまして、とんでもない身の上になったことで、心が千々《ちぢ》に乱れて、しおれきっている。

源氏は、

「さあ、名前を教えてください。これから、どうやってお便りすればいいのですか。まさかこれっきりの縁とは考えていらっしゃらないでしょう」

と、相手の素姓を知りたがるけれど、姫君は名乗ろうとはせず、

「うき身世《み》にやがて消えなば尋ねても

草の原をば問はじとや思ふ」

不幸な私がこのまま死んでしまったら、あなたは苔《こけ》むす墓を探したずねても、私をみつけようとはしてくださらないのですか、と言う様子が、艶麗《えんれい》で優雅である。原文

の「艶《えん》になまめきたり」という表現は、本来、朧月夜の君の持っている特質かもしれないが、この場合は、一夜にして男を知ってしまった女の、もはや清純ではない婀娜《あだ》っぽさが一言にいいつくされている。

そのうち、あたりに女房たちの声や気配がしだしたので、源氏は仕方なく、相手の素姓のわからないまま、扇だけを証拠に互いに取りかえて、あわただしくそこを出ていってしまった。

これが、朧月夜との最初の運命的な出逢いである。

藤壺との最初の一夜も、六条御息所《ろくじようのみやすどころ》との初回も、その場面がない。リアルにその様子が描かれているのは空蟬《うつせみ》や夕顔《ゆうがお》など身分の低い女の場合で、高貴の姫君の犯される場面は朧月夜の君だけである。

花宴《はなのえん》の再会

源氏は、あわただしく契って名も教えられず別れた姫君のことが忘れられない。

こっそり宮中での寝所にしている桐壺《きりつぼ》へ朝帰りしてくると、目を覚ました女房たちもいて、源氏の朝帰りに気づいて、

「まあまあ、何とご熱心なお忍び歩きですこと」

と、互いにつつきあってそら寝をしている。

源氏は部屋で横になっても眠れない。それにしても美しい女だったな、弘徽殿女御《こきでんのにょうご》の妹の姫君たちのうちの誰かだろう、まだうぶで恋馴《こいな》れていなかったところを見ると、五の君か六の君だろう、自分の弟の帥宮《そちのみや》の北の方や、頭中将《とうのちゅうじょう》が結婚してあまり気にいっていない四の君などは、たいそう美人だと聞いているが、かえってその人たちだったら、もっと味わいが深かっただろうに、などと考えつづけている。人妻のほうが密会の醍醐味《だいごみ》があっただろう、など思うところが、源氏のドンファンぶりを巧みにあらわしている。

源氏はまだ思いつづける。六の君は、右大臣が東宮にさしあげようと心づもりしているのに、もしあれが六の君だったら気の毒なことをしてしまった、あれこれさぐるのも事面倒だし、姉妹が多いので、さぐったところではっきりわかりにくいだろう、女のほうも、あれっきりで打ち切ってしまいたい様子でもなかったのに、どうして文通の手だてを教えなかったのだろう、など色々考えつづけるのも、気が惹《ひ》かれている証拠だろう。

その日は後宴が催されて、まだ源氏も昨日の姫君たちも宮中にいる。

源氏は、今日はあの姫君が御所を退出してしまうだろうと気もそぞろで、万事ぬかりのない良清《よしきよ》と惟光《これみつ》をつけて見張らせておく。やがてふたりが御注進とばかり駆けつけていう。

「只今《ただいま》、北の陣から御車が次々退出していきました。中に右大臣家の御子息たちが急いで出て来てお見送りしたのが、たぶん弘徽殿女御の御親族のものでございましょう。相当の御身分らしいのが御供の様子でも拝察されます。お車も三つばかりございました」

という。やっぱり思った通りだったと胸のつぶれる思いがする。あの人がどの姫君ともわからないし、右大臣が聞きつけて大げさに婿扱いされても困ったものだ、まだ相手の人柄もわからないことだし、と思案がつきない。取りかわした檜扇《ひおうぎ》は、桜色に塗ってあって、濃い色のあたりに霞《かす》んでいる月を描き、水に映している。絵柄は平凡だが、持ち主のたしなみが見えて、やさしく使いならしてある。源氏はその扇に、

「世に知らぬ心地こそすれ有明の
　月のゆくへを空にまがへて」

と書きつけて、取っておいた。

一方、姫君のほうは、夢のようだったはかない逢瀬《おうせ》を思い出しては嘆いている。東宮へは四月に入内《じゆだい》することに内定している。その二か月前にこんな不始末を犯してしまって、どうなることかと小さな胸を痛めているのだ。

一か月ほどがまたたく間に過ぎ、右大臣家では藤の花の宴を催し、源氏にも招待があった。帝にもすすめられて、源氏は宴がはじまってから出かけていった。

もちろん源氏には下心がある。管絃《かんげん》の遊びなどで面白く時がすぎた頃あいを見て、源氏は酔ったふりをして座を抜けだし、見当をつけておいた寝殿の方へ行った。そこには弘徽殿女御腹の女一《おんないち》の宮《みや》、女三《おんなさん》の宮《みや》が住んでいらっしゃる。源氏にとっては異腹の妹たちに当たる。その東側の戸口に寄りかかって源氏は様子をうかがった。

藤はこちらの端に咲いているので、格子などすべてあげて、女房たちも端近く出て坐っている。様々な色の袖口が御簾《みす》の外にはみ出しているのが美しく華やかだけれど、源氏は奥ゆかしさに欠けると思う。右大臣家は万事に派手で当世風なのが源氏の趣味

にあわないのだ。

　こんな場合でも、藤壺《ふじつぼ》の御殿は上品で奥ゆかしい、などと思い出す。

「気分が悪いのに、無理にひどく呑まされて弱っています。恐縮ですが、こちらの姫宮様の所でやすませていただけませんか」

　といいながら妻戸《つまど》の御簾をかずくようにして半身を内へ入れてしまう。こういう図々しさと押しの強さは源氏一流のもので、どうせ誰にも咎《とが》められないという自信と自惚《うぬぼ》れのさせる強引さである。

「まあ、困りますわ。身分の卑しい者なら、高貴の御親戚《ごしんせき》を頼って何かと言い寄るものですけれど、あなたさまのような方のなさることではありませんわ」

　と応対する様子は、重々しくはないけれど、並々の女房たちではなく、上品で風情《ふぜい》のある様子がはっきりわかる。姫宮たちがここで見物しているのに倣《なら》って、右大臣家の姫君たちも、その戸口に来て見物しているのだと察しられる。

　源氏は、もうがまんが出来ず、礼儀もかまっていられず、あの朧月夜《おぼろづきよ》の姫君を探しあてようと、胸をときめかせて、

「扇を取られて、からきめを見る」

　とわざとおどけた声で催馬楽《さいばら》を謡いながら、御簾によりかかっていく。相手が自分を源氏とわかっていると思っているのだ。「石川の高麗人《こまうど》に、帯をとられて、からき

悔いする」という句を、扇にすりかえて内の姫君に語りかけたものである。すぐ一人が、

「おかしな、へんな高麗人ですこと」

といった。この姫君はあの朝の扇の別れを知らぬ人だ。答えないで、悩ましいため息を抑えきれないでいるもう一人がその人にちがいない。源氏はそっちへ寄りかかり、几帳《きちょう》越しにつと手を捉《とら》えてしまった。

「ほのかに逢った人を探しあぐねて迷っています」

と歌いかけると、相手もこらえきれないで、

「ほんとに思ってくださるなら、道に迷ったりなさらないでしょう」

という意味の歌を詠《よ》み返す。その声はまぎれもない朧月夜の姫君のあえかにやさしいものだった。

ロミオとジュリエットのような、恋しあってはならない宿命のふたりは、こうしてまたも再会してしまう。恋の行く手に恐ろしい破滅が待っているとも知らず。

老女のコケットリー

源氏物語の中の人物には、色々なモデル説があげられているが、紫式部が後宮《こうきゅう》という限られたせまい世界で暮らす以上、あまり、それとわかるようなモデルは使えなかっただろう。

その時分、今なら写真週刊誌のネタになりそうな面白い事件があったとしても、それを小説に採《と》り入れるには、時代を昔のことにしたり、職業を替えたり、色々苦心したにちがいない。

源氏物語を書く時、紫式部は、これは何十年か昔に実際あったことですよ、という設定で書いている。

そのほうが読者にとっては興味深いからだ。全く荒唐《こうとう》無稽《むけい》な物語よりも、実際あったようなリアリティーのある物語のほうが読んで面白いし、読者は身につまされて、物語に感情移入がしやすい。

源氏物語の第一読者だった中宮《ちゅうぐう》彰子《しょうし》やそこにお仕えする女房たちも、これはあの時代のあの天子さまのお話に似ているとか、この人は誰それさんと誰それさんをミックスしたみたいね、などと話しあったりしたのではないだろうか。

そんな中でこれははっきりと、ああ、あの人とわかるモデルがいた。

それは物語の中では源典侍《げんのないしのすけ》であった。桐壺帝《きりつぼてい》づきの女官で、年は五十七、八になると文中に明記されている。また「年いたう老いたる」という表現もある。この時代六十に近い女というのは、もはや「年いたう老いたる」といわれていたのだろう。この源典侍は家柄も立派で、才気もあり、上品で、御所内でも尊敬されていながら、ひどく好色で浮気な性格で、色の道では軽々しい人だと書かれている。

この典侍に当たるモデルが、源氏物語の書かれた当時、実在していたというのだ。それが紫式部の嫂《あによめ》に当たる源明子《みなもとのあきこ》だという。彼女は源典侍と呼ばれ、年も五十七、八だった。彼女は紫式部にモデルにされ、さんざん物語の中で辱《はずかし》められたと思い、居たたまれなくなって、寛弘《かんこう》四年（一〇〇七）五月七日に、辞表を出している。

藤本泉《ふじもといずみ》さんは『源氏物語99の謎』という本の中で、嫂をモデルにして好色と書くなど現実にはあり得ないといい、その点だけでも、源氏物語は紫式部が作者だという説は怪しいと疑問を出していられる。真偽の程はわからないが、もし紫式部が実在の嫂をモデルにしたとすれば、ずいぶん意地悪な、いけずな女ということになる。

源氏物語の中には哀艶優艶《あいえんゆうえん》な話の中に、時々、こっけいな話や、場ちがいのような庶民の話などがさしはさまれる。それを円地文子さんは、浄瑠璃《じょうるり》の「端場《はば》」にたとえていられる。その最たるものが、この源典侍の話なのだが、これはあまりどぎつすぎて、むしろ違和感を与えられる。

さて、好色の噂《うわさ》の高い典侍に源氏は興味を持つ。あの年で、よくまあと不思議に思い、からかって誘いかけるようなことをいってみると、相手は一向に不釣合いとも思わない様子で、たちまちふれなば落ちん風情《ふぜい》を示す。呆《あき》れながらも、こんな女も面白くて、好奇心からつい手を出してしまった。ただし、人に知られたらあんまりお婆《ばあ》さんを相手にしたと嘲笑《ちょうしょう》されそうなので、それっきりそっけなくしていると、女は、つれないと、たいそう嘆いてくる。

典侍はその日、帝の髪を結《ゆ》うため伺候して、終わった後、帝が着がえに部屋を出ていかれ、一人残っていた。常より小ぎれいで姿や髪形も色っぽく、衣裳や着こなしも、なかなか華やかで魅力的なのだった。源氏はそんな典侍を見て、何と若づくりなと馬鹿にしながらも、どんな気でいるのだろうと、興味もあり、幸い他に人のいないのを見すまし、典侍の裳《も》の裾《すそ》をちょいと引いて動かしてみる。

思いきって派手に彩色した扇をかざしてしなを作り、見返った目つきは、ひどくまぶたがたるみ、すっかり黒ずんで落ちくぼんでいる。髪の毛も見苦しくそそけている。源氏はぞっとしながらも、派手な扇をとりあげて見たりする。女はずっと源氏の薄

情を恨んでいたので、ここぞとばかり離さない。源氏の袖をとらえて、

「こんな切ない物思いは初めてでございます。今更になってすてられては、みっともなくて恥さらしでございます」

と大げさに泣く。それでも振り切って逃げようとするのに、典侍は必死に取りすがり、

「橋柱《はしばしら》」

と恨みかけていう。「思ふこと昔ながらの橋柱ふりぬる身こそ悲しかりけれ」という歌の橋柱である。

その様子を帝は、御召替えが終わって帰ってきて、障子のかげから一部始終覗いてしまわれた。あんまり不釣合いな間柄なのでおかしくなる。源氏が逃げていった後へ入られて、

「あれは、今まで私のまわりの若い美しい女房たちとも一向に浮名を流さないので、好色心《すきごころ》がないのかと、皆が心配していたほどだったが、さすがに、そなたのことは見過ごさなかったのだな」

と笑う。典侍はきまり悪そうにはしながら、好きな男のためなら、濡《ぬ》れ衣《ぎぬ》さえ着たがるという類いなのだろうか、あえていいわけもせず嬉《うれ》しがっている。

桐壺帝は相当のお年なのに、好色のほうはまだまだお盛んで、采女《うねめ》や女蔵人《にょくろうど》など身

のまわりの世話や下働きのことをする女房たちも、みんな器量のよい女や、才気のすぐれた魅力的な女ばかりをまわりに揃えていた。

源氏は他所《よそ》では数々浮気をしていたが、これまで父帝のまわりの女房たちには全く手をつけようとしなかったし、女たちのほうでじれてたわむれかかっても、女に恥をかかせない程度のあしらいをしてさりげなく逃げていたので、帝は、かねて不思議に思っていたのだ。それだけに、この老いた典侍と源氏の秘密を覗いておかしがったのだ。

この典侍との話はもっと、思いもかけない形に発展していく。

とんだ恋の鞘当《さやあ》て

頭中将《とうのちゅうじょう》は、左大臣の長男だから、源氏にとっては、妻の兄に当たる。家柄も容姿も才能も秀《すぐ》れていて、源氏さえいなければ、当代一の折紙がつけられるほど魅力的である。

物語では、夕顔《ゆうがお》の愛人としてまず登場している。夕顔との間に女の子を一人設けているが、頭中将の正妻が夕顔を脅迫して、夕顔は姿をくらまし、やがて源氏と出逢《であ》い、激しく愛されて、突然、急逝《きゅうせい》してしまった。頭中将はそういう事情を一切知らないでいる。

この中将は、なかなかの自信家で、すべての人々が源氏を特別扱いして、ただただ渇仰《かつごう》するばかりで、その魅力の前に打ち伏してしまう中に、ただひとり競争心を燃やして、事ごとに対抗していく。物語の最後には太政大臣《だいじょうだいじん》まで昇進し位《くらい》人臣を極《きわ》めるが、源氏のほうは、准太上天皇《じゅんだいじょうてんのう》になるのだから最後まで源氏にかなわない。それでも頭中将の果敢なライバル意識があるので、源氏が人間に見えてくる。頭中将の対抗心がなければ、物語の中では、源氏はまるで超人か鬼神で、リアリティーがなくなってしまうだろう。

頭中将は真面目《まじめ》で情にも厚く誠意のある男に描かれている。源氏が須磨《すま》に流され、最も悲運に沈んでいる時、すべての人々が右大臣家の権勢を恐れて、源氏を見舞うことさえはばかっている中で、頭中将ひとりは、わざわざ須磨まで源氏を訪ねていき、慰問している。誠実で頼りになる男である。もちろん源氏はそんな頭中将を誰よりも信頼し、一番心を許した親友だと思っている。

頭中将が事ごとに源氏をライバル視して挑戦するのが、どうせ最後に負けるのにとわかっていながら、やはり読者は面白くて、その負けっぷりの経緯を愉しまずにはいられない。

色好みの老源典侍《げんのないしのすけ》と源氏の浮名が、ぱっと拡《ひろ》まった時、源氏に負けないくらい女にかけては抜け目がない頭中将は、まさか、あの老女にまでは思い及ばなかったよと、源氏のまめさに呆《あき》れる。その一面、源氏が手を出すくらいだから、やはり、あの老女の好色は相当なものかもしれないと好奇心をそそられ、こっそりアタックして、源典侍と通じてしまった。源典侍のほうは、本命は源氏なのだが、源氏が冷淡なので悶々《もんもん》として、その代わりの気晴らしにと頭中将の誘惑を受けいれてしまった。ごくごく秘密にしてデートを重ねているので、源氏はそのことに全く気づいていなかった。

源典侍が源氏の薄情を嘆き、内裏《だいり》で出逢う度に、怨《うら》みごとをいうのを、源氏はこんな年寄りに可哀《かわい》そうな想いをさせてと、あわれにも感じ、慰めてやりたいが、どうしてもその気になれないまま、ついおっくうで日数ばかりすぎてしまった。

ある日、夕立がすぎた後の宵闇《よいやみ》のせまった頃であった。源氏が温明殿《うんめいでん》の女房の局《つぼね》のあたりを、いい女がいないものかと、宵闇にまぎれて歩いていると、源典侍がひとり琵琶《びわ》を弾《ひ》いていた。典侍は琵琶にかけては最高の名手として知られていた。つれない男を怨みながら心をこめて弾いているのは、さすが哀調にみち、思わずひきこまれてしまう。催馬楽《さいばら》を歌う声もなかなか美しく心にしみる。源氏は思わず局の外に立って聞き惚《ほ》れてしまった。弾きやんだ源典侍は源氏を想って深いため息などついている。源氏はつい可哀そうになり、声をかけてしまって、とうとう源典侍に誘いこまれて久々に枕《まくら》を交わしてしまった。

頭中将はいつでも源氏が表面取りすまして真面目ぶっているのが癪《しやく》に障《さわ》っていて、何とかして逃れられない現場を押さえてやろうと狙《ねら》っていた。たまたま、この場を見つけてしまったので嬉しくて、思い知らせてやろうと、ひそかに様子をうかがい、ふたりがとろとろしたかと見える頃、いきなり踏みこんでいった。源氏はまさか頭中将とは思わず、源典侍に未練を残している前の恋人の修理大夫《すりのかみ》が、忍んで来たのだとばかり思った。

「何て厄介なことだ。男が来るのをわかっていながら、よくもわたしを引き入れたものだ。もう帰る」

と、直衣《のうし》だけをとってそそくさ屏風《びょうぶ》のかげに入ってしまった。中将はおかしさをこらえて、わざとばたばた屏風を乱暴に畳んでしまった。情事の場数をふんだ源典侍はこんな経験も度々あったので、馴《な》れてはいても、やはり動顚《どうてん》して、頭中将が源氏に危害を加えたら一大事と、中将に取りすがって震えている。源氏は、しどけない姿であわてふためき、冠もゆがめて逃げていく自分を想像しただけで醜態だと思い、躊躇《ちゅうちょ》しているる。中将は、自分だとさとられまいと終始無言のまま、いきなり太刀をひきぬいて見せると、源典侍は、

「あなた、あなた、やめて、お願い」

と、とりすがるのがおかしくて、あやうく吹き出しそうになるのをこらえていた。五十七、八にもなる老女が美しい二十の貴公子たちにはさまれて、恥も外聞もなく動顚している様は、何ともいいようがなくこっけいだ。その間に、源氏も相手が頭中将だと察して、面白がってわざとおどしているのだとわかり、相手の太刀を持った手を捕まえてつねりあげると、とうとう中将も辛棒しきれず吹き出してしまった。

「まるで気狂い沙汰《ざた》だ。やれやれ、どれ、直衣を着ようよ」

と、つぶやく源氏の手を中将はしっかり摑《つか》んで放さない。

「よし、そんならあなたもつきあいなさい」

と、源氏が中将の帯をひきぬき、着物を脱がせようとするのを、中将がさからい、お互い着物をひっぱりあうので、ふたりは裸になってしまい、恨みっこなしの姿にされて、そそくさと着物を身につけ、帰っていった。

源典侍は、翌朝、源氏が残していった指貫《さしぬき》や帯などを源氏に届けさせた。見ると、帯は中将のものだった。直衣も袖がちぎれている。中将からはやがてちぎれた片袖が届けられてきた。源氏も負けずに中将の帯を送りかえしてやる。

日が高くなってふたりとも殿上《てんじょう》に出仕して、すまして仕事しているのがお互いおかしくてたまらない。あたりに人がいなくなるのを待ちかねて、

「こりたでしょう、秘密主義は」

頭中将がやりこめたつもりでいう。

「なんの、なんの、そちらこそ、無駄足でお気の毒さま」

と、やりかえす。昨夜の裸の乱痴気騒ぎは、何といってもこっけいなことだと、ふたりで吹き出してしまうのだった。

六条御息所の性格の悲劇

源氏物語は全篇典雅で優艶《ゆうえん》で、いかにも王朝の物語らしく、ゆったりと進行していく。

中には殺伐な事件はほとんどなく、陰謀も、勢力争いも、嫉妬《しっと》も、憎悪さえほどほどに書かれていて、「むくつけ」さはほとんど見当たらない。書きすぎないこと、露《あらわ》すぎないことが、王朝の美学であったのだろう。

ところが六条御息所《ろくじょうのみやすどころ》の怨念《おんねん》だけは、生霊《いきりょう》になって跳梁《ちょうりょう》し、不気味な黒い霧をたなびかせる。

私は源氏物語の中でどの女が一番好きかと訊《き》かれると、言下に六条御息所と答える。源氏物語に六条御息所の存在がなかったら、何と単調で甘ったるい話になってしまうだろう。

六条御息所は、前《さきの》東宮妃で、姫宮を一人産んでいる。十五歳で産んだ姫宮はすでに九歳になっている。

東宮が早世したため、未亡人になっているが、美しく、聡明《そうめい》で、趣味が高く、彼女の邸《やしき》は一種のサロンになっていて、若い貴公子たちが憧《あこが》れ集まってくる。

彼女の香《こう》の合わせ方、衣裳の色彩や模様の合わせ方が、おそらく当時の貴族たちのおしゃれの基準になっていたのだろう。今ならさしずめ、ファッションのお手本というところだろうか。

彼女はまた、六条のあたりに広大な邸を持ち、美しい気のきいた女房たちばかりを選び集め、彼女たちにかしずかれていた。経済的に何の不自由もなく、洗練された趣味性の中で優雅に暮らす高貴な未亡人は、いっそう魅力的に見えてくる。

いかに自分や環境を飾り、いかに歌を詠《よ》み、どう貴公子たちを扱うかを彼女は心得ていた。

東宮が夭逝《ようせい》しなければ、当然、次の皇后の位が約束されていたのだ。

そんな彼女が誇り高いのは当然である。集まる貴公子たちの誰も、太陽を取りまく星々のように互いに牽制《けんせい》しあい、彼女に近づき狎《な》れ親しむことは許されなかった。

自分より七つ年上の御息所に、源氏は猛烈なアタックを試みたのであろう。物語のはじめから、すでに御息所は源氏を受け入れ、通い所のひとつにさせている。

はじめて御息所が物語に登場するのは夕顔《ゆうがお》の巻の冒頭で、

「六条わたりの御忍び歩《あり》きのころ」

とある。「六条あたりに住んでいる女の許《もと》に、おしのびで通われていた頃」という意味である。しのび通うのは情事の相手で、正式の妻ではない。御息所ほどの身分の人が、若い男の情人になるのはふさわしくない。ふたりのなれそめも、恋の成就の場面も書かれていない。ただし夕顔の巻には、

「六条わたりにも、とけがたかりし御気色《けしき》をおもむけきこえたまひて後、ひき返しなのめならんはいとほしかし。されど、よそなりし御心まどひのやうに、あながちなることはなきも、いかなることにかと見えたり」

とある。

「六条御息所の許へも、はじめは、なかなか御心を許そうとはなさらず物堅かったお方を、ようやっと思い通りになびかせておしまいになった後は、うって変わって通り一ぺんのお扱いをなさるのもおいたわしい。それにしても、他人でいらした頃のひとかたでない御執心のように、ひたむきに通っていらっしゃらないのも、どうしたことかと思われた」

ということで、わずかの原文の行数に、源氏がどんなに熱心に御息所を口説き落としたかという事情が明かされている。

「とけがたかりし御気色《けしき》」という語に、御息所がそうは簡単になびくような女でなかったことが言いつくされている。その後につづく文に、御息所の性格が語られる。

「女は、いとものをあまりなるまで思《おぼ》ししめたる御心ざまにて、齢《よはひ》のほども似げなく、人の漏り聞かむに、いとどかくつらき御夜離《よが》れの寝覚め寝覚め、思ししをるること、いとさまざまなり」

女は御息所をさす。

「御息所は、何ごとも物事を徹底的に一途《いちず》に思いつめてしまわれる御気性なので、年齢の差も恥ずかしく、世間がふたりのみそか事の噂を聞いたらと思うと、こうして早くも源氏の訪れが間遠になるにつけ、ひとり寝の淋しい夜々の寝ざめがちな折々に、思いあぐね、悩み悲しんで、あれこれ思い惑うこともかぎりがなかった」

ということである。年齢の差を御息所が気にするところが女らしく哀れである。この時、御息所は数え二十四歳、源氏十七歳である。

年齢コンプレックスで悩む女が二十四歳というのが、今の感覚では何ともおかしいが、王朝は全体的にませているから、年齢の感覚は、プラス十歳くらいで考えたほうがしっくりする。

ここで、御息所の性格というのが、はっきり打ち出されている。紫式部は、おとなしい女、無邪気な女、気位の高い女、色好みな女、一徹な女、地味な女、権力欲の強い女、嫉妬深い女等々、様々な女の性格を描いてみせるが、はっきりと作者がその性格を断定して書いたのは六条御息所だけである。

「いこものをあまりなるまで思《おぼ》ししめたる御心ざま」

という性格は、何事も度をすごすほどつきつめて考えずにはいられない性格で、理知的の半面、情熱的で、しつこいという感じがする。

この場合、七つも年上という恥ずかしさの中には、七つも年上の思慮のあるべきはずの自分が、という意味のほうが強いと思う。まだ嘴《くちばし》の黄色い多情で軽薄な少年に誘惑され、すぐ捨てられるという屈辱に耐えがたいと、御息所は思い悩み苦しむのである。御息所にとって、失恋の辛《つら》さよりも自尊心が傷つけられる屈辱のほうがより強い。

おそらくあまり美人とは思えない紫式部も、つとめてかくしてはいるものの、心の底には並一通りでない自尊心が居坐《いすわ》っていたのではないだろうか。

傑作『アドルフ』の作者のコンスタンは、若い男に誘惑され捨てられる年上の女エレノールの不幸を描き、その最後に、

「境遇などというものはまことに取るに足らぬもので、性格がすべてです」

と結んでいる。御息所の苦悩も悲運も、すべては性格の招いた不幸であろう。

車争い

六条御息所《ろくじょうのみやすどころ》は、源氏の態度が冷たいのを苦にして、姫君が御代《みよ》替わりに伊勢の斎宮《さいぐう》に選ばれたのを機会に、いっそ京を離れ、姫君と共に伊勢に下ってしまおうかと考える。

源氏の誘惑に負けてしまったのは御息所二十四歳の頃で、あれからもう五年も過ぎていた。桐壺院《きりつぼのいん》は、御息所のこうした思いきった意向を聞かれて、源氏を呼びつけ、こっぴどく叱《しか》った。

「前《さきの》東宮が格別大切にして愛されたお方なのに、並の女のように軽々しく扱い、恥をかかせるとは何事だ。こんな気ままなはしたない浮気沙汰《ざた》は、世間の非難を受けることになる」

源氏は恐縮して返す言葉もない。

「女に対しては恥を与えるようなことはせず、どの女も傷つけぬようにして、女の怨《うら》みを負うてはならぬ」

と女の扱いについても体験的教訓を垂れる院の前から、やましい邪恋を抱く源氏は、藤壺《ふじつぼ》への秘《ひそ》かな恋がばれてはと恐れて、早々に引きあげてくる。

そんな噂《うわさ》も耳に伝わり、御息所は院にも世間にも、誰知らぬ者もなくなった自分の立場が恥ずかしく、源氏の冷たさをいっそう怨めしく思いつめていく。

まして御息所の耳に、追い討ちをかけるように、葵上《あおいのうえ》が懐妊したという噂が入る。もともと気の合わぬ夫婦だということを聞いていたので、葵上に対しては、さほど嫉《しっ》妬《と》もしていなかったのに、源氏が懐妊を機に急に葵上にやさしくなったなど聞くと、御息所の懊悩《おうのう》はいっそう深まっていく。

賀茂《かも》の斎院も替わることになり、弘徽殿大后《こきでんのおおきさき》の御腹の女三《おんなさん》の宮《みや》が新斎院に立ち、その御禊《ごけい》の日は、選《え》りすぐった供奉《ぐぶ》の上達部《かんだちめ》の中に源氏も選ばれた。

その晴れ姿を一目見たいと、もう前景気から寄るとさわると、その行列の話ばかりだった。

六条御息所は、伊勢へ下ってしまう前に、せめて恋しいつれない恋人の晴れ姿を見たいと思う。

御禊の当日、行列の通り道には、近郊近在から見物の人々が集まり、一目でも源氏を見たいと右往左往している。その中に質素にやつした女車に乗り、御息所はひっそりと息をひそめていた。

一方、葵上も臨月で気分もすぐれないのに、女房たちにせがまれて、気晴らしに見物に出かけることになった。出だしが遅かったので、すでに車を置く場所もない有様。今を時めく左大臣家の威光と、源氏の威光を笠《かさ》に着て、家来たちも横着になり、無理にも葵上の車をいい場所に割りこませようとする。たまたまそこに御息所の車があったのを、葵上の従者たちが乱暴に押しのけようとした。御息所の従者たちは腹を立て、「この御車は、そんなに押しのけられてよいお車ではないのだ。中にどなたが乗っていられると思うのか」

と、言い張って動こうとしない。

「何だ何だ、こっちの御車こそ、どなたがお乗りか知っているのか」

と家来同士で争いになってしまった。お互い、誰の車か自然にわかったから、いっそう意地になってくる。とうとう御息所の車は榻《しじ》などもへし折られ、御簾《みす》も破られ、散々な狼藉《ろうぜき》を受けてしまった上、隅の方へ押しやられてしまった。

御息所にとってはこの上ない屈辱だった。プライドの高い人だけに、公衆の面前で受けた辱《はずかし》めのため、居たたまれない思いで口惜《くや》し涙があふれる。何でこんな所に来たのだろうと後悔し、帰りたくても、もう他の車がびっしりつめていて、出て行く道もない。その時、「あ、来た、来た」とざわめきがおこる。するとやはり、あの恨めしい人の姿が待たれるのは、何という情けない心弱さか。馬上の源氏は見物の目を一身に集めて、光り輝いている。それとなく自分の女たちの車に流し目を送る源氏は、葵上の車の前では、ちょっと気取って威儀を整え、颯爽《さっそう》と通りすぎていく。御息所の車には気付かないまま。

この日の忍びがたい屈辱は、人一倍誇り高い御息所の心をずたずたに引き裂いてしまった。

源氏は都じゅうの噂になったこの事件を、祭の後で聞き、どんなに御息所が口惜しく恥ずかしく思われただろうと同情した。早速見舞いに行くが、斎宮の神事にかこつけ、御息所は心強く逢おうとしない。それももっともだとは思いながら、せっかく見舞いに来た自分に対する仕打ちかと、源氏は腹立たしく思う。

御息所はここ数年の辛《つら》さにもまして、いっそう耐えがたく辛く、寝こんでしまったくらいであった。

源氏は御息所の伊勢下向の決断を知っていながら、強《し》いて止めようとはしない。

「わたしを嫌って見捨てていらっしゃるのですか。今はまだ頼りない私でも、先々まで別れずにいて、どんなことをするか見守ってくださろうとなさらないのが情けないことです」

などロ先ばかりでいう。打ちのめされた御息所の屈辱の恨みの念は、凝《こ》り固まり、やがて我にもなく肉体から抜け出て、葵上の許《もと》に走っていく。

葵上はひどい物《もの》の怪《け》につかれて、目も離せないので、源氏もつきっきりで看病していた。

出来る限りの名僧を集め、祈禱《きとう》もさせるうちに、様々な物の怪や生霊《いきりよう》などがあらわれて出る。その中でどうにも頑固なしぶとい霊がいて、招人《よりまし》にも憑《つ》こうとしないで、葵上にしがみついている。

源氏がつきっきりで看病し、心配しているという噂を聞くにつけ、御息所は口惜しく嫉妬の炎を抑えることが出来ないのだった。

憂悶《ゆうもん》のあまり御息所も病気になってしまった。

源氏は気の進まないまま、捨ててもおけず、一夜見舞いにゆくが、しっくり打ちとけることもない。葵上に憑いた物の怪は、御息所の生霊や、その父大臣の死霊だという噂も流れていると耳に入り、御息所は愕然《がくぜん》とする。そうとは知らぬ間に、魂がわが身を離れ、憎い葵上に取り憑いてその髪をつかみ、引き回し、打ち据えているような気がしてくる。もしかしたら、世間の噂通り、自分の生霊が夜な夜な葵上に取り憑きにゆくのだろうかと、不安がいやましつのっていくのだった。

物の怪と加持祈禱

生霊《いきりょう》や死霊がほんとうにあるのかどうか。現代はオカルトブームで、霊《れい》大はやりの現象がおきているものの、ほとんどの人々は、科学的にものを考え、死霊はもとより、生霊などは信じていない。

しかし平安時代は、病気のほとんどは、悪霊のなすしわざだと思いこんでいた。熱病も流行性感冒も、ノイローゼも心臓病も、高血圧から下痢まで、物《もの》の怪《け》のしわざと考える。まことに非科学的な話だが、当時は医者はなく、病気は僧侶《そうりょ》の加持祈禱《かじきとう》で治すのが常識であった。僧侶は医者の役目もする。

奈良時代から、玄昉《げんぼう》、道鏡《どうきょう》などは、中国帰りの高僧だったが、医術も学んで帰り、後宮《こうきゅう》の皇后や皇太后の病気を治し、看病したことで、政治的にも発言権を持つようになっていた。彼等の医学的知識や技術は、漢方薬の処方や、マッサージや、鍼灸《しんきゅう》などだったのだろう。玄昉も道鏡も法相宗《ほっそうしゅう》であったから、密教的加持祈禱はしなかったと思う。おそらくマッサージやお灸がよく効いて、女帝の性的欲求不満や皇太后の更年期障害が治り、信頼や愛を獲得したものと思われる。

加持祈禱が盛んになったのは、平安時代に入って、真言密教や天台密教が唐《とう》から持ちこまれて以来である。帝位を守るため、自殺に追いこんだ実弟早良《さわら》親王の怨霊《おんりよう》に怯《おび》えつづけ悩まされていた桓武《かんむ》天皇が、それを唐から帰った最澄《さいちよう》に期待したのが始まりで、密教を本式に伝えた空海《くうかい》が帰朝して以来、それはいっそう本格的に拡《ひろ》まっていく。

天皇が怨霊に怯えたように、当時の貴族たちは、自分の権力を維持するため、あるいは新しい権力の座につくために、骨肉相争い、様々な陰謀を用いてライバルを抹殺していった。彼等は自分が殺した相手の怨《うら》みは怨霊になって必ず祟《たた》るという怯えを抱いている。平たくいえば、自分の罪の怯えであり、良心の呵責《かしやく》であるわけだ。病気になれば祟りだと思い、家族がけがをすれば祟りだと信じ、火事でもあればこれも祟りだと思う。その時、頼むのは、霊験のある高僧の加持祈禱なのである。

悪霊や怨霊は、物の怪と呼ばれ、それは加持祈禱で責めたてられると、苦しがり、招人《よりまし》に憑《つ》き、様々なことを口走る。お経の功徳《くどく》や、高僧の呪力《じゆりよく》で怨霊が調伏《ちようぶく》されると、病人は治ると信じられていた。

現代の科学万能の知識でいえば、そんな馬鹿なことがと思われるが、人間の病気は、本来、自然治癒力で治せるものもあり、それは現代でもあり得る現象である。薬物や医療に頼りすぎ、科学が発達するにつれて、人間の原始的な生命力が弱まり、本来持っていた自然治癒力も衰えてきている。平安時代の加持祈禱は、身に取り憑いた悪霊を追っぱらい、人間の自然治癒力と生命力を喚起回復させて治すということであった。

弘法大師《こうぼうだいし》空海《くうかい》は、人間の病因を、

「身病の対治《たいぢ》に八つ有り。而も心病の能治《のうぢ》に五つ有り。湯散丸酒《たうさんぐわんしゆ》、針灸《しんきう》、呪禁《しゆきん》は身の能治なり。四大の乖《そむ》けるには薬を服して除き、鬼業の祟るには呪悔《しゆくゑ》能く銷《け》す。薬力は業鬼《ごふき》を却《さ》くること能《あた》わず、呪の功《く》は通じて一切の病を治す。世医の療する所は唯し身病のみなり。その方《ほう》は則ち大素《だいそ》、本草《ほんざう》（漢方医学）等の文これなり」（秘密曼荼羅《ひみつまんだら》十住心論・巻第一）

と説いている。空海は人間の病気を生理的なものの外に、鬼業によるものもあると認めているのである。

　病は気からという言葉は今でも通用する。たしかに気の弱りで、治る病気も治らない例はよく世間に見る。

　空海のいう鬼業とは悪霊、死霊の外に生霊もふくんでいる。生霊とは何か。心霊学でいう念力《ねんりき》、テレパシーのことである。

　一時、テレビで念力少年のスプーン曲げなどが話題になったあの念力である。人間の一念が凝り固まれば、不可能も可能にすると信じられていた。加持力のある高僧は、それだけのきびしい修行をつんではじめて呪力が得られると尊敬される。

人間の念、テレパシーは、唯物論者でも信じることが出来るだろう。こちらが好きだと一心に思えば、たいてい相手は何となくふりむくし、こちらが嫌いだと思えば、相手も何となく、こちらを避ける例などはざらにある。それがテレパシーである。

六条御息所《ろくじょうのみやすどころ》は、正気の時は、自分の運命を嘆き悲しみはしても、葵上《あおいのうえ》を呪《のろ》ったりしたつもりなどはない。とはいうものの、自分の知らない間に魂が苦しさのあまり、わが身から離れてさまよい出て行ったとしたら、世間の噂《うわさ》のようなことをしていないともかぎらないと悩む。そう思うのは、車争いの一件以来、口惜《くや》しさのあまり逆上する心が、わずかなまどろみの中でも、騒々しく荒れ狂って、葵上に取り憑いて浅ましいことをする夢を見たように思うからだった。死霊が怨んで取り憑くという話は世間によくあるが、それさえ他人事として聞くと浅ましい罪深いことに思われるのに、まして生きたまま、生霊が取り憑くなどという噂をたてられるとは、何という情けないことか、もうもう決して、あんな薄情な男のことなど思うものか、と考えることが、すでに、源氏のことを考えていることになり、御息所はいっそう辛《つら》い物想いに落ちこんでいく。

一方、急に産気づいた葵上は、いつもよりひどい物の怪に悩まされ、霊験あらたかな高僧たちの呪術や祈りも一向に効き目をみせない。

それでも、物の怪は必死に祈りたてる祈禱にようやく調伏されて、

「ああ苦しい、少し祈禱をゆるめてください。源氏の君に申しあげたいことがあります」

という。源氏が葵上の帳台の中へ入っていって、痛々しい妊婦の手をとってしみじみ慰めてやると、

「いえ、ちがいます。あんまり調伏が苦しくて、楽にしてくださいとお願いしたかったのです。こんな所へ来ようなど思ってもいないのに、人の魂は悲しみに耐えかねると、軀《からだ》を離れるって、ほんとにありますのね」

という声や表情は、葵上ではなく、すっかり六条御息所のものとなっていた。

芥子の匂い

六条御息所《ろくじょうのみやすどころ》の妄執は、御息所の教養も知性も裏切って、われにもあらず体内から抜けだし、物の怪《もののけ》となって恋敵《こいがたき》のところへ走っていく。

そのことに何となく気づくのは、やはり御息所が並の人より感受性も強く知的な人であったからである。

激しい物の怪に苦しめられた揚句、それでも葵上《あおいのうえ》は、無事出産した。しかも男の子だった。もう駄目だと思っていただけに、この安産は左大臣家の人々を歓喜させ、上を下への大騒ぎをして、祝宴が盛大につづいていた。

御息所の耳にもそんな噂《うわさ》が入ってくる。

その時の御息所の心理を、紫式部は冷酷なほどの筆つきで、つき放して書いている。

「かの御息所は、かかる御ありさまを聞きたまひても、ただならず。かねてはいと危《あやふ》く聞こえしを、たひらかにもはた、とうち思《おぼ》しけり」

「ただならず」とは、心中おだやかでないということで、口惜《くや》しさがこみあげて嫉妬《しっと》心《しん》がわきおこるのである。

「前には葵上はもう命も危ないという噂だったのに、安産とはまあ、何ということだろうとがっかりする」

「うち思《おぼ》しけり」は、思ったということだが、「うち」がついているので、ただ思うのではなく、深く強く思ったのだろう。この文脈から見れば、御息所は深層心理では、葵上の死を願っていたことになり、期待が裏切られたので、がっかりしたということになる。いくら何でも、恋敵の死を願うなどという浅ましい考えを、自分に許すことが出来ようか。そう思うのは御息所の教養や理性であって、いつわらない本音の感情は、殺してやりたいくらい葵上が憎いのであり、彼女の出産が呪《のろ》わしいのである。

これが現代の小説なら、自分はあの人の子を産めない立場で堕《お》ろしているのに、とでも書きたいところである。御息所と源氏はずいぶん長い間のつきあいなのだから、その間に御息所が一度や二度妊《みご》もってもいいはずである。源氏は二十二歳、御息所はまだ二十九歳だから懐妊しても不思議ではない。むしろ、四、五年もつづいた間柄の中で、一度も懐妊しなかったことが不思議なくらいである。現に藤壺《ふじつぼ》はわずかの逢瀬《おうせ》で、源氏の子を妊っている。すでに前東宮《さきのとうぐう》との間に女の子を出産している御息所が石女《うまずめ》であるわけはないのである。

いずれにしろ、御息所としては、源氏が自分を正式の妻として世間に対して扱わないかぎり、子供など産めないのだ。それなのに、葵上は、ただ正妻というだけで、こうもみんなに騒がれて出産し、喜ばれる。御息所としては口惜しくてたまらない。

それにつけても、あの不思議な、魂が軀《からだ》から抜け出たような気分をふりかえりたどってみるうち、御息所は自分の着物や、髪などから異様な匂いがするのに気がついた。それは芥子《けし》の匂いだった。芥子の匂いは、物の怪を調伏《ちょうぶく》する時、たきあげる護摩《ごま》の火の中へ芥子の実《み》を投げいれる時にたつ、それにちがいなかった。

するとやはり、自分の魂はわが身から抜け出し、葵上に取り憑《と》き、祈禱《きとう》の僧たちに芥子をたかれて調伏されたにちがいない。意識のどこかにそのことをぼんやり記憶しているだけに、御息所にはこの芥子の匂いが逃れられない証拠としてつきつけられたように思う。事実ならば、自分でさえ、何とうとましいことかと思われるのだから、世間の人がこの噂を聞いたら、どれほど軽蔑《けいべつ》されるだろうと思うと、御息所は絶望的になる。

髪を洗ったり、着物を着かえたりしても、そのしつこい匂いはまだ御息所の肉体にしみつき、消えようとはしないのだった。

もし生霊《いきりょう》となって葵上に取り憑いていたとすれば、記憶のどこかにかすかに残っている、葵上の帳台の中で源氏と逢ったように思うのは事実かもしれない。とすれば、源氏は自分の生霊となった浅ましい姿をありありと目撃したことになる。どんなに愛した女でも、それが生霊になったのを見たら、百年の恋もさめはてるだろう。源氏がぷっつりと便りひとつよこさないのも、単に葵上の病気や出産騒ぎのせいばかりではなかったのだ。

御息所はあれこれ思いつづけるうちに、いっそう心が惑乱して、またもや魂が抜け出すような不安におそわれてくる。

この御息所の嘆きは実に悲痛である。丈《たけ》なす長い髪を洗ったり、下着まではぎとって着かえている御息所の姿を想像するだけでも、可哀《かわい》そうになる。

私は昭和四十九年四月末から六月末まで、比叡山横川《ひえいざんよかわ》の行院《ぎょういん》で、天台宗《てんだいしゅう》の僧侶《そうりょ》としての義務に近い修行に入った。わずか二か月であったが、そのうち一か月は顕行《けんぎょう》で、声明《しょうみょう》を習ったり、天台宗の教えを教わったりしたが、後の一か月は密教の修行で、朝は午前二時起き、水をかぶり行《ぎょう》に入り、夕方までみっちり、護摩をたかされた。

その時はじめて、私は護摩の中に、投げいれる五穀やしきみの外に、芥子の実があることを識《し》った。燃え上がる炎の中に芥子の実を投げいれると、ある種の匂いがわきただよう。芥子はもちろん麻薬である。これをたき、その煙となった匂いをいっぱい吸いこめば、麻薬をのんだと同じ状態になっても不思議ではない。そこで人は、極楽浄土やみ仏にも逢えるのではないだろうか。ただし、行院の芥子の実は雀《すずめ》の涙ほどだし、ただの芥子の実で麻薬の用にはもちろんたたないものである。これがみんなほんものの芥子ならと思った時、六条御息所の生霊を思い浮かべたものだ。

御息所はその執念深く思いつめるという性格の悲劇のため、この後も、ずっと源氏の愛する女たちを呪いつづけ、死んで後は死霊となって、彼女たちを苦しめる。

後に源氏の正妻となる女三《おんなさん》の宮《みや》は、その死霊のため尼にされ、最も愛された紫《むらさきの》上《うえ》は、殺されてしまうのである。

女君さらに起きたまはぬ朝

正妻葵上《あおいのうえ》と源氏は、気の合わぬ夫婦だったが、葵上の出産の頃から、ようやく心が打ちとけ通い合い、源氏は葵上をいとしいと思いはじめている。

身重の葵上が物《もの》の怪《け》に苦しめられる様子があまりに痛ましく、その物の怪の正体を六条御息所《ろくじょうのみやすどころ》の生霊《いきりょう》と見定めてしまったことから、源氏は葵上にいっそう同情し、いとしさが増したのである。

死の直前になってようやく、葵上は源氏の愛を得たことになるが、それはあまりにも短い束の間の幸せで、彼女は出産の後に死ぬ。

当時の通い婚の習慣では、生まれた子は妻の家で育て、夫は妻が死ねば、その家に通って来なくなる。

そのことが左大臣家では、葵上の死に重ねて、悲しみの涙を誘うのであった。

源氏は葵上の死後もしばらくは、左大臣家に留《とど》まり、紫上《むらさきのうえ》のいる二条院《にじょうのいん》にも帰ろうとしない。三十人ばかりの女房たちが、濃い鈍色《にびいろ》の喪服を身にまとって、打ち固まって嘆いている中に源氏も居て、彼女たちと故人の想い出などを語り、慰めあって暮らす。その中には、葵上の生前からお手付きの中納言《ちゅうなごん》の君などという女房もいるのだが、彼女に対しても、色めいたことは一切しようとしない。その態度を中納言の君のほうでも、「あはれなる御心かなと見たてまつる」とある。やさしいお心に思え、感心していることである。この頃の女房と主人の間柄がよくわかる感想である。中納言の君はあくまで葵上に仕える女房で、たまたま源氏の愛を受けてしまったが、女主人に対する敬愛は失わず、嫉妬《しっと》もないという間柄なのである。

四十九日までは、妻の家で喪に服しているが、いつまでもそうしていられず、源氏は名残を惜しんで泣く左大臣家の人々と別れて、久々に二条院に帰る。

二条院では、長い源氏の留守の間は里帰りしていた女房たちも帰って来て、源氏を待っている。気のきいた乳母《めのと》の少納言《しょうなごん》の君が、すべてぬかりなく采配《さいはい》をふるって、すっかり冬の支度に、調度や衣裳の衣更《ころもが》えもすまし、あたたかく華やかに飾りたてて、源氏を迎え入れる。

紫上は格別念入りに着飾って、かわいらしく美しい。長い留守の間に育ち盛りの少女はすっかり見ちがえるほど大人びていて、源氏をおどろかせる。

源氏は成長していく紫上が、誰よりも憧《あこが》れ恋している藤壺中宮《ふじつぼのちゅうぐう》に次第にそっくりに似てゆくのを内心ひそかに喜んでいる。藤壺の姪《めい》に当たる紫上が、どこか似ているのが、そもそも源氏の心をひきつけたのだから、こうした発見は嬉しくてならないのだった。

喪中でほとんど外出もせず、源氏は紫上を相手に、碁を打ったり、文字遊びなどして日を過ごしながら、紫上の成長ぶりを観察し、少し痛々しいけれど、もう夫婦の契りを結んでもいい軀《からだ》になったと見定める。

時々、それとなく、それらしい話をほのめかせてみるが、紫上はまだ一向にそういう性愛には気づきもしない幼さである。

それまでも幼い時からの習慣で、ずっと一つの帳台の中で一緒に寝ていたので、人の目にはいつからそういう仲になったと、はっきり見分けられるような間柄でもないのだが、ある朝、源氏だけが早く起きて、紫上は一向に起きて来ないことがあった。

原文では、

「男君《をとこぎみ》はとく起きたまひて、女君《をんなぎみ》はさらに起きたまはぬあしたあり」

とある。女房たちは、「いったいどうなさったのかしら」「御気分でもお悪いのかしら」と心配する。女房たちはまだそれと気づかないのだ。

紫上は、源氏の昨夜の思いがけない仕打ちが恨《うら》めしく、今まで心の底から頼りきっていた自分が口惜しく思われるのだ。十歳ばかりでこの邸につれて来られて以来、四年ほどの歳月が過ぎていた。その間、一つ床に寝ていても源氏はあんな乱暴なことは何もしなかったのだ。

源氏からは、

「あやなくも隔てけるかな夜を重ね
　さすがに馴《な》れしよるの衣を」

という、後朝《きぬぎぬ》の歌を届けたが、紫上は返事も書かない。

昼ごろ、源氏が、

「気分が悪いんだって、どうしたの」

としらじらしい顔で覗《のぞ》きにいくと、紫上は、夜着を頭からひきかぶって答えもしない。源氏が夜着を無理にひきのけると、汗びっしょりになって、額髪《ひたいがみ》もたいそう濡《ぬ》れていた。

紫上はすねて、源氏が帳台の中へ入りきりで例の口上手に御機嫌をとっても、一言も答えない。そんな幼さが、源氏にはまた可愛《かわい》くてならないのだ。どうして、今まですてておいたのかと後悔する。自分のものにしてからは、これまで以上の愛が湧《わ》き、もう片時も離れられないようにさえ思う。

丁度《ちょうど》その日は亥《い》の子《こ》の日に当たっていて、無病息災、子孫繁栄のため、亥の子の餅《もち》を食べる習慣があった。源氏は喪中なので、女房たちは紫上にだけ、亥の子の餅をさしあげた。

源氏は秘書役の惟光《これみつ》をこっそり呼んで、色とりどりの亥の子の餅を渡し、

「この餅をこんなにたくさんでなく、明日の夜持って来なさい。今日は縁起の悪い日だから」

という。機転のきく惟光は、照れ笑いでそういう源氏を見ただけで、すぐさま事の次第を気づき、誰にも知らせず、ほとんど自分で手を下して、三日《みか》の餅の用意をしてくる。

当時、結婚の三日めの夜に三日の餅を夫婦が食べ、万病を祓《はら》い、子孫繁栄を願うのだった。欠かすことの出来ない結婚の儀式のひとつになっていた。三日の餅は白だけで作る。

女房たちは、四日めの朝、その餅が下げられたのを見て、はじめて、二人が肉体的にも夫婦になったことを知るのだった。

それにしても、涙も乾かぬ妻の喪中に、紫上と早くも事実上の結婚をするとは、源氏も全く罪な男である。

新枕の陶酔

光源氏《ひかるげんじ》はドンファンにはちがいないが、女に熱中する時は、前後を忘れてその女に夢中になる。その情熱に女はほだされ、一時的にもせよ、源氏の情熱に圧倒されて、自分もその熱い渦に巻きこまれて身を誤ってしまうのだ。

六条御息所《ろくじょうのみやすどころ》を手にいれた前後のいきさつは書かれていず、読者はいきなり、すでに源氏の通い所となっている六条御息所を知らされるわけだが、どんなに、若い源氏が情熱的に御息所に迫ったかは、藤壺中宮《ふじつぼのちゅうぐう》に執拗《しつよう》に迫る源氏の、理性を失った激しい求愛を見れば察しられるというものだ。

物語の上では、十二歳で葵上《あおいのうえ》と結婚して以来、空蟬《うつせみ》、軒端荻《のきばのおぎ》、六条御息所、夕顔《ゆうがお》、藤壺、末摘花《すえつむはな》、朧月夜《おぼろづきよ》等の女たちと情交を結んで二十二歳に至っている。その外にも、通い所はあったと書かれているし、女房たちにも手をつけているので、名の上がっている女の三倍くらいの女と交渉があったとみていいだろう。ここにあげられた女たちの中で処女は、葵上、軒端荻、末摘花、朧月夜だった。

中でも朧月夜は、東宮妃に上がる予定だったのだから、その運命は源氏との出逢《であ》いですっかり狂ってしまった。

葵上が死亡した時、朧月夜の父の右大臣は、正妻が死んだのだから、いっそ源氏が朧月夜と正式に結婚してくれないものかと思う。気の強い弘徽殿大后《こきでんのおおきさき》は、とんでもないことだと思い、そんな右大臣の弱気を叱《しか》りつける。

朧月夜の不幸は大后の反対ではなく、源氏自身が、葵上亡き直後、紫上《むらさきのうえ》と新枕《にいまくら》を交わし、その新鮮な関係にすっかり惑溺《わくでき》して、朧月夜や六条御息所を忘れはてたことにある。

それればかりか、源氏は紫上を自分のものとして以来、あれほど切なく恋いこがれている藤壺にさえ、感情が一時冷却したかのように見える。

「かくて後は、内裏《うち》にも院にも、あからさまに参りたまへるほどだに、静心なく面影に恋しければ、あやしの心や、と我ながら思《おぼ》さる」

とある。「かくて後」とは、紫上と契ってからということで、内裏にも院にもちょっと参上している時でさえ、そわそわして紫上のことばかり恋しくて、俤《おもかげ》がちらちらするので、我ながら不思議な心だと思ったということである。

院は、桐壺院《きりつぼのいん》と、藤壺中宮がのどかに暮らしていらっしゃるところなのだから、これまでの源氏は、藤壺の身近に少しでもいたいと思い、そこにいることが最上の喜びであった場所なのだ。そこにいてさえ、紫上の俤がつきまとい、心が落ち着かないというのだから、どんなに紫上との新しい関係に、源氏がうつつを抜かしているかが察しられる。

通い所の女たちの所もふっつりと訪れないので、女たちからはうらめしく怨《えん》じた手紙が来る。中には気の毒だと思う女もあるのだが、何としても新手枕《にいたまくら》の物珍しさと、悦《よろこ》びに、一夜も別れてはいられない心境で、源氏はそういう人たちには、

「妻を亡くしまして、心が屈して、世の中がつくづく厭《いと》わしく思われますので、この時期がすぎてからお目にもかかりましょう」

と返事を書いて、紫上のところにばかりくっついている。

妻の死後、すぐ紫上と実質的結婚をするのも図々しいのに、妻の喪をいいわけに、他の女をことわり、紫上といるというのも、ずいぶん人を食った話である。

何が源氏の心をそうまで迷わせるのか。

紫上はまだ女として心身が開花しておらず、むしろ、思いがけなかった源氏の態度に、ひどく裏切られた想いで、源氏を怨《うら》み、憎んでさえいる。

これまで安心しきって、一つ帳台に寝て、肉親のように馴《な》れ親しんできたことまで口惜しく思われてならない。いかにも処女の潔癖があらわれていて、源氏をうとましく思う紫上の心情は、清潔で可憐《かれん》である。

今時の娘たちには、見たくても見られない処女の潔癖と恥じらいが、この頃の紫上にあらわれている。そこが源氏にはたまらなく新鮮で魅力的なのである。

一方では年上の高貴な女性に憧《あこが》れながら、まだ性愛に目覚めない少女の固い蕾《つぼみ》を気長に徐々にはぐくみ花開かせてやる快楽が、すでにドンファンとして恋の場数を踏んできた源氏にとっては、またとない魅力になってくる。

紫上がすねて、ろくに物もいわなくなり、目さえ合わせまいと嫌えば嫌うほど、源氏はわくわくする。男女の現実の性愛のあり方を不潔だと思い、紫上がすっかりふさぎこんでいるのさえ、趣《おもむき》深く、いじらしいことに思われて、いとしさがいやますばかりなのである。

この男がまだ二十二歳だと思うと全く変な気がしてくる。ロマンス・グレーの男が若いギャル相手にそわそわしているようで、何ともおかしい。

ついに源氏は、これまで、どこの誰とも世間には知らせずかくしてきた紫上を、兵部卿宮《ひょうぶきょうのみや》の娘だと世間に公表して、今までおろそかにしてきた裳着《もぎ》の式（女の成人式）も立派にしようと計画する。

世間に、紫上の立場を重いものとしてかばい、自分の妻とするのに正当性を与えようという配慮である。

この場合、当人のみならず世間も、妻に先だたれた源氏の後添いとして考えるのは、

まず六条御息所であろう。ところが源氏は、

「六条御息所は、お気の毒だけれど、正妻としたら、きっと、気が重くてうるさくてしっくりいかないだろう。まあ、今まで通り、愛人の立場で大目に見てつきあってくれるならば、何かの折には、頼もしい相談相手になってもらえるのだが……」

などと虫のいいことを考えている。人には知られていない朧月夜のことも、右大臣がいっそ葵上の後の北の方にと望んできたが、さりげなくかわしてしまった。その後、やはり入内《じゅだい》するようだと聞いても、惜しい気はするが、あえて、紫上と引きかえに妻に迎えようなどとは思わない。

野宮のわかれ

源氏物語五十四帖の中には、様々な名場面があるが、賢木《さかき》の巻の野宮《ののみや》のわかれは、中でも美しい絵のような場面で、作者もひとしお気を入れて書いているように思われる。

源氏にうとまれて、すっかり訪れのとだえたことを、六条御息所《ろくじょうのみやすどころ》は、自分が生霊《いきりょう》になって葵上《あおいのうえ》に取《と》り憑《つ》いたことが原因だと思っていた。それにつけても、恥をさらして、この上都にいることが耐えがたくなり、やはり斎宮《さいぐう》について伊勢へ下ろうという決心を固めてしまう。源氏の正妻が死んだからには、もしかしたら数多い女たちの中でも身分の高い御息所が正妻に迎えられるのではないかと、まわりの女房たちも、世間も思ったのに、いっそう冷淡にされるのが、御息所には耐えがたい屈辱と思われるのだった。

生霊さわぎの頃は、御息所は宮中の初斎院《しょさいいん》に、姫宮と一緒に入っていた。斎宮に決まると、初斎院に入り、翌年七月まで潔斎《けっさい》の日を送り、その後、嵯峨野《さがの》の野宮に入り、また一年潔斎して、伊勢に立つ。

　すでに斎宮は野宮に移っていて、御息所もそこへ行っていた。もともと万事に趣味深い御息所なので、野宮の潔斎所も、格別心をこめて、はなやかな趣向をこらして住んでいた。風流な殿上人《てんじょうびと》たちは、そこもサロンとして、我勝ちに嵯峨野もうでをして見舞うのを仕事にしている。源氏はそんな噂《うわさ》を聞くにつけ、やはりこのまま別れてしまうのも惜しい人だと、未練がないでもなかった。

　葵上が死亡してから、はや一年の歳月が過ぎている。斎宮が伊勢に下るのも目前に迫ってきた九月七日の頃、源氏はようやく野宮に御息所を訪ねて行くのだった。

「はるけき野辺を分け入りたまふよりいとものあはれなり。秋の花みなおとろへつつ、浅茅《あさぢ》が原《はら》もかれがれなる虫の音《ね》に、松風すごく吹きあはせて、そのこととも聞きわかれぬほどに、物の音《ね》ども絶え絶え聞こえたる、いと艶《えん》なり」

　九月というのは陰暦なので、陽暦では十月のなかば頃にあたる。

　晩秋に入った嵯峨野の夜の寂しい情趣のある風景の中を、源氏は気心の知れた前駆《さき》の者十人余りだけつれて、野宮へ向かっている。彼等も、嵯峨野の秋の夜の趣《おもむき》深さにうたれ、感じ入って黙々と進んでいる。

　おそらく、源氏は馬に乗るか、輿《こし》に乗っていたのだろう。

　私は少女時代、花柳章太郎《はなやぎしょうたろう》がこの場面の源氏を演じるのを見た。その時花柳は、輿に乗って舞台にあらわれた。

舞台いっぱいの秋草の中を輿に乗ってあらわれた花柳源氏の美しさが、今もまぶたにやきついている。

今は市中から車で三十分の嵯峨野も、歩けば三時間はかかる。

浅茅《あさじ》が原《はら》に、すでにかれがれになった淋しい虫の音がわき、松風が心にしみいる音をそえる中に、何の琴だろうか、絶え絶えに琴の音が伝わってくるのが、いいようもなく優艶《ゆうえん》である。

おそらく秋の月が中空から彼等の姿を照らしているだろう。場所といい、物の音といい、またとない情趣深い感じで、絵のような場面である。

小柴垣《こしばがき》で囲った野宮は一代一度限りの造営だから、板葺《いたぶき》で、黒木の仮の鳥居（皮をむかない木で造った簡素なもの）が建っている。

ひっそりとした淋しい風景の中に、神さまに供える物を煮たきする火焼屋《ひたきや》だけにかすかに灯《あかり》がもれている。

こんな淋しいところに、御息所が一年も暮らしていられたかと思うと、源氏は今更のように、見捨てていた月日がかえりみられ、いいようもなく気の毒で可哀そうになってくる。

中でつれづれを慰めるために合奏していたらしい音楽が、源氏の訪れでひたっとやみ、女房たちのゆかしい衣《きぬ》ずれの気配などが聞こえてくる。

御息所は取次ぎに女房をたて、もはや、逢《あ》う立場ではないと伝えるが、源氏はこうなると、そう簡単にはひき下がらない。

中へは入れまいとする御息所にくい下がり、簀子《すのこ》にでも上げてくださいといいながら、強引に縁側へ上がってしまった。

月がはなやかにさし出《い》でて、月光の中に美しく優雅な姿が浮かび上がってくる。簾《すだれ》の奥から御息所はこみあげる万感を胸にひめて、眺めている。恋しい人、恨めしい人、忘れようとして忘れられない悲しいつれない恋人。せめて今、逢いに来てくれたことを慰めとして、見苦しい心の乱れはさとられまいと、必死に想いをこらえている。

源氏も長い御息所との恋の歳月のさまざまが、一挙に思い出され、たまらなくなる。

「あはれと思《おぼ》し乱るること限りなし。来《き》し方《かた》行く先思しつづけられて、心弱く泣きたまひぬ」

この文の主語は源氏である。まるで女のようなめめしい様子だが、源氏物語では、実に男がよく泣く。王朝の男たちは、女の前で泣くのを恥ずかしいと思わなかったらしく、また涙腺もずいぶんゆるいように思われる。

源氏は例によって、「伊勢下向を思い止《とど》まってください」などうれしがらせをいう。

御息所は必死に心を冷静らしく装っているものの、源氏の、耳に快くかきくどく求愛の言葉を聞いていると、その真実の薄さは、もういやというほど身にしみていながら、ああようやく逢えた、逢えばこの人はやはりこうなのだと心が乱れて、断ちきったはずのみれんに気もそぞろになってくる。

この夜、結局、源氏は御息所の寝所に押し入ってしまい、一夜を共にする。原文はそこはあいまいにぼかしているが、あらゆる物思いをわかちあいつくしてきたふたりの間で、お互いに話しあったさまざまのことは、そのまま語り伝えることも出来ない、という味な表現で、作者は思わせぶりたっぷりの筆づかいをする。

後朝《きぬぎぬ》の別れもひとしおお身にしむまだ明けやらぬ中を、源氏は帰っていく。

運命のかげり

若い日の源氏が、およそ思うことのすべてが叶《かな》うように見えたのは、桐壺院《きりつぼのいん》という絶大な後見者がいたおかげであった。

臣下にはなっても、桐壺院がどの親王よりも愛している源氏を、人々はおろそかには出来ないし、たいていの無理は目をつぶらなければならない。

これまで、幼い頃生母に死別したということ以外、源氏は稀《まれ》なる幸い人として描かれてきた。

正妻の葵《あおいのうえ》上が産後死亡したことは、予期せぬ不幸ではあったにしても、すぐ紫《むらさきの》上《うえ》と契るなどということで、その悲しみはまぎらせているのだから、源氏にとっては決定的な不幸ではなかったはずである。

ところがひきつづいて、桐壺院が翌年の秋の終わりに崩御したことによって、源氏の運命にはじめて大きなかげりが生まれてくる。

桐壺院は最愛の藤壺《ふじつぼ》を、これまた最愛の源氏に盗まれ、その間に出来た罪の子を自分の息子と信じ愛育して、東宮に立てている。

間のぬけたコキュの立場だが、物語の中では、あくまで最高の地位の人としての威厳は落とさずふるまってきた。

帝位は朱雀帝《すざくてい》に譲って上皇となり、藤壺とふたりでのんびり生活を愉《たの》しんでいたものの、院政をしいていたので、権力は在位中とかわらなかった。

その絶対の権力者が死亡した時から、世の中の風向きがはっきり変わってきた。

朱雀帝はまだ若いので、祖父の右大臣や、気の強い母の弘徽殿大后《こきでんのおおきさき》が、これからは政治向きに口を出すことは当然である。

弘徽殿大后は、桐壺院が譲位以後宮中を出て、上皇御所に藤壺を伴い仲よく暮らしているのが面白くなく、ひきつづきずっと宮中の暮らしをつづけていた。

桐壺院の病気中も、藤壺がつきっきりで看病しているのが業腹《ごうはら》で、ぐずぐずしているうちに見舞いに行きそびれたまま、院は崩御したので、いっそう藤壺への恨みがつのっている。今は後ろ楯《だて》のなくなった藤壺へ、長い恨みの復讐《ふくしゅう》の時がやってきたのだ。

源氏に対しても、その母の更衣《こうい》への憎しみがつづいていて、藤壺におとらぬ憎悪の対象である。

もともと勝ち気で、気位の高い大后は、院の崩御で権力志向が強まってくる。

朱雀帝はまだ若く、意志薄弱で頼りない。政治は父の右大臣をけしかけて自分がしっかり見なければならないと考える。

源氏を婿にして以来、とかく左大臣のほうを故院がひいきにしてきたのも、大后には恨みがあった。

紫式部は、宮中の生活の中で、政界の権力の移り変わるさまをつぶさに見聞していたのだろう。

そういう現実の権力争いや、時の権勢の移り変わりを実によく捕らえて、物語の中に何度か書きこんでいる。

院が崩御すると、四十九日までは、院の中宮、女御《にようご》、御息所《みやすどころ》たちは上皇御所に集まっているが、その後は、それぞれ自分たちの里邸へ帰っていく。

四十九日が師走《しわす》の二十日に当たっていたので、年の瀬のあわただしい引っ越しである。

藤壺も仕方がないので三条の里邸に退出した。御所暮らしの歳月が長かったので、藤壺はかえって自分の里邸が他人の家のような気がする。

諒闇《りようあん》の新年が明けると、早くも時勢の移りがありありと見えてくる。

新年の官吏任命の儀式の除目《じもく》のある頃は、桐壺帝在位当時も、院政になってからも、院とつながりの深い源氏に、何とか口ぞえを頼もうとして挨拶《あいさつ》に訪れる客たちの車が、門前にびっしり並んでいたのに、今年は閑散としている。家臣たちが宿直《とのい》のための夜具を入れる袋も例年になく少なくなっている。

家司《けいし》たちが、閑《ひま》そうにうろうろしている。そんな物淋しい去年に打って変わった様子を見て、

「今よりはかくこそはと思ひやられて、ものすさまじくなむ」

と源氏は感じる。

これからはこんなふうに、人の訪れも減り、家臣も閑になっていくのだろう、もはや、世間は自分を政権の上では没落した人間とみなし軽んじるのだろう、と思うと、たまらなく淋しく情けない気分になるということである。

後に来る須磨流謫《すまるたく》という悲劇への予感と発端が、この数行に感じられる。

源氏物語は、男女の恋の感情のさまざまも書いているが、運命と、時間という太い主題もからみあわされている。

華やかで幸運いっぱいのこれまでの源氏の運命にさしはじめた暗い影が、初めてここに見える。

悲運の背後には、時の移りによって幸運にのしあがる運命もある。その対照的な例として、朧月夜《おぼろづきよ》のことがあげられる。

皇太子妃として約束された運命が、源氏との出逢《であ》いによってけちがつき、東宮妃に

はなりそこね、弘徽殿大后の意志で、朱雀帝の御匣殿《みくしげどの》に就任して宮中につとめていた。御匣殿は、宮中の衣服を調製する役所の女官を監督する役職だが、天皇や東宮の寝所に侍《はべ》ることも多い。

弘徽殿大后としては、是が非でも朧月夜を宮中にあげ、帝の寵《ちょう》を受けさせ、親王でも産ませたいという気持が強い。

院の崩御で、朧月夜は尚 侍《ないしのかみ》に昇進した。尚侍は、天皇に常侍して、奏請や伝宣の役をするので、女御、更衣に准じ、天皇の寝所に侍ることが多い。

弘徽殿大后は、それまでの自分の局《つぼね》を朧月夜に使わせて、自分は里がちに暮らした。朧月夜は大后の後押しがあるのと、人柄もいいので、女御、更衣が多い中でも、特に帝の寵愛が厚く時めいて、女房たちも数多く集まってきて、後宮《こうきゅう》では誰よりも華やかに光が当たりだす。運命の明暗の対比を、作者はここでさりげなく示し、物語の発展の周到な用意をする。

のがれられぬ黒髪の罪

藤壺《ふじつぼ》に対する源氏の恋心は、桐壺院《きりつぼのいん》の崩御ということで、いっそう歯止めがきかなくなった。

院の崩御の後は、藤壺は三条の里邸に帰るしかない。源氏と藤壺の密会は、これまでも、三条の里邸が舞台であった。源氏がこの機会を見逃すわけはなかった。

藤壺は院という絶対の後ろ楯《だて》を失った後、これという頼もしい後見もなく、まだ幼い東宮を守っていくためには、源氏の後見を当てにするしかなかった。ところが、まだ自分に対する源氏の邪恋が決して消えていないことを、藤壺は誰よりもよく知っている。今の藤壺にとっては、源氏との秘密が世間に洩《も》れることが何よりの心配であった。それは東宮の前途に直ちにひびくからだ。

藤壺は源氏と縁を切ることは出来ないし、源氏の邪恋は何としても防がねばならない。秘《ひそ》かに源氏の懸想《けそう》が消えるように祈願していた。

それでも源氏は藤壺の女房を手なずけて、藤壺の寝所にしのびこむことに成功する。

こういう場合、当時の高貴な女たちが身の防ぎようもない例を、私たちは度々《たびたび》見せられている。

藤壺に逢えた源氏は、例によって、必死に言葉をつくしてせつない心情を訴えかきくどく。藤壺はそんな源氏の強引さにたまらなくなり、あげく胸がさしこんできて居たたまれなくなった。源氏を導きこんだ王命婦《おうみようぶ》や、弁《べん》は、藤壺の只《ただ》ならぬ苦しみようにあわてふためき、とっさのことで、源氏を連れ出す閑《ひま》もないので、塗籠《ぬりごめ》の中に押しこみかくしてしまった。塗籠とは、三方が壁で、入口がひとつの押入れのようなもので、物置にも寝室にもなった。

「御衣《おんぞ》ども隠し持《も》たる人の心地ども、いとむつかし」

とあるのは、源氏の衣類などを、あわてて塗籠に入れる閑もなくて、自分でかくしておかなければならないので実に困りきっている、ということである。御衣を脱ぎ捨ててあったということは、この夜藤壺は源氏につれなく心は開かないけれど、源氏の情熱に肉体は抵抗しきれなかったことを示している。

なぜ塗籠などに入れられたかというと、肉体的に想いは達しても、石のように冷たい固い藤壺の心に源氏は絶望して、悲しさのあまり理性も失ってしまったので、ふぬけのようになり、明るくなっても帰ろうとせず、女房たちのなすがままにされたのであった。

藤壺の病状は危険と見えたので、兄の兵部卿宮《ひょうぶきょうのみや》や中宮大夫《ちゅうぐうのだいぶ》なども呼びよせられ、祈禱《きとう》の僧などを早く呼べ、と大騒ぎをしている。

塗籠の中の源氏には、それらの様子がみんな伝わってきて気が気でないが、どうすることも出来ない。そうこうしているうちにその日も暮れ、ようやく藤壺の状態は落ち着いた。

藤壺のこの症状は、いわゆる肉体からの病気ではなく、想いつめた時の一種のヒステリー発作と見ていいだろう。だから時間がたてば落ち着くのだ。

藤壺はもうとっくに源氏は帰ったものと思いこみ、女房たちも事実を告げるとまた発作がおこるのではないかと心配で、かくしつづけていた。

一応もう大丈夫とみて、宮も大夫も引きあげていった。藤壺は昼の部屋に出て来てやすんでいた。王命婦や弁は、いつ源氏を塗籠から出して逃したものかとはらはらしている。また夜、源氏があらわれたら、藤壺がショックで血が上ってしまうだろう。といっても、今朝からずっと塗籠の中の源氏はのまず食わずである。そのことも心配だ。

ここには源氏の生理的現象はどう処置したかは書いていない。朝の七時頃から、夕方まで、トイレに立ちもしないで辛棒していたことになる。

源氏は塗籠の戸を細目に開けてのぞいていた。それから戸を押し開け、屏風《びょうぶ》のかげにかくれて藤壺の部屋へ出てしまった。

「まだ、気分がとても悪い。わたしはたぶん死んでしまうのだろう」

藤壺がため息まじりにつぶやいている。女房たちが果物などすすめているけれど、手にもとらない。その様子を物かげから覗いている源氏の目に、藤壺はかぎりなく美しく見える。初恋の女は子供を産み、未亡人になって、ますます女として成熟の匂いをただよわせている。自分にはずっとつれない人だが、こんな美しいいい女をどうしてあきらめられよう。たまらなくなって、源氏は屏風のかげから帳台の中へ伝わりしのびこみ、まだ気づかない藤壺の着物の端をちょい、ちょいと引っぱってみた。藤壺には、それと同時に自分をつつみ込んできたえもいえぬ芳香に、源氏だとすぐわかり、浅ましさと情けなさに、そのままうつ伏してしまった。

「お願いです。せめてわたしの方へふりむいてください」

と源氏がいいざま、藤壺を抱きよせると、藤壺はその手からにじって逃げだした。着ていた衣類を脱ぎすべらして身ひとつで逃げたのに、何としたことか、藤壺の長い黒髪が、着物と共にしっかりと源氏の手に摑《つか》まれていたのだ。

「心にもあらず、御髪《みぐし》の取り添へられたりければ、いと心うく、宿世《すくせ》のほど思《おぼ》し知られて、いみじと思したり」

とある。こんな時こうなるのが情けなく辛《つら》く、前世の悪縁がよくよく深いのだろうと、「ああ、情けない、辛い」と思われた、ということである。

もうここで抵抗する気力も失《う》せた藤壺の、悲しさがよくあらわれている。

この場面の黒髪の扱い方は、さすが紫式部である。着物も脱ぎすてて逃げるというのは空蟬《うつせみ》にもあったが、この場面がはるかに色っぽい。摑まれた黒髪を源氏に引きよせられ、身をのけぞらせながら引きつけられていく藤壺の美しさは視覚的で、煽情《せんじよう》的である。

源氏はこの日も泊まり込み、翌朝、死んだように弱りはてている藤壺の身を案じた王命婦や弁にいいふくめられて、泣く泣く二条院へ帰っていくのだった。

藤壺出家

藤壺《ふじつぼ》は、源氏の執拗《しつよう》で熱烈な求愛にほとほと困りぬき、どうしたらそれから逃れられるかと考える。

源氏は藤壺につれなくされたことを恨み、宮中への出仕もさぼり、紫野《むらさきの》の雲林院《うりんいん》にこもった、と伝わってくる。藤壺から見れば、そんな源氏のすね方が大人気ないと思われて、こんな有様では、ふたりの秘密が世間に洩《も》れてしまうのではないかと、いっそう不安になる。

弘徽殿大后《こきでんのおおきさき》にこれから先、どんな態度に出られるかと思うと、心細いのであった。漢《かん》の高祖《こうそ》の死後、寵愛《ちようあい》された戚《せき》夫人が、呂太后《りよたいこう》に報復されて、手足を断たれ、目をくりぬかれ、耳を焼かれ、口がきけなくなる薬をのまされ、厠《かわや》に入れられて人豚と呼ばれたような恐ろしい目にあわないまでも、必ず世間の笑い者にされる日が来るだろうと脅《おび》えている。藤壺が考えぬいた結果到達したのは、出家するということであった。

出家してしまえば、戒律によってもはや男女の関係は不可能になる。破戒に対しては現代のルーズさからは想像出来ないほどきびしいものがあった。それだけ、当時は信仰が生きていたということだろう。

源氏ほどのドンファンでも、尼になった女を犯すという例は、一度もなかった。

藤壺は出家の決意を源氏には一度も洩らさなかったし、気《け》どられることを極度に要《よう》慎《じん》した。そうと知ったなら源氏が命がけでもはばむだろうと考えたからである。

出家の決意を固めてから、藤壺がそれとなく東宮に別れを告げに参内《さんだい》する場面はしみじみとあわれ深い。この時、東宮はまだ数え年六歳で頑是《がんぜ》ない。普段は母親と共に暮らせないので、宮中に藤壺が参内してくれ、逢えただけで無邪気に喜んでいる。藤壺はそんな東宮に、

「もし、長くお会いしない間に、私の顔が今とちがって、すっかり見苦しく変わってしまっていたら、どうお思いになるでしょう」

という。それとなく尼になる謎《なぞ》をかけてみるのだが、幼い東宮はそんな藤壺の顔をまじまじとみつめて、

「式部《しきぶ》のようになるのですか。そんなことありえないでしょう」

と、にこにこしていう。藤壺はあまりの無邪気さにいいようもなく拍子ぬけして、

「式部は年寄りだからみっともなくなったのですよ。そうではなくて、式部よりずっと髪が短くなって、鈍色《にびいろ》の衣を着て、加持祈禱《かじきとう》に参内するお坊さまみたいになるので

すよ。そうしたら、もっと今より長くお会い出来なくなるでしょう」

と泣く。

「今でも長くお会い出来ないのは淋《さび》しいのに」

といって東宮も涙をこぼす。まだ垂れ髪の東宮は虫歯が少し欠け黒くなっているのが、お歯ぐろをつけた女を連想させ、女にしたいような美しさ、可愛らしさである。しかも大きくなるにつれ、いっそう源氏と生きうつしに顔がそっくりになってくるのが藤壺には空恐ろしい。このことから人が気づき、源氏との不倫の子という事実がばれたらと思うと、薄氷を踏む心地になる。

その年の十二月十余日に、藤壺は桐壺院《きりつぼのいん》の一周忌の法華八講《ほっけはっこう》を営む。八講は、法華経八巻を四日に分けて講じ、第三日目は特に五巻の日といって提婆達多品《だいばだったぼん》を講じ、法会《ほうえ》の中心の日に当たる。藤壺は、この日を桐壺院の供養のためにあてた。第四日の最後の日を、ひそかに自分の結願《けちがん》に当て、法会の最後に、出家することをいきなり参会の人々に発表した。僧侶《そうりょ》が仏にそれを報告するのを人々が聞いて愕《おどろ》いたという形である。一座は驚愕《きょうがく》して、兄の兵部卿宮《ひょうぶきょうのみや》は法要の途中で立ち上がり藤壺のそばに走りより、思いとどまらせようとしたが、藤壺はきかない。

やがて天台座主《ざす》が戒師として戒を授け、横川《よかわ》の僧都《そうず》が藤壺の髪をおろした。

当時の女の出家は丸坊主に剃《そ》るのではなくて、尼削《あまそ》ぎといって、肩のあたりで切りそろえ、額髪《ひたいがみ》も簡素に切るだけであった。衣裳は鈍色の衣になり、色彩の華やかなものは一切使用しない。黒髪が女の命とされていた時代に今でいう断髪にするだけでも大変なものであった。

出家は仏に仕えることだから、当人にとっては喜ばしいめでたいことだけれど、やはり、周囲の人々にとっては、死別と同じくらいに辛《つら》いショックを与えられることであった。この日、何も知らず法会に集まっていた人々がいかに愕き、悲しんだかを、紫式部は、

「御髪《みぐし》おろしたまふほどに、宮の内ゆすりて、ゆゆしう泣きみちたり」

と描写している。「ゆすりて」というのは、大騒ぎしてということで、どよめいたということである。大した身分でもない老い衰えた人でも、決心して出家するのは、何ともいえず心を打たれるものなのに、藤壺はその瞬間まで、そぶりにも示さなかったので、みんな愕き泣いた、と紫式部は説明している。

一座の中で誰よりもショックを受けた源氏は、あまり嘆き悲しむと、人々にそれも疑われそうなので、必死にこらえて、人々が退散していくのを待つ。ようやく藤壺のまわりに客の姿がなくなった時、心を静めて藤壺にうらめしげに訊《き》く。

「いったい、どんなおつもりで、こんなことを遊ばしたのですか」

「今急に思いたったことでもないのです。ずっとこの日を考えてきましたけれど、さ

きほどはあんまりみんなが愕いて泣きさわぐので、気持が乱れてしまいました」

と、いつものように王命婦《おうみょうぶ》を通して答える。

多くを説明しないでも、源氏には藤壺のこの思い切った出家、しかも自分に何ひとつ相談もなく決行したことが、自分の邪恋に対する藤壺の拒否の答えだということがわかっているので、いっそうやりきれない。自分も出家してしまいたいと思うものの、藤壺に出家された東宮を守るのは、もはや自分ひとりだという責任感から、それも藤壺に封じられた形になる。

藤壺の出家は源氏を拒むためだけではなく、拒みきれない自分の心の底を知っていたからこその決行だと解釈すべきだろう。

怪しの男帯

朧月夜《おぼろづきよ》の君は、源氏と通じてしまったので、東宮妃としての予定された運命に狂いが生じた。それでも弘徽殿大后《こきでんのおおきさき》は、妹を東宮妃からやがて女御《にようご》にという夢は捨てきれないので御匣殿《みくしげどの》として入内《じゆだい》させた。御匣殿は衣服調製の女官の監督だが、天皇、東宮の寝所に侍《はべ》ることも多い。もちろん、朧月夜の君は朱雀帝《すざくてい》の寵愛《ちようあい》を受けた。桐《きり》壺院《つぼのいん》の崩御の後は、二月に尚侍《ないしのかみ》になった。

家柄がよい上に性質もいいので時めいていた。大后がほとんど里がちなので弘徽殿を局《つぼね》にもらって住んでいる。

華やかな御所の暮らしも、源氏を忘れられない朧月夜の君にとっては辛《つら》く、ひそかに源氏と文通して想いを通わせて危ない密会を重ねている。帝が五壇の御修法《みずほう》（天皇や国家の重大事に行う修法）のため潔斎《けつさい》している隙《すき》を盗んで大胆な密会をしたりする。弘徽殿の細殿《ほそどの》でのあわただしい密会は、すぐそばを人が通るような場所なので、命がけの緊張である。源氏は面倒な恋ほど情熱が燃えるという困った癖があるので、帝の寵愛を受けている今の女にいっそう情熱をかきたてられている。

朧月夜の君は今まさに花の咲きほこったような女盛りで、あでやかに若々しく美しい。

朧月夜の君は権勢家の右大臣家の姫君として育ったせいか、あまり自分の感情を抑えつけたり我慢しようとするところがない。源氏に対しても臆《おく》せず、便りがないと自分から出すほどの積極性がある。そんな朧月夜の君を源氏が可愛く思わぬはずがない。

藤壺《ふじつぼ》が出家し、右大臣家一派が時を得て、源氏や左大臣家一統は面白くない失意の日々がつづいていた年の夏、朧月夜の君はおこりを患《わずら》って里帰りしていた。御祈禱《ごきとう》の効があり、病気もようやく快復しかけると、朧月夜の君は源氏とひそかに連絡をとり、邸《やしき》に引き入れる。

「例のめづらしき隙《ひま》なるをと、聞こえかはしたまひて、わりなきさまにて夜な夜な対面《たいめ》したまふ」

とあるから、朧月夜のほうから「めったにないよいチャンスだから」と積極的に源氏に連絡をとり、しめしあわせて、無理な算段を重ねて、毎夜毎夜密会したということになる。この大胆不敵さは、朧月夜の育ちから、たいていの望みはかなえられてきた自信とわがままによるものだろうけれど、何よりも彼女が心ならずも入内して朱雀帝に愛されながらも、一日として源氏を忘れられない堰《せ》かれた恋の情熱によるものだろう。この年、源氏二十五歳、朧月夜二十二歳の夏であった。

「いと盛りに、にぎははしきけはひしたまへる人」

と書かれているのは、女盛りで、華やかで明るい感じの人ということである。これまでの描写も、朧月夜は、はなやかな人という感じに描かれている。肉づきのいい派手な明るい美女だったのだろう。その彼女が病気で少しやつれてほっそりとしている様子が、源氏の目にはいつもよりいじらしく可愛く見える。

弘徽殿大后はこの頃はほとんど里の右大臣邸に住んでいるので、この密会は実に危険なのだが、源氏は危険で難儀な恋ほど燃えたいという例の癖から、熱心に通っていく。女房たちも気づいてきたけれど、ばれると自分たちの責任を問われて面倒なので、見て見ぬふりをして、大后に密告する者もいない。

そんなある夜、突然、激しい雷雨が降り、怖がった女房たちがみんな朧月夜の部屋に逃げこんでしまったので、源氏は暁方帰るに帰れなくなってしまった。ふたりのこもっている帳台のすぐそばまで女房たちがつめかけているので、さすがに源氏も困りきり、どうしようもない。いつも源氏の手引きをしている二人の女房も困り果てている。

夜がすっかり明け、雷も雨もややおさまった時、右大臣が心配して朧月夜の部屋へ見舞いに来た。せかせかと入って来た右大臣は入口の御簾《みす》を引きあげざま、

「どうしていますか。昨夜はまったくひどかったたな。心配していたがお見舞いに来られなかった」

などと早口にいいながら入って来た。朧月夜の君は動転して、帳台からあわててにじり出て来た。その顔が羞恥《しゅうち》と狼狽《ろうばい》で赤いのを見た右大臣は、

「おや、顔色がたいそう赤い。熱がまだあるのかな。しつこい物《もの》の怪《け》などついていると困るから、もっと修法をつづけたほうがよかったかもしれない」

などといいながら、ふと見ると、朧月夜の袿《うちき》の裾《すそ》に薄色の藍染《あいぞめ》の男帯《おとこおび》がまつわりついて引き出されているではないか。これはと見ると、まだその上、几帳《きちょう》の下に男用の懐紙《かいし》に手習いしたものが落ちているのだった。これは何事だと驚愕《きょうがく》して、

「あれは誰のものか、怪しいものだ。よこしなさい。誰のものか調べてみよう」

といきりたつ。朧月夜の君も懐紙に気がつき、もはや取りつくろいようもないので絶句して度を失い、茫然自失《ぼうぜんじしつ》している。右大臣は興奮して前後の見さかいもなくなり、懐紙をつかむなり帳台の中へ首をつっこみ、無遠慮にのぞきこんだ。中にはたいそう色っぽい様子で源氏がしなやかに横たわり、悪びれた様子もなく、見つけられた今になって、顔をかくそうとして夜具などひきかむろうとしている。右大臣はあまりのことに怒りに逆上したものの、面と向かっては源氏とあばきたてるわけにもいかず、懐紙を持って足音荒く出ていってしまった。

朧月夜はあまりのことに、死にたいほど恥ずかしく、生きた心地もないようにうちしおれている。

源氏はそんな女の様子を可哀そうにいじらしく思う。とうとう、つまらぬ軽率な振舞いを重ねた結果、世間の非難にさらされることになるのかと自嘲《じちよう》しながら、朧月夜の君が、この不始末がどうなるのかと悲しみ悩んでいるのを、ひたすら慰め励ますのだった。

ロミオとジュリエットのような愛してはならない者同士の恋の破局が、こんな形で突然訪れるとは想像出来ただろうか。この不祥事が源氏の運命を大きく狂わせる引き金になるとは、まだこの時点で源氏は気づいていない。

不良娘の父親の嘆き

朧月夜《おぼろづきよ》の君と源氏の密通の現場を目撃した直後の、右大臣と弘徽殿大后《こきでんのおおきさき》の反応のしかたは、二人の性格が活写されていて面白い。千年前の源氏物語が、今読んでも魅力があるのは、登場人物に、リアリティーのある個性がそれぞれ与えられているところであろう。

十二単《じゆうにひとえ》にくるまって、絵になると、下ぶくれの丸顔に引き目、かぎ鼻、どの顔もまるで同じに描かれていて無個性に見えるのに、源氏をめぐる女たちは、高貴の人も、女房たちも、それぞれ性格がはっきり与えられていて、喜憂の表現のしかたも、一様でないところに、源氏物語の魅力がある。

右大臣は左大臣と並んで人臣として最高の位を極《きわ》めた人物だが、思慮深くて上品で、繊細な感情の持ち主の左大臣に比べて、おっちょこちょいで、心に陰影のない、よくいえば率直、悪くいえば単純で軽率な性格に描かれている。

右大臣の性格を書くのに、紫式部の筆つきは辛辣《しんらつ》で手きびしい。いきなり娘の部屋を見舞った右大臣の口調をまず、「舌疾《したど》にあはつけき」と書いている。早口で、軽々しいという意味である。それを源氏がこんなとっさのはらはらする場合でも左大臣の重厚な性質と比較して、たとえようもなく違っているものよと苦笑する、とある。

男帯を見つけた時も、朧月夜の君が恥ずかしさのあまり、度を失っているのを見て、わが子ながらも、こんな場合、どんなに恥ずかしいだろうと、当然察してやってしかるべきであろう、それなのにこの右大臣は、たいそうせっかちで、そそっかしいので、思いやりもなくて、短兵急に娘に質問すると作者は書く。

この時代、物事はすべてぼんやり表現して、何事も直接的に露骨にするのは、醜いとされていた。生活の美学というものが、上流社会では、一種の倫理にさえなっていたのだ。教養とは、すべてほのかに表現し、相手の心や考えを察することの出来る繊細な神経を、上品で奥ゆかしいと称賛する。

右大臣の言動はことごとく、当時の美意識に反するものであった。

弘徽殿大后の激しすぎる性格もまた、ほどほどの中庸を好《よ》しとした当時の美意識から見れば、むくつけきもの、見苦しいもの、嫌悪すべきものであった。

「大臣《おとど》は、思ひのままに、籠《こ》めたるところおはせぬ本性《ほんじやう》に、いとど老《おい》の御ひがみさへ添ひたまひにたれば、何ごとにかはとどこほりたまはん、ゆくゆくと宮にも愁《うれ》へきこえたまふ」

とあるのは、源氏を目撃した直後の右大臣の言動を評したもので、ここにも右大臣の性格について、はっきりした描写がある。

右大臣は、何でも思ったことを心にためておけない性質で、すぐずけずけ口に出してしまう。その上、今は老いのひがみまで加わってしまったから、どうして黙って辛棒など出来ようか、すぐその足で大后のところに駆けつけ、何もかもあからさまに、すっかり告げ口してしまった、という次第である。この時の右大臣の心境が、大后との会話によく活写されている。

こと細かに事の次第を告げた後で彼はいう。

「まあ見てください。この畳紙《たとうがみ》は、まぎれもなく源氏の字ですよ。以前にもつい油断につけこまれ、娘に手をつけられてしまったけれど、まあ源氏の人柄に免じて、すべてを許して、婿にしてもよいかと、その話をもちかけた時は、ふりむきもせず、娘は恥をかかされてしまったので、こういう運命なのかとあきらめて、前から娘に思《おぼ》し召《め》しの深かった帝《みかど》ならば、娘の不始末も、けがれた女としてお見捨てになることもあるまいと、その深い愛情を頼みにして、前々からの約束通り宮仕えにさしあげてあります。それでも、こっちの落ち度の手前、れっきとした女御《にょうご》としては入内《じゅだい》も遠慮されて、尚侍《ないしのかみ》などの立場でいるのが、親としては残念で口惜《くや》しくてならないのです。そこへもってきて、またこんな不始末が重ねられたのを見ると、全くもう情けなくて、どうしていいかわからない。好色は男の通性とはいいながら、源氏は実に度をすぎてますよ。実にけしからん。斎院《さいいん》にも、神慮を恐れず、今尚口説《いまなお》きつづけて、こっそり艶書《えんしょ》を通わせていると評判です。斎院まで誘惑するようなことは、もっての外のことで、世間の手前も、自分自身に対してもろくなことはない醜聞なので、まさかと思い、そんなはしたないことはなさるはずもあるまい、あれだけ当代の識者として相当な心得もある人物だからと、源氏の心を疑いもせず信用していたのに……、こんなことになろうとは……」

この痛切なことばには、作者が右大臣を軽々しい男に書いていても、読者は同情せずにはいられないだろう。

不良娘を持った父親の素朴な嘆きが、誘惑者に対して率直に向けられていて気の毒だ。

右大臣は、単純な人間だが、決して悪人ではない。その人の好さが、反面、恨みも憎しみも露骨に表出せずにはいられない率直さとなってあらわれてくるのである。

これを聞いた弘徽殿大后のほうは、右大臣よりもずっと激しい性格なので、そんな生易しい怒り方ではおさまらない。激怒してののしる。

「朱雀帝《すざくてい》は、帝というのに以前から人々に軽んじられてきています。左大臣だって、この上なく大切にしていた娘を、帝が東宮の時、所望したのにはさしあげず、弟の源氏が元服の時、添臥《そいぶし》にさしあげてしまった。また朧月夜の君にしても、私が宮仕えにと心がけていたのに、源氏と変なことになってしまった。その時、あなたたちの誰が怪《け》しからんと腹を立てましたか。それればかりか、源氏との結婚さえ望んでいたではありませんか。今になって何を今更悔やむのです。私は朧月夜を可哀そうと思えばこそ、宮仕えにも出させて、人に劣らぬよう大切に守ってやっているのです。それも、あの憎い源氏への面《つら》あてもあってのことです。今でもこんな図々しさでは、東宮が即位なされば、どれほど増長するか知れたことではない」

といきりたつ。人のいい右大臣は、それを聞くと、もっともと思いながらも、こうまでいわれる源氏が気の毒になり、どうして大后に何もかも告げ知らせてしまったかと後悔している。

ユルスナールの花散里

源氏の愛した女たちの中で、花散里《はなちるさと》ほど無個性で、魅力に乏しい、印象の薄い女はいないように思う。

ところが源氏は彼女を終生大切にした。自分が築いた豪壮な六条院《ろくじょうのいん》へ迎えており、紫上《むらさきのうえ》と同じように邸内の一角を与え、面倒を見る。

源氏物語の中では、花散里の容姿についてはほとんど書かれていない。

源氏と朧月夜《おぼろづきよ》の君との間が、右大臣に露見したことから、弘徽殿大后《こきでんのおおきさき》や右大臣一派の圧迫が次第に源氏の身辺に及んできて、官位を剝奪《はくだつ》され、流罪《るざい》の決定が迫ってくる。その破局に移る直前に、はじめて花散里との間柄が書かれている。

故桐壺院《きりつぼのいん》の女御《にょうご》のひとりに、麗景殿女御《れいけいでんのにょうご》と呼ばれていた人がいた。皇子も内親王も産まなかったので、桐壺院がなくなった後は、頼りない身の上になっていたのを、源氏はやさしく保護してやっていた。その女御の妹の三の君が花散里で、源氏は宮中でほんの時たま短い逢瀬《おうせ》を重ねた仲だった。

容貌《ようぼう》は大したことはなかったが、花散里の性質はおだやかで、やさしく、源氏から捨てきりはしないものの、恋人としてはっきりした通い所ともしない扱いを受けていても、恨みがましい気持を持つこともなく、淋しく辛いこともじっとひとり耐えしのんでいる。そういうひかえめでつつましい性格が源氏の心を捉えていた。

源氏は須磨《すま》へ流謫《るたく》している間も、花散里の生活を支えてやっているし、帰京してからは、自分の邸《やしき》の二条院《にじようのいん》の東の院を造営して、そこへ引き取り、夫人の一人としての待遇を与えている。

次に源氏の築いた豪壮な六条院へ迎えられてからは、源氏との間は次第に性愛ぬきの仲になって、肉親のような親しさになっていく。源氏は自分の息子の夕霧《ゆうぎり》の教育を母親代わりになってしてくれるよう頼んだり、夕顔《ゆうがお》の忘れ形見の玉鬘《たまかずら》を発見すると、やはり親代わりになってくれといって同じ建物に預けたりする。

紫上にも、女たちの噂《うわさ》をする時、

「なかなかすぐれた性質の女というのはいないものです。その中で東の院に住んでいる花散里は、気立てがいつまでも新鮮で、いつまでたっても相変わらず可愛らしいのです。なかなか、ああはいかないものです。そうした点に魅《ひ》かれて、世話をするようになって以来、今も昔と同じように遠慮がちなつつましい態度で馴《な》れ馴れしくしませんん。今となってはお互いに離れられそうもなく深くいとしく思っています」

と、全面的にほめちぎって、性格を好《よ》しとしている。

しかし、源氏物語を読み終わっても、なぜ、それほど源氏が花散里にひかれるのか合点がいかない。嫉妬《しっと》深くないので気が休まるのだろうが、それだけだろうか。

外国人にも花散里と源氏の関係に納得しがたい感じを持った人がいた。

フランスの女流作家マルグリット・ユルスナールである。

源氏物語は一九二五年から一九三三年にかけてアーサー・ウェイリーという英国人によって英訳されている。ボーヴォワールも、この英訳によって源氏物語に感動している。ユルスナールもおそらくウェイリー訳を読んだのだろう。

ユルスナールは一九〇三年生まれで、『ハドリアヌス帝の回想』によってフェミナ賞を受賞している。東洋趣味が深く『東方綺譚《きたん》』という幻想小説も発表しており、その中にこのユルスナールが、「源氏の君の最後の恋」という題で花散里を主人公にした短篇小説を書いている。

この小説では、最愛の紫上を失って以来、悶々《もんもん》としていた源氏はついに出家して、二、三人の供をつれて山の庵《いおり》へ入ってしまう。

やがて最初の冬が訪れる。源氏はひたすら読経三昧《どきょうざんまい》に暮らしていたが、やがて視力が衰えてくる。京からの手紙にも白紙の返事しか返さなくなる。花散里は心配して、山の庵に訪ねていく。

まだぼんやり視力の残っていた源氏は花散里と認め、彼女が紫上の愛用の香《こう》をたいてきたことに怒り、冷淡に追い返してしまう。花散里はその時、庵に仕える老人をこっそり手なずけて帰る。老人からの便りに、源氏がやがて完全に失明してきたとつげてくる。

花散里はふたたび、山の庵を訪ねる。春雨の黄昏《たそがれ》の中を、盲目の源氏がうつろな表情で歩いている。墨染《すみぞめ》の衣も痛々しい。かつての見ただけで人々に至福の想いを与えた光源氏のなれの果ての姿。花散里は思わず泣く。道に迷った百姓の娘になりすまし、庵に入った花散里に、源氏は自分は盲目だから、雨に濡《ぬ》れた着物をぬいで火に乾かせという。裸になった百姓娘に源氏は抱きついてくる。実はぼんやりまだ見えたのだ。花散里は念願をとげ、源氏と何十年ぶりかで交わる。

花散里は、道に迷ったといったのは嘘《うそ》で、かの名高い源氏の君に抱かれたくて来た、と告げる。源氏は激怒して追っぱらう。かつての華やかな自分を想い出させるものは、すべて憎かったのだ。

二か月後、花散里は、今度は地方の名家の若妻を装い山の庵を訪れる。源氏は庵の前にぼんやり坐り、こおろぎの音を聞いていた。花散里は大和《やまと》の国司の娘だと名乗り、供の者が足をくじき輿《こし》をすすめられないので、宿を教えてくれと頼む。源氏は供の者まで入れる場所はないが、あなたひとりなら庵へ泊まればいいという。

花散里を庵の中へ案内する源氏の姿は、もう完全に盲目の人だった。その夜、花散里は紫上が愛唱した歌を歌う。源氏は愕《おどろ》いて彼女に触れてきた。源氏の肉体に春がよみがえる。

花散里は立ち去らなかった。料理をつくり足を撫《な》で、歌を聞かせ、心ゆくまで源氏の面倒を見る。源氏はやがて死病にかかり、手厚い花散里の看護を受けながら、死にゆく生命の最後の火をかきたて、過去の栄華のすべてを追想する。愛したいとしい女たちの名が源氏の唇にのぼる。紫上、藤壺《ふじつぼ》、六条御息所《ろくじようのみやすどころ》、夕顔、空蟬《うつせみ》、明石《あかし》、女三《おんなさん》の宮《みや》、そして道に迷ってきた百姓娘……やさしい大和の女……。

「もうひとり、もうひとり、あなたの愛した女人《によにん》がいらっしゃいませんでしたか。おとなしい、ひかえめな女……」

花散里は源氏にとりすがり、胸をゆすって訊《き》いた。源氏は微笑を浮かべたまま、すでにこときれていた。

源氏物語の生活

源氏物語には、衣服とか、住居のことは実にくわしく書かれているが、食生活はほとんど出て来ない。

いったい彼等は、何をどんな形で食べていたのだろうか。

『源氏物語手鏡』（新潮選書）の中に、森一郎氏が、「平安貴族の生活」という章を書かれていて、当時の貴族の生活ぶりが一目でよくわかるよう説明されている。

足立勇氏の『日本食物史』（雄山閣）、池田亀鑑《きかん》氏の『平安時代の文学と生活』（至文堂）、渡辺実氏の『日本食生活史』（吉川弘文館）などに、それぞれ、平安時代の食生活が書かれている。

平安朝の食事は、奈良朝に引きつづき、貴族の間では二回であった。朝十時と夕方は四時と定められていた。天皇の食事の時間にあわせたものだろう。

天皇の正式の食事は大床子《だいしようじ》の御膳《おもの》といい、天皇は倚子《いし》（腰かけの一種）について殿《てん》上人《じようびと》が供仕した。朝餉《あさがれい》は朝餉の間で、女房の給仕で食べる略式。

料理人は鳥、魚の料理をする人を庖丁人《ほうちょうにん》といって、貴人に仕えていた。

源氏物語常夏《とこなつ》の巻に、たいそう暑い日、釣殿《つりどの》で涼んでいる貴人の前で、川からとれた鮎《あゆ》を「御前《おまへ》にて調《てう》じてまゐらす」とある。

主食は飯、飯には強飯《こわいい》と編糅《ひめ》（姫飯《ひめいい》）がある。強飯は源氏物語にしばしば出る。米を蒸したものが強飯で、柔らかく炊《た》いたのが編糅である。普通は強飯を食べた。それを干したものを冷水につけて柔らかくして食べるのを水飯《すいはん》といった。

源氏物語常夏の巻に、「いと暑き日、東《ひむがし》の釣殿に出《い》でたまひて、（中略）氷水《ひみづ》召して、水飯などとりどりにさうどきつつ食ふ」とある。

屯食《とんじき》は「どじき」ともいう。握り飯のことで強飯を握り、鳥の玉子のように丸く少し長くしたもので、吉凶の時、下仕に賜《たま》う食。桐壺《きりつぼ》の巻で、光君《ひかるのきみ》元服の時、「その日の御前《おまへ》の折櫃物《をりびつもの》籠物《こもの》など、（中略）屯食《とんじき》、禄《ろく》の唐櫃《からびつ》どもなど、ところせきまで」とある。

粥《かゆ》は固粥《かたかゆ》と汁粥《しるかゆ》がある。固粥は今の御飯のようなもので、汁粥が今の粥のようなもの。白粥というのは米の粥、赤粥というのは、小豆《あずき》をいれた粥。

乾飯《かれいい》は、干飯《ほしいい》と乾飯の二種があり、干飯は強飯を干したもの、旅行用にする。乾飯は旅に持っていく乾した飯で、旅で食べる飯はすべて乾飯といった。

餅は、今の餅とはちがう。糯米《もちごめ》、麦粉などを合わせて作ったもの。神仏の行事や祝賀に用いた。三日《みか》の餅、亥《い》の子《こ》餅等。

粽《ちまき》は、糯米を水にひたし、笹《ささ》または菰《まこも》、あやめの葉などで巻き、むしたもの。

副食物は、肉類は、上代には牛馬を食べたが、奈良時代、牛馬猿鶏の肉を禁じられた。平安時代は、牛馬は食べないが、猪、鹿を食した。雉《きじ》、鳩《はと》、鶉《うずら》、鴨《かも》なども食べたようだ。その他に魚貝類、海藻類は、現代とあまり変わらない。野菜類も豊富に使っていた。

菓子はこの頃は果物のことをいった。栗、柿、梨子《なし》、橘《たちばな》、柑子《こうじ》、熟柿《じゆくし》など。木または草に生じる実《み》を果物といった。今いう菓子は、唐《とう》菓子といい、中国の菓子にならってつくったものをさす。

賢木《さかき》の巻で、里邸で源氏に襲われた後、「世や尽きぬらむ（死んでしまうのだろう）」と嘆く藤壺《ふじつぼ》に、

「御くだものをだにとて、まゐりすゑたり」

とある。

唐菓子の中に入る椿餅《つばいもちい》などは、日本式の菓子のように思われる。餅の粉をまるめ甘葛《あまずら》をかけ、椿《つばき》の葉に包んだもので、若菜《わかな》の巻に蹴鞠《けまり》の後で、

「殿上人は、（中略）椿餅、梨、柑子《かうじ》やうの物ども、さまざまに、箱の蓋《ふた》どもにとりまぜつつあるを、若き人々そぼれとり食ふ」

とある。

調味料としては甘味として蜜《みつ》や甘葛を用いた。甘葛は草あまちゃ、蔓《つる》あまちゃをいった。

その他は酢《す》、塩、醬《ひしお》、味噌《みそ》がある。醬は大豆、糯米、小麦などからつくる。大豆醬《だいず》がひしおで、醬油《しょうゆ》はこれをしぼったもの。

味噌は大豆と米と小麦と酒、塩で造った。

飲物には、酒があげられる。当時の酒は濁酒《にごりざけ》で、やや澄んだものを清酒とよんでいた。甘口や辛口《からくち》もあった。酒は貴重品で、客をもてなす時に用いた。さけ、さか、みきと呼んだ。

宮中の宮内省に造酒司《みきのつかさ》があった。茶もまた当時用いられていた。薬のように大切にのんだもので、今のような用い方ではなかっただろう。

氷は、諸国に氷室《ひむろ》があり、主水司《もんどのつかさ》を置き、管領させ、夏期、宮中で、諸国から献じた氷を諸臣にふるまった。

保存食には干物や、漬物があった。

漬物は、塩漬、未醬漬《みそづけ》、糟漬《かすづけ》などがあった。

牛乳、酥《そ》、醍醐《だいご》は、奈良時代からあったが、平安時代も大いに活用されていた。

牛乳は、必ず煮沸《しゃふつ》して飲んでいた。

孝徳《こうとく》天皇の時、帰化人の善那《ぜんな》が、牛乳をしぼり天皇に献じたことから、牛乳をのむようになった。その後、官設の牧場が出来、乳戸《にゆうこ》が置かれた。

最初は天皇一家だけが一日三升一合五勺の牛乳をのんでいたのが、次第に貴族にもひろまっていった。

天皇に供御《くご》した残りの牛乳は、保存するため煮つめて酪《らく》とした。にうのかゆとも呼ばれた。ヨーグルトのようなものだろう。もっと煮つめると酥になった。

牛乳を一〇パーセントに煮つめて、酥を作ったという。それを壺《つぼ》につめて貢納させていた。

醍醐は今のチーズである。天平《てんぴよう》美人の豊満さは、バターやチーズで造られたといっていい。平安時代は、ひきつづいて牛乳もバターもチーズも食べていたはずだが、源氏物語には出て来ない。

光源氏《ひかるげんじ》のような貴族なら、存分にそういう栄養をとっていたからこそ、あの旺盛《おうせい》な性的エネルギーが保てたのかもしれない。

須磨の配所

光源氏《ひかるげんじ》が、栄華を極《きわ》めた都で、自業自得とはいいながら恋愛事件で失脚し、都落ちをしなければならなくなる。これまで輝かしい陽の運命だった源氏が、一転して陰の暗い運命に落とされていく。

源氏は朧月夜《おぼろづきよ》との不倫発覚で、官位を剝奪《はくだつ》され、あまつさえ、遠流《おんる》の刑が定められそうになる。帝の寵愛《ちようあい》の女を寝とったというだけの理由では罪が重すぎる。この機会に、弘徽殿大后《こきでんのおおきさき》たちは、源氏が東宮を帝位につけようとして、朱雀帝《すざくてい》に叛意《はんい》を抱いているという罪をフレームアップしてゆこうと計ったのだ。

源氏はいち早くそれに気づき、そんな恥を見ないうちに、自分から都を落ちのびようと考える。隠退の地は須磨《すま》に決めた。都の外に暮らしたことのないような源氏にとって、須磨のような淋しい遠い土地へ流れるのは心細いかぎりだった。

源氏二十六歳のことで、紫上《むらさきのうえ》は十八歳になっている。紫上とは二、三日も別々に暮らすと互いに恋しく心細くなるほど愛しあってきたので、こんな悲しい別れに、生きて遭《あ》おうとは互いに予想したこともなく、ひたすら嘆き悲しんでいる。源氏は方々の女たちにこっそり別れをつげにいくのに忙しく、紫上とゆっくり語らう閑《ひま》もない。紫上はそれにも耐えて、悲しみをこらえている。その様子がいじらしく、源氏はいっそこっそり須磨へ連れていこうかとも迷うが、訪れる人もない淋しい海辺の村へどうしてこのたおやかな人を連れていかれようかと思い悩む。紫上は、

「どんなつらい旅路でも、一緒につれていってくれたなら」

と悲しんでいる。花散里《はなちるさと》や藤壺《ふじつぼ》からもしきりに情のこもった手紙が来る。藤壺の珍しくこまやかな心づかいに、昔、せめてこれほどの愛情を見せてくださっていたならばと、源氏としては嬉《うれ》しさと同時に残念でならない。

出発まぎわまで、女君《おんなぎみ》たちへ別れをつげに出かけて忙しい。紫上の父の兵部卿宮《ひようぶきようのみや》は心のせまい男で、右大臣側の威勢をおそれて、こんな失意の源氏や紫上を一度も見舞おうとしないばかりか、継母は、

「急に玉の輿《こし》に乗って得意になっていたけれど、ずいぶんあっけない幸運だったわね。あの人は大体、思う人とはみんな死に別れや生き別れになる不運の星の人なのよ」

など、面白そうに紫上の悲運を評していると伝わってきて、紫上は源氏にも世間にも恥ずかしく、肩身のせまい想いをしている。

源氏はそんな間にも身辺整理に余念がない。自分の留守の間の紫上の生活を案じて、

自分の荘園や牧場や、その他の村々の領地の権利書などを、そっくり紫上に渡しておく。その他の御倉町《みくらまち》や納殿《おさめどの》の処置も、しっかり者の乳母《めのと》の少納言《しょうなごん》や家司《けいし》に監督を申し渡し、紫上が管理しやすいよう取りはからっておくのだった。

御倉町というのは邸《やしき》の一画にある倉庫のようなものが並んでいるところで、納殿も、様々な物がしまわれている蔵《くら》であった。

朧月夜の君にも逢《あ》っておきたいが、それはやはり無理だった。そんな中でも困難を冒して手紙だけはお互いかわしあったが、朧月夜の手紙の文字が、ひどく乱れて涙に滲《にじ》んでいるのを見ただけで、源氏は、胸がつぶれそうになる。

最後の日は、北山の桐壺院《きりつぼのいん》の墓所へゆき、藤壺にも別れをつげる。藤壺は珍しく、女房を通さず、じかに声をかけてくれる。源氏は相変わらず恋しさがつのるのを抑えこんで、

「こんな目に逢うのは、ただひとつだけ身に覚えのある罪があるからでしょうか。私はどうなってもいいのです。東宮を何としてでもお守りしなければなりませんから」

という。藤壺にはすべてわかっている事なので、秘密の罪を共有するふたりは、暗黙の間に罪の子東宮の身を守りあうことを心に誓っている。

出発当日は、紫上とゆっくり語らいあい、夜ふけて、こっそり人にもしらせず都を出ていった。供の者は七、八人で、旅の装いも粗末にやつして出立する。自分で御簾《みす》

をまきあげて、

「せめてもう少し端近《はしぢか》まで出て見送ってください」

と紫上を誘うと、紫上は悲しみのあまり泣き崩れてしまうのだった。

それは三月二十日のことであった。

やがて山崎から船に乗り、淀川《よどがわ》を下っていった。

須磨の住まいは在原業平《ありわらのなりひら》の兄の行平中納言《ゆきひらのちゅうなごん》がわび住まいした家の近くであった。

海岸からは少し入っていて山の中の実に淋しいところであった。

近くの荘園の司《つかさ》たちを呼びよせ、邸の修理などさせ、少しは趣《おもむき》深く飾りつけ、庭木なども工夫して気をまぎらわす。人々が結構訪ねてくるものの、話し相手になるような気の利いた者はいない。いったいこのわび住まいでいつまで過ごさねばならないのかと暗然とするのだった。

落ちつくにつれ、京のことばかり思いやられてたまらない。女君たちへ手紙をこまごま書き送るうち、京からも手紙が次から次へ届いてくる。

藤壺、朧月夜、紫上と、それぞれにいとしく切ない便りばかりであったが、あの六《ろく》条御息所《じょうのみやすどころ》からも、伊勢からわざわざお見舞いの使者をよこされた。情のこもったやさしい手紙は、やはり教養がしのばれて、読み甲斐《がい》もあり、こまごまと書かれたものだった。文字といい、紙といい申し分ない。その手紙を見ると、こんな立派な人を、少しの間でもうとましく思ったことが今更のように後悔され、御息所の都を落ちていった心情を今こそよく身にしみて気の毒になるのだった。

こうしてわびしい須磨の配所での日々もいつしか過ぎ、早くも海も渡ってくる秋風が、身にも心にもしみる頃になっていた。

明石の乙女

源氏は須磨《すま》に流され、かつて味わったことのない淋しい失意の日々を送る。しかも何時《いつ》、帝《みかど》の許しが得られ、帰京出来るか、全く予測もつかない暗い状況であった。さすがに須磨では女気がないし、源氏の生活はまるで出家僧のように清らかでつつましい。慰めは、女たちの手紙ばかりであった。紫上《むらさきのうえ》、藤壺《ふじつぼ》、花散里《はなちるさと》、伊勢の六条御息所《ろくじょうのみやすどころ》の他、問題の朧月夜《おぼろづきよ》の君さえ、危険をおかして、返歌を中納言《ちゅうなごん》の君の返事にまぎれこませてくる。

思い出せば、ひとりひとりがいとしく、いっそう彼女たちの俤《おもかげ》がしのばれる。このますぎれば、われらのヒーローは、面目を失ってしまう。作者は、読者にははらはらさせ同情させておいた後で、場面に新しい展開を見せ、思いがけない恋を源氏の前に運んでくるのだ。そのなりゆきがまことに自然で、紫式部の腕のみせどころとなる。

須磨の暮らしも一年がすぎていた。須磨に近い明石《あかし》に、その頃変わり者の入道が住んでいた。系譜をたどれば、入道の父の大臣と兄弟の按察使大納言《あぜちのだいなごん》の娘が、故桐壺《きりつぼの》更衣《こうい》であった。明石の入道と桐壺更衣は従兄妹《いとこ》同士ということになる。

入道は六十ばかりになり、偏屈者で一徹で、播磨《はりま》の国司になって来たまま、都に帰ろうとせず、明石に都風の豪壮な邸宅を構えてのんびり暮らしている。自分は出家して勤行三昧《ごんぎようざんまい》に暮らしているが、一人娘だけは、何とかして高貴の人にさしあげたいという夢を持っている。そこへたまたま光源氏《ひかるげんじ》が流されてきたので、入道はこの人にこそと考えている。妻はあきれて、

「何もえり好んであんな人に。あの方は京にたくさん身分の貴い御台所《みだいどころ》や愛人がいて、まだその上、帝の妃《きさき》にさえ手をつけて、その罪で流されて来たというじゃありませんか。どうして可愛い娘の婿にそんな罪人をわざわざ選ぶことがありましょう。第一あのお方が、こんな田舎者になりきった私たちの娘などに、冗談にもお心をとめてくれるものですか」

という。入道は何が何でも娘を源氏にと思っている。娘は紫上より一つ年下で、さほど美貌《びぼう》というのではないが上品で聡明《そうめい》で、教育はしっかりされている。父の影響を受けて妙に気位が高く、なまじっかな都の女よりとりすましている。

この娘に入道はかねがね、つまらない男と添わなければならないようなら、いっそ海に入って死んでしまえ、と言い渡してあったのだ。教養も、たとえ宮中に入っても

恥ずかしくないようしこんであった。

一年がすぎ、三月を迎えた頃、突然須磨に大暴風雨が襲い、源氏は危険な目にあった。

明石の入道は船を仕立てて源氏を迎えにゆき、暴風雨に傷《いた》んだ須磨の配所から引きあげさせた。源氏も心細いので入道の誘いを受け、明石へ移っていく。

明石の入道の邸《やしき》はすべて京風につくられていて、源氏は山に近い別荘を与えられたが、住み心地の好さは須磨と比べものにならない。地方長官になって受領《ずりよう》になると、資産が出来るのが約束であった。明石の入道も御多分にもれず受領時代に資産をうんと貯《たくわ》えたのだろう。明石の入道から娘のことを聞かされ、源氏は興味を持ち、娘に手紙をやる。娘は下の邸から返事をよこすが、なかなか字も歌もうまく、都の姫君たちにひけをとらない。

思いの外物堅《ものがた》く、小しゃくなほどプライドが高く、なかなかなびいて来ないところに、源氏はかえって例の恋心をそそられ、次第に明石の入道の娘に心が傾いていく。源氏はひそかに娘を呼びよせようとするが、娘は来ないので、とうとう八月十三夜、源氏のほうから娘を訪れることにした。

明石の姫は思ったより手ごわく、時間はかかったが、結局、源氏の手に落ちた。そうなってみると悩みは女のほうにつきない。源氏は琴のうまい教養も高い、どこか六条御息所に似ている姫に満足しながら、かえって紫上を思い出し、なつかしさが倍加する。万一、噂《うわさ》が京に伝わったら、どんなに紫上が嘆くだろうと思うと心配で、自分からそれとなく、また思いもかけない浮気な恋に落ちたと告白してやる。

紫上は悲しみも嫉妬《しっと》も露骨に示さず、やんわりと不実をなじってくる。その手紙の愛らしさに、源氏は紫上にすまなさがつのり、それ以来、明石の姫を訪れることもひかえてしまうのだった。

やっぱり、そうだったのかと、明石の姫は早くも夜離《よが》れがつづく身の上を嘆き悲しむ。

どうせ、普通ならばあり得ない身分ちがいの仲なのだから、旅の一時のなぐさみにもてあそばれたところで当然とあきらめなければならないのだろう。今こそ海に身を投げたいように悲しいのを、じっとこらえて、源氏が訪れた時はつとめて感情を表に出さず、上品にさりげなく振る舞い、心のうちの修羅《しゅら》を源氏にはのぞかせない。そんなつつましさがいじらしく、逢う度《たび》に心にしみて、明石の姫へのいとしさは次第に濃くなっていく。一方、紫上がこの不実をどんなに嘆き苦しんでいるかと思うと、やはり遠慮があって、明石の姫への訪れはつとめてひかえ、独り寝の夜も多くしようとするのだった。

紫上へは絵日記を、まめに書き送りつづける。

その抑制も長くはつづかず、源氏はやはり独り寝の淋しさに負け、また明石の姫を訪《おとな》いつづけていた。今は夜離れもなくなって来た。

年がまた改まり、六月頃、明石の姫の懐妊が明らかになった。その頃、突然都から、源氏の罪を解いて、すぐ帰京せよ、という帝の宣旨《せんじ》が届けられた。あまりの突然の出来事に源氏は喜びながら、この頃はもういとしくてならない明石の姫との別れに苦しむ。

最後の夜、明石の姫はそれまでどんなにせがまれてもどうしても聴《き》かせなかった箏《そう》の琴《こと》を弾《ひ》いた。それは予想以上に上手で、当世風なはなやかさの中に、何ともいえない味わいがあり、源氏はいっそう女の並々でない魅力を思い知らされるのだった。

明石の姫に心を残しながら、源氏は二年五か月過ごした配所からなつかしの京へ向かって旅立っていく。

返り咲く人々

須磨《すま》から帰京した源氏を待ち受けていたのは、桐壺院《きりつぼのいん》在世当時以上に華々しい運命であった。紫式部は源氏物語の中で、男と女の愛や性について最も多く書いているが、宮廷というせまい世界の中における男の権力への野望や謀略や、血で血を洗う骨肉の争いなどにも、時たま筆を染めている。

彼女が宮仕えしたのは、藤原道長《ふじわらのみちなが》全盛の時代で、道長は同じ藤原氏の中でも兄たちの家よりずっと栄えて、権勢をほしいままにした。

紫式部は、道長に招かれて道長の娘、中宮彰子《ちゅうぐうしょうし》に宮仕えした時は三十歳頃だった。すでに源氏物語を書きはじめていて、その文才を道長に買われ、物語の好評によって、女房としての立場がますます認められ信用されていく。その間に、彼女は、道長がどのようにして宮廷に権力を張り、政敵を片づけ、一門の繁栄に気を配るかをつぶさに見てしまう。

源氏物語の中心には、源氏が政治的権力を保つため、外戚《がいせき》としての立場をどうやって確保するかが、くわしく書かれている。それは、藤原氏、特に道長のやり口をそのまま書いたといっていい。

須磨から帰って以来の源氏の目ざましい栄達は、彼の周到で着実な政治的布石の打ち方によるのだった。

源氏が許されたのは、朱雀帝《すざくてい》の一存による。朱雀帝が目を病み、弘徽殿大后《こきでんのおおきさき》が病気がちになり、弘徽殿大后の父の太政大臣《だいじょうだいじん》も死ぬというような不吉なことが重なり、朝廷には神仏のお告げがしきりにあったりして、世情不安がつづいた。朱雀帝は動揺し、桐壺院の遺言を守らないで源氏を罪もないのに逆境に落としたことの罰だとおびえた。目の悪くなったのは、暴風雨の夜の夢に桐壺院があらわれ、朱雀帝を恐ろしい形相で睨《にら》みつけ、源氏のことをいろいろ言って叱《しか》ったというのだ。夢なのに、その時、はったと睨みつけられた目と目があったから、眼病になったと思いこむ。

これはもう明らかに、今なら強迫観念症というノイローゼであろう。

理性的で強気な大后は、それを聞いて、

「暴風雨の夜などは、日頃思いこんでいることをそんなふうに夢にみるものです。下々《しもじも》の者のように、そんなことに脅《おび》えるものではない」

と叱りつけている。三年もたたないのに、自分で罪に懼《おそ》れて流されていった人間を軽々しく許しては、世間にけじめがつかないというのが、大后の意見であった。

それにもかかわらず、二人の病気が一向によくならないので、朱雀帝はますますノイローゼになり、日頃頭の上がらない大后にそむいてまで源氏を許し、京に呼び戻したのだった。

この時点で、朱雀帝はもう完全に源氏と争う意志を放棄している。桐壺院の遺言とは、

「自分の死後も、源氏を大切にして、何でも大小の政《まつりごと》のすべてを相談してやるように。源氏はそれだけの器量を持った人間だから」

というものだった。

源氏の罪というのが、自分の女を寝とられたという個人的なことなのだから、いわば嫉妬《しっと》に狂って、放逐したといわれても仕方がない。あの気の強い弘徽殿大后にどうしてこんな神経の細い息子が生まれたか不思議である。今なら教育ママにしめあげられて、かえっていじけて無気力になった子供というところであろうか。

こんな朱雀帝は、源氏が帰京したらさっぱりして、気分もすっきりして、眼病まで治ってしまった。

すっかり安心した帝は、帰京した源氏をしきりに宮中へ呼びよせ、何かと相談して政治を手伝ってもらうようになる。

源氏は朱雀帝に怨《うら》みがましいふうは一切見せず、仲よく協力的に尽くす。朱雀帝は

自分の命が長くはあるまいと悲観的になっていて、退位のことを考えている。退位すれば、藤壺《ふじつぼ》の産んだ東宮が即位する。

この東宮は表面、朱雀帝と源氏の弟ということになっているが、源氏と藤壺の不義の子だから、源氏としては、自分の実子が天皇になるという幸運がめぐってくる。ただし、この秘密は藤壺とふたりだけで死んでも守り通さなければならないことなのだ。

東宮は翌年十一になって元服する。源氏と瓜二《うりふた》つになり、光り輝くように見える。原文には、

「ただ源氏の大納言の御顔を二つにうつしたらむやうに見えたまふ」

とある。世人はただ二人とも美しいと賛嘆するが、藤壺はそのことを内心苦に病んで、誰かが似すぎていることから秘密に気づきはしないかと脅えている。

何も知らない朱雀帝は、この末弟にあっさり譲位してしまう。冷泉帝《れいぜいてい》の即位は二月二十日すぎのことだ。この時源氏二十九歳、藤壺三十四歳だった。

源氏は内大臣になり、源氏の舅《しゅうと》の左大臣は、政敵右大臣に圧迫され辞職していたのを、源氏が説き伏せて摂政《せっしょう》太政大臣に返り咲く。それにつれて、太政大臣の子息たちも、不遇に扱われていたのが、それぞれ皆揃《そろ》っていい役職につき出世する。源氏の親友のもとの頭中将《とうのちゅうじょう》は権中納言《ごんちゅうなごん》になり、この人は子供が多いので先々が楽しみである。

源氏の子の夕霧《ゆうぎり》も、宮中と東宮に童殿上《わらわてんじょう》する。

源氏はおそらく、朱雀帝から譲位の相談は受けていたはずである。それにはさほど反対しなかったから、こういう結果が出たのだろう。

この頃から、藤壺は人が変わったように強くなっていく。こうなった上はどうしても冷泉帝の強力な後見として源氏はなくてはならぬ人物なのだ。二度と再び、源氏に失墜したりしてもらっては困るのである。藤壺の源氏に対する態度も、以前とは異なり、心を打ちわり秘密をわけあった同志めいたものになっていく。

本来なら天皇の母は皇太后になるはずだが、出家しているので准太上天皇《じゅんだいじょうてんのう》になり、今までは世間を憚《はばか》って、宮廷にも出入りしなかったのに、今は晴れて堂々と思い通りに宮中に出入りし、帝とも親しく会うようになっている。こういう任官の沙汰《さた》は、摂政が決定することだから、源氏と太政大臣のお手盛りといっていい。その上、源氏は明石《あかし》に娘が生まれたから、未来の外戚としての布石まで思いつく。

明石上の強い運

誇り高い明石上《あかしのうえ》は、その身分の低さの故に、源氏をとりまく女たちに対してコンプレックスを感じ、苦しみが絶えない。

源氏と結ばれたことは、明石上の意志というより父入道の切ない命がけの願望の犠牲になったようなもので、あまりに早すぎた別れが、束の間の幸福の想い出をいっそう痛ましいものに塗りかえてしまった。

明石上は、父入道の大それた切願を一身に引き受けた形で、女の子を妊《みごも》り、源氏の帰京の後に、明石の邸《やしき》で出産した。それによって彼女の一生は、輝かしい前途を約束されたことになる。もしこの時生まれた子が男の子であったならば、源氏は明石上を口約束のように京に呼びよせたかどうかはわからない。

源氏の使いが、お産はどうなったか明石まで見舞いにいっての報告に、

「十六日になむ。女にてたひらかにものしたまふ」

という。無事女の子を安産したということで、それを聞いた源氏は、非常に喜んで、

どうして京へ迎えてお産をさせなかったかと悔やむ。それというのも、星占いをした時、
「御子三人、帝《みかど》、后《きさき》必ず並びて生まれたまふべし。中の劣りは、太政大臣にて位を極《きは》むべし」
といわれていたからだった。藤壺《ふじつぼ》との間に生まれた男の子は今、即位して帝になったところだ。明石の姫君が将来、皇后になれば、この占いは的中する。中の劣りというのは間に生まれたやや運の劣る男の子ということで、夕霧《ゆうぎり》に当たろう。夕霧が将来、太政大臣《だいじょうだいじん》になるのは、時間の問題だ。源氏は明石の姫君をもうこの時点で、宮中にあげることを思いついている。そうなれば、明石上は将来皇后の生母になるのだから、こんな強運はないわけだ。

旅先での慰み捨てにされそうな運命だったのに、姫君誕生というだけで、明石上は将来の幸運をしっかりと手に入れてしまった。

源氏は京から乳母《めのと》を送りつけ、贈り物を充分にするので、入道は大喜びし、明石上も少しは心がなぐさめられる。明石上は、源氏の出発の後は悲しみに沈みこみ、産後も生きる気力は失《う》せて、病床に臥《ふ》しがちだったのが、この頃から元気をとりもどしている。

源氏は、明石の姫君誕生の喜びは内心にかくして、紫 上《むらさきのうえ》に向かっては、

「世の中は皮肉なものですね。ほんとうに子供が生まれたらいいのにと思っているあなたのところには一向に生まれないで、思いもかけないところに生まれてしまうなんて。その上、女の子なので、どうも気にいりません」

と心とは全く反対のことをいっている。

「そうはいってもすてておけないので、つれて来るけれど、憎まないでやってください」

などといういい方も、ずいぶん人を馬鹿にしている。紫上は聡明《そうめい》なので、いくら源氏が女の子でつまらないなどといっても、明石の女が自分をさしおいて、姫君を産んだということの意味の重大さは、すでに心得ているはずである。源氏の第一夫人のように扱われていても、正式に結婚した正妻ではない立場の弱さも、今では理解しているだろう。もし明石の女が子供づれで都へ来れば、いくら身分が低いといっても、自分より強い立場に立つかもしれない。嫉妬《しっと》などというなまやさしい感情ではなく、もっと切実な不安が将来ふってわいたことになる。

源氏は一度言いづらいことを打ち明けてしまうと、図に乗って、明石の女が性質がよかったとか、顔もまあまあで箏《そう》がうまかったとか、ついついのろけてしまうのだ。

こういう男の身勝手さと、不用意は、現代にも通じるもので、千年昔から変わらないと見える。

紫上は、この時改めて、自分はあの三年間、ただ源氏のことばかり案じ暮らし、あらゆる苦労を耐えしのんだのに、あの間にさえ、男はこういう勝手なことをするのかと、腹にすえかねる想いがわいてくる。

紫式部は、なぜ紫上に子供を産ませなかったのか。女として理想的だと、くりかえし書きながら、ついに紫上は源氏の子を一度も妊らないままに生涯を終える。

この明石の姫君は、やがて京へ呼びよせられた後、生母と離され、紫上に育てられることになる。

それも、源氏がこの姫君を将来、后《きさき》にさせようと考えているからで、入内《じゅだい》させるには、生母の明石上の身分が、もと受領《ずりょう》の娘ということでは、低すぎて傷になるからなのだ。紫上は、藤壺准太上天皇《じゅんだいじょう》の兄に当たる兵部卿宮《ひょうぶきょうのみや》の娘なのだから、身分としては申し分なく高いのだ。そのため、源氏は明石の姫君を紫上に育てさせ、養母として養育させようと考える。

紫上の機嫌をとるのが目的ではなく、すべてそれは自分が外戚《がいせき》となる日のための、ぬかりのない布石なのである。

紫上に子供がないのが不思議なように、源氏はずいぶんと女出入りが多いのに、子供はいたって少ないほうである。

ライバルの頭中将《とうのちゅうじょう》は、ずいぶん子沢山で、賑《にぎ》やかに子孫が増えるが、源氏は、男の子二人、女の子一人しか生まれない。

朧月夜《おぼろづきよ》の尚侍《ないしのかみ》もなぜか子宝に恵まれぬ。源氏との間にも生まれないが、あれほど寵愛《ちょうあい》を受けた朱雀院《すざくいん》との間にもついに子供がない。六条御息所《ろくじょうのみやすどころ》も長い愛人生活の中で、源氏の子は妊らないのだ。

平安時代は、どんなバースコントロールをとっていたものか知りたいものだ。貴族は子孫が増えるほどいいので、そんな必要はなかったのか。産んではならない不義の子もみんな産んでしまうところをみると、そんな堕胎の薬も方法もなかったとみるべきだろうか。

子堕《お》ろしの祈禱《きとう》なども、源氏物語には出て来ない。

いずれにしろ、片田舎の明石上に姫君が授かるという設定で、物語はぐっと奥行きが増してくる。

末摘花の純真と鷹揚

源氏は一度関《かか》わりを持った女は、忘れず面倒を見るたちで、そういう意味では情事にも責任をとるむきだった。それでもやはり数多い女の中には手ぬかりも出来てくる。末摘花《すえつむはな》は、可哀そうに、忘れられた女の中に入る。出来心と好奇心で契ってしまったが、朝日の中でまともに見た姫の鼻が象のようで先が赤いという醜女《しこめ》だったことから、源氏は末摘花に愛情は感じてはいない。しかし例の面倒見のいい性格から、彼女の生活には何かと援助はしていた。源氏にとっては、ごくわずかの心ばかりの援助のつもりだったが、窮乏の極にあった末摘花にとっては、大変な恵みで経済的には大いに助かっていた。

源氏が須磨《すま》へ流されてからは、末摘花のことは、すっかり忘れてしまって、援助の手配も怠っていた。三年の間に、末摘花の邸は、また元の木阿弥《もくあみ》の貧乏のどん底に投げこまれてしまう。

影の薄い花散里《はなちるさと》でさえ、須磨時代、源氏は都の家司《けいし》に命じて、彼女の邸の修理をしてやっている。末摘花は完全に忘れ去られていたわけで、源氏の心を占める末摘花の位置が、それで計られようというものである。

女房たちは、女主人の運のなさに見切りをつけて、次々去っていった。中には老いさらばえて死んでゆく者もあり、三年の間に、すっかり仕える人の数も減ってしまった。

邸《やしき》は手入れがされないので、庭の木立も下草も、のび放題に茂りに茂り、狐《きつね》の棲処《すみか》になり、梟《ふくろう》の声が、昼間も不気味で、女房たちは心細く気味悪がるばかりであった。

そういう斜陽の家に目をつける不動産屋が現在も跳梁《ちようりよう》するように、貧乏していても常陸《ひたち》の宮邸という格式のある構えに目をつけて、安く手に入れようとするぬけ目のない手合もいる。地方で金をためた受領《ずりよう》クラスの者が多い。

女房たちは、

「もうこうなったら仕方がございません。この邸を買手のあるうちに売りはらって、もっと小ぢんまりした所に移りましょう。御決心ください。もう私どももこれ以上辛棒しきれません」

と姫君に訴える。ところが末摘花は、父故宮の形見の邸を売ったり出来るものかと、頑として聞き入れない。

調度品なども、さすがに由緒ある宮家だけに、旧《ふる》びていても、作者も名人のいい物が多い。それに目をつけて、叩《たた》いて手に入れようとする成上がりが、女房をそそのかす。

「こうなれば、体裁などいっていられません。目立たぬように道具類を売って生活のたしにしてください」

女房たちが申し出ても、末摘花ははねかえしてしまう。父宮が自分のために使えといって遺してくれたものを、下司《げす》な者たちにどうして使わせてよいものかというのである。

女房たちは益々《ますます》愛想をつかして次々去っていく。ずっと忠義をつくしてくれた乳母子《めのとご》の侍従《じじゅう》という女房が、最後の頼みだったのに、彼女も恋人にひかれて九州へ行ってしまう。その男は大宰大弐《だざいのだいに》に出世した男の甥《おい》に当たっていた。

大宰大弐の妻が末摘花の母の妹で、身分が高いのに、受領に嫁いでしまった。その時、末摘花の母に軽蔑《けいべつ》されたと思いこみ、それを根にもっていた。今は自分の夫が大宰大弐に出世したので、落ちぶれた姪《めい》の末摘花を、自分の娘たちの女房にしようと、復讐心《ふくしゅうしん》もまじえてたくらむ。末摘花は、その叔母《おば》のすすめに乗らず、侍従にもそむかれ、ひとり化物屋敷のように荒れ果てた邸に残りつづける。

心の底には、華やかに帰京した源氏は、自分をすっかり忘れているようだけれど、いつかきっと思い出して訪ねてきてくれる、と信じているのだ。蓬生《よもぎふ》の巻は、この末摘花の痛ましい零落の様子と、強情なまでに一途《いちず》な、純真な源氏への信頼ぶりを描いて、そのまま一篇の短篇小説のように読みごたえがある。

泥棒さえ素通りするような荒れ果てた邸の前を源氏が通りすぎようとしたのは、帰京した年もすぎ、翌年の四月、花橘《はなたちばな》の香る春の頃であった。これも忘れがちだった花散里を思い出して、彼女をはじめて訪ねていく途中、藤の花の咲いている邸の前で、何となく見覚えがあると気づき、末摘花の邸だと思い出したのだった。

源氏は、屋根まで生い茂った雑草をかきわけて四年ぶりに末摘花に逢《あ》い、その純情さに感動する。かたくななまでに自分を信じきり、宮家の姫らしい誇りを失わず、鷹《おう》揚《よう》に構えていた上品さが、源氏の心を打つのであった。

源氏は今更、末摘花を恋人とは扱わないままに、生涯面倒を見つづけようと思い、今まで打ち捨てておいた薄情さのつぐないをする。家来に命じて、末摘花の邸の修理をし、庭を整え、生活費は充分に送りこむ。

世間では、美女や才女ばかりを追いかける源氏が、どうして末摘花を丁重に扱うのかわからないまま、源氏の寵愛《ちょうあい》する姫君のところへ、急に追従《ついしょう》して駆けつけてくる。

人の世や人情の軽薄さを描いて、この巻は作者の辛辣《しんらつ》な眼光が感じられる。

かつてもうこれ以上はついていけないと、末摘花の零落を見限っていた女房たちは、源氏の庇護《ひご》がもどったときくと、我勝ちに帰参しようと厚かましく願い出てくる。つまらない受領などに仕えて、成上がり者めいた態度や扱いにうんざりしていただけに、今更のように、末摘花の内気で上品で、度がすぎるほど鷹揚でお人好しなのが思い出され、そこでの勤めがどんなに楽だったかを思い知ったのだった。こんな節操のない人間の心を、

「うちつけの心みえに参り帰る」

と作者はいう。てきめんに変わる計算高い心を露骨にみせて帰参する、というのだ。節操のない恥知らずな世間の保身の立ちまわりの卑しさを、作者が書けば書くほど、末摘花の融通のきかない愚鈍なまでの純真さが光り輝いてくる。

しかし、源氏は再会の末摘花と、もはや性的交渉は持とうとはしないのである。

六条御息所の遺言

御代《みよ》替わりになって、伊勢に下向していた斎宮《さいぐう》が、母の六条御息所《ろくじょうのみやすどころ》と共に六年ぶりに京へ帰って来た。斎宮は二十歳、御息所は三十六歳になっていた。

源氏は帰京した御息所に気をつかって、しきりに何くれとなく見舞いの品を届けたり手紙を出したりする。御息所は源氏の行き届いた好意に感謝しながら、昔の源氏の冷淡さを忘れることが出来ず、再びあんな苦しさを味わうのはいやだと警戒して、つとめてよそよそしく対応《し》する。

源氏のほうでも、強いて御息所の機嫌をとりに出向こうともしない。いまわしい生《いき》霊《りよう》の記憶を忘れていない源氏は、御息所に逢った時の自分の気持に自信が持てないのだった。むしろ、二十歳になった斎宮がどんなに美しく成長しているだろうと、そちらのほうを見たいと心をそそられている。

御息所は六条の邸《やしき》を立派に修理して、風流に飾っていた。気のきいた貴公子たちは昔のようにそこに集まり、優雅なサロンの女主人として御息所が人気を集めているのは昔のままだった。

そうこうするうちに御息所が重病になり、来世の幸せを願って出家してしまった。源氏はその噂《うわさ》を聞き、藤壺《ふじつぼ》の出家の時のようにショックを受けて、あわてて御息所を見舞った。

御息所は脇 息《きょうそく》にもたれて辛《かろ》うじて身を起こし、源氏を迎えた。例によって口だけは女心をとろかすような甘いやさしい言葉を吐く源氏に、御息所は痛々しい様子で、返事をするのも苦しそうに見える。予想以上の御息所の衰弱ぶりに、源氏は胸をつかれ、なぜもっと早く見舞わなかったかと後悔して、さめざめと泣いてしまう。

御息所も、源氏のやさしさにほだされ、まだこうまで想っていてくれたのかと心が和《なご》んできて、遺言をする気になる。最後の気がかりの斎宮の後見を、くれぐれも頼むのだった。

源氏はもちろん、そのつもりだから、まかせておいてくれ、心配はするな、と力強く慰め励ます。それを聞いた御息所の言葉が、圧巻である。

「それは有り難いことですけれど、なかなか難しいことです。父親があっても母に先だたれた娘というのはとても可哀そうなものです。まして父親でもないあなたが面倒を見てくださる時、愛人の一人のような扱いをなさったら、あなたに愛されている他の方々に嫉妬《しっと》され憎まれたりして、ろくなことになりますまい。いやな気の回し方ですけれど、お世話くださるのはとても有り難いのですけれど、どうかくれぐれもその際には、あなたの愛人の中へは数えてくださいませんように。つらかった自分の過去を考えてみましても、女というものは、男次第でちょっとした事でも心が傷つき、苦労をいやますものでございます。娘にだけはわたくしの二の舞はさせたくないのです。どうか、くれぐれもこの娘に対しては色めいたお気持はお捨てくださいますように。娘には平凡な普通の結婚をさせとうございます」

源氏はずいぶんはっきり、言いにくいことをずけずけ言うもんだと鼻白んでしまうが、

「浅はかなわたしでも、この数年の間には、ずいぶん思慮も育ち成長しております。今もって昔の若気《わかげ》の過《あやま》ちの多情さをそのままのように思っていらっしゃるのは、認識不足というものです。まあ、どうとも思っていてください。そのうち自然にわたしの真心と誠意がわかってくださることでしょう」

という。

御息所はその後、気分が悪くなり源氏に引きとってくれという。それから七、八日の後、御息所ははかなくなっていった。

この最後の対面の遺言の場面は、これまでの二人の関係の中で、御息所が圧倒的に優位に立ち、威厳がある。

源氏を愛しすぎ、さんざん嫉妬で苦しみぬいた間に、御息所は源氏の心の動きのすべてを、どの女よりも正確に読みとることが出来るようになっていた。七つも年上の三十六の自分より、匂うような女ざかりの二十の娘のほうに源氏の心がすでにひきつけられていること、瀕死《ひんし》の自分を見舞いながら、その目は灯のすける几帳《きちょう》のかげに横になっている前斎宮《さきの》のほうに吸いよせられていることを、すべて見抜いているのだ。

こんな手きびしい言いにくいことを最後の出逢いに言っておかねばならない御息所の心情も痛ましいけれど、それをやはりはっきり言う御息所の理知的な面が、彼女の真面目《しんめんもく》でもある。そういう思いつめすぎる濃情に源氏は最初から圧迫感を感じつづけ、愛しながらも気が重くてやりきれなかったのだ。

いまわの際に見舞えてもらえたのも前世の縁が深いのだろうと、最後に御息所はしおらしいことも言うが、何しろ、その前の遺言が凄《すさ》まじいので、瀕死の床でも御息所は可愛気《かわいげ》がない。

この男のために受けた屈辱の数々、愛の悩みの限りなさ、生霊になるほど、この男に自分の身も心も激しく奪われていたのかと、御息所は数年ぶりで逢う昔の恋人の顔を見つめたことだろう。美しく成長したわが娘に源氏の誘惑の手がのびるのは火を見るよりも明らかだ。もし生き長らえて、そんなことを目の当《ま》たりにする辛さにくらべれば、死んで何も見ないですむほうがはるかに救われるというものだ。御息所は自分の遺言の空しさを誰よりも知っている。知っていて尚いわずにいられないのは、すでに予想し得る娘と源氏の恋の予兆に、嫉妬しているからだ。

　現実にそれを見るのはまさしく地獄であろう。それを娘にあらかじめ警戒させ戒めたところで、長い間斎宮をつとめ、人まじわりもせず世間知らずに育った娘には理解出来ないことだろう。

　御息所の死を筆者はさりげなく書いているが、この遺言にこもった女の情念と怨念《おんねん》の凄まじさを思えば、御息所の霊が死んでも源氏の愛人につきまとい、次々不幸にひきずりこんでいくという未来の話の伏線として納得出来るのである。

　そして御息所の予感は的中し、源氏は、ねんごろに御息所の葬儀万端を終えた直後から、孤児になった若い姫宮に早くもけしからぬ恋情を抱くのである。それを辛うじてせきとめたのは、御息所が瀕死の命をふりしぼって残した、遺言の力であった。

逢坂の関のめぐり逢い

源氏物語は歴史ではなく、あくまで小説なのだから、作り話めいたところがあって当たり前なのだ。ところが小説があまり上手に作られていて、ついつい身を入れて読みすぎ、作り話であることを忘れてしまう。それこそ、嘘《うそ》をいかにまことらしく書くかという小説作りの手法を、紫式部がマスターしていた証明になるわけだ。そんな中で、これはいかにも小説らしいと思われる場面がいくつかあるが、その最初に出てくるのが関屋《せきや》の巻の、空蟬《うつせみ》との再会である。

一度は力ずくのように、源氏にものにされてしまったが、その後は、源氏に心は強くひかれながら、理性的に身を守り通して、二度と過《あやま》ちをくりかえさなかった個性的な空蟬は、しばらく物語の中からすっかり姿を消していた。当時十七歳のティーン・エージャーだった源氏の身の上にも、その後様々な事件がおこり、運命の大変転にもあって、今は二十九歳の成熟した男になって、位も内大臣におさまっている。

関屋はそんな背景の上に描かれた場面で、源氏物語の中で最も短い巻である。それでいて、絵巻物を見るように美しい印象的な場面になって読者の心に残る。

実際、源氏物語の絵巻物でも必ずこの場面は描かれている。

空蟬の夫の伊予介《いよのすけ》は、桐壺院《きりつぼのいん》が崩御された翌年、常陸介《ひたちのすけ》になって、任地へ赴任していった。常陸の国守は大守で、親王が任命されるが、実務は介が赴いて政務をとり計らった。その時、一緒に妻の空蟬もつれていかれた。伊予介の時は単身赴任したが、常陸へは家族づれということになったわけである。これは空蟬が源氏から身を守るため、すすんで行ったのではないだろうか。

源氏の須磨流謫《すまるたく》の悲運の噂《うわさ》も、空蟬は常陸で風の便りに聞く。空蟬が常陸へ下って二年めのことであった。

「須磨の御旅居《たびゐ》もはるかに聞きて、人知れず思ひやりきこえぬにしもあらざりしかど、伝へきこゆべきよすがだになく」

須磨に流されたことも遠く常陸の地で聞き、ひそかに心の中ではお案じ申しあげ心配しないではなかったけれど、その気持をお伝えする手だてもなくて、という意である。須磨と常陸ではあまりに遠く離れているので、手紙を出しても、着くかどうか不安に思い、ほんの短い便りさえしないまま、歳月が過ぎてしまった。

常陸介の任期は四年なので、源氏が須磨から帰洛した年が、丁度《ちょうど》、任期満了になるわけだ。

源氏が帰洛した翌年の秋、常陸介の一行も常陸を引きあげ帰洛してくることになった。任期が終わっても次の介が来るまでとか、帰り支度とかで、年を越すのであろう。彼等の一行が近江《おうみ》と山城《やましろ》の境の逢坂《おうさか》の関に入る日、たまたま源氏はこの日、大津の石山寺《いしやまでら》に、須磨で立願した帰参の願ほどきの参詣《さんけい》に出かけてきた。

常陸介の先妻の息子の紀伊守《きのかみ》が、今は河内守《かわちのかみ》になっていて、父の一行を迎えに出向いてきて、源氏の石山詣《もう》でとかち合うようだと報《しら》せた。それではさぞ道が混むことだろうと、まだ夜の明けぬうちから出立して急いだものの、女車が多く、道いっぱいにゆったり練り歩いて来たので、日も高くなってしまった。

打出《うちいで》の浜まで来た時、もう源氏の前駆《さき》の人々がどっと乗りこんで来たので、常陸介の一行は関山《せきやま》で下りて、そこここの杉の木の下に車をかき入れ、源氏の一行を待った。

このことは源氏にも伝わっているので、車の中から、彼等の様子をうかがっている。捕《と》り逃した蛍《ほたる》のようなはかない清らかな光を放って今も心の底に光りつづけている女の想い出がせつせつと泉《いず》み湧《わ》いてくる。十両ばかりの女車から袖口や襲《かさね》の色などが華やかにこぼれている様子が、案外田舎じみていなく洗練されていて趣《おもむき》がある。源氏は斎宮《さいぐう》の下向の見物車などを思い出す。お供の者たちもみんな女車に目を奪われている。

九月の末なので紅葉の色はさまざまな色にまざりあい、霜枯れの草も濃く薄く色づいている中に、さっと関屋から現れた源氏の一行の、派手な刺繡《ししゅう》や絞《しぼ》り染《ぞめ》の旅装束が趣深い。女車の中では空蟬がとどろく胸を押さえて、御簾《みす》の中から息をつめて窺《うかが》っている。

源氏は昔小君《こぎみ》と呼んでいた空蟬の弟が、今は右衛門佐《うえもんのすけ》になっているのを呼びよせた。彼は源氏に可愛がられ五位に叙せられるまで引き立ててもらっていたのに、例の事件の時、世間の思惑を気にして、須磨へのお供をせず、父の任地へ下ってしまっていた。

源氏はその事を不快に思っているが顔には出さず、

「今日の関までの出迎えは、いくら冷たいあなたでもかりそめには思えないでしょう」

と伝言させる。空蟬も昔のことを一日も忘れてはいないので、あの頃のすべてのくまぐまが事新しく思い出されて胸がいっぱいになる。忘れようとすればするほど切ない想い出は、歳月と共に色濃く心の中を染めあげていたのだ。

参籠《さんろう》から帰った源氏は、昔のように右衛門佐に空蟬への便りを托すのだった。空蟬もさすがになつかしい昔に変わらぬやさしい便りを見ると、もう辛棒出来なくて、気がひけるのもきまりが悪いのも忘れて、返事をしたためずにはいられない。

恋しさも恨めしさも、忘れがたく心にとどめている人なので、それをきっかけに、源氏はその後も折々に便りをよせ、空蟬の心をひこうとするのだった。

空蟬出家

空蟬《うつせみ》と源氏は全く偶然に再会するため、物語の中で、二人の仲がどう新しい発展をみるかと思ったら、空蟬はあっさり出家してしまい、物語の舞台から姿を消してしまう。

常陸介《ひたちのすけ》はもともと空蟬にふさわしくないほど年をとっていたので、京へ帰って間もなく病気になってしまう。「老《おい》のつもりにや」と、原文には彼の病気を書いている。老いがつもり重なったからかということで、老衰から病気がちになっていったということだろう。

常陸介は自分の死を予感すると、心残りなのは、年若い妻の身の上ばかりだった。妻と源氏の不倫など夢にも知らない彼は、薄幸な境遇のため、自分のような年寄りの後妻になった若い妻がいとしくてならない。自分が死んでしまったら、しっかりした後見もない妻が、どんなに心細くなるだろうと、心配で死んでも死にきれないと思う。

息子の河内守《かわちのかみ》にしきりに空蟬のことを頼みこむ。

「自分が死んだ後は、とにかく空蟬のしたいようにさせて、自分の存命の時と同様に、万事にぬかりなく世話をしてやってくれ」

と、朝も晩もくりかえす。

空蟬の容貌《ようぼう》を、紫式部は不美人のように書いているけれど、若い妻は老いた夫にとってはこよなくいとしかったのであろう。

空蟬のほうはこの老いた夫を決して愛してはいないものの、夫の熱愛には感謝するやさしさは持ちあわせているし、心の底にあの一夜の秘密をかくし、しかもその源氏を忘れられないでいるという罪の意識もあって、表向きは夫にもつくすだけはつくしていたし、世間的には頼もしい夫を頼りにもしていたのだろう。

「あなたがなくなったら、わたくしはいったい誰を頼りにして生きていけましょう。もともと頼りない境遇なのに、あなたに守られてこの歳月は平安に過ごしてこられました。どうか死なないでください、わたくしのためにも」

そんなことをいって病床の夫を励まし、嘆いたことがあっただろう。

常陸介はそんな妻の嘆きを見るにつけ、いよいよ心が乱れて、この妻のために死んだ後に魂だけでも残しておいてやりたいものだと思い迷う。

「子供といってても本当の心の底はわかったものではないし」

という常陸介の述懐がある。

「わが子どもの心も知らぬを」

という原文だが、息子の河内守が、果たしてこの継母にどれだけの誠実を持っているかわかったものではないという意味で、この直感は当たっている。

河内守は以前から、この若い継母に横恋慕していて、年寄りの父親などにはもったいない女だと思っていた。

源氏や河内守や、老夫などから、これほど想われる空蟬は、やはり、男心をそそる何か特別の魅力があったと考えるべきだろうか。

女には容姿は大してよくもないのに、何ともいえないチャーミングな女がえてしているものである。空蟬の魅力とは、境遇の頼りなさや体形の小さく可憐《かれん》なところや、つつましいひかえめな性格や、内につけた教養などからかもしだされる優雅で清潔な雰囲気であったのではないだろうか。その可憐なきゃしゃな姿態には、自分が面倒をみてやらねば生きていけないのではないかと、男に思わせる頼りなさがあったのだろう。

林芙美子《はやしふみこ》は、男に自分がいなければこの女はひとりでは生きていけないのではないかと思わせることが、女の勝利だと書いている。今時のウーマンリブの女たちからは叱《しか》られそうだが、今でも男はこんな女に永遠の憧《あこが》れを抱いている。

夕顔《ゆうがお》がその筆頭であったし、桐壺帝《きりつぼてい》にとっての桐壺更衣《きりつぼのこうい》もそのタイプだった。空蟬も大きく分けたらその系列に数えられる。ただし、空蟬には表面のなよやかさに似合わず、しっかりした意志とプライドがかくされていた。

源氏がふり回されたのは、この空蟬の嫋々《じょうじょう》とした雰囲気の中に包みこまれている意志とプライドの強さであった。

老いた夫も、その息子も、空蟬のその強い自我には気がついていなかった。

常陸介の死後しばらくは、河内守も、亡父の遺言を守り、空蟬の世話を誠実そうにしていたが、やがて本心をあらわし、事あるごとに、自分の恋心を訴えて、けしからぬ関係を結びたがる。

空蟬は聡明《そうめい》で、早くから継息子《ままむすこ》の下心を察していただけに、その野心が日増しに露骨になってくるとたまらない。

「うき宿世《すくせ》ある身にて、かく生きとまりて、はてはてはめづらしきことどもを聞き添ふるかなと、人知れず思ひ知りて、人にさなむとも知らせで、尼になりにけり」

悲しい前世の因縁のある身のため、こうして夫には先だたれ残されて、あげくの果てには継息子にいいよられるなど、浅ましい目を見るものだと思って、この世が厭《いや》になり、人にもそうとは知らせず、こっそり出家してしまった、という意である。

それを知った河内守は、

「どうせ、私を嫌っての上での御出家なのでしょうが、いったいまだまだお若い身で先の長い生涯を、どうやって暮らしていかれるおつもりですか」

と厭味《いやみ》をいう。この際の源氏の感想は書かれていないが、どんなに口惜《くや》しがったことだろう。永遠に手に入れることが出来なくなっただけにかえって、源氏は空蟬への恋を捨て切ることが出来なくなった。あるいは空蟬の聡明な判断は、源氏の心の中に、自分の俤《おもかげ》をとどめるのは、この方法が一番効力があると計算していたのだろうか。

結果としては、空蟬は出家によって、いっそう源氏の心を引きよせ、源氏の経済的な世話を受けるようになり、ついには、二条院《にじょうのいん》へ、花散里《はなちるさと》や末摘花《すえつむはな》などと共に引き取られ、何不自由なく暮らすのである。

前斎宮入内の闇取引

故六条御息所《ろくじょうのみやすどころ》が臨終の床でも案じ、異様な遺言を源氏に残していった前斎宮《さきのさいぐう》の処置について、源氏は思い迷った。御息所の没後、度々《たびたび》手紙で見舞ったり訪ねていって様子を見たりして頼もしい後見役をつとめるのも、予想以上に可愛らしく内気で上品な姫宮の様子がわかってきて、例の好き心がそそられるからであった。頼りない境遇になった前斎宮に言い寄る男たちは、身分の上下にかかわらず多いらしいのも、源氏には気が気でない。女房たちに親めいた顔をして、

「うかつに手引きなど決してしないように」

など注意することも忘れない。

源氏は今ならどんなにしてでももものに出来る立場にいるものの、やはりあの御息所の強烈な遺言が気になるし、世間の目も御息所と同じように自分と前斎宮の間を想像するだろうと思うと、さすがに気がさして遠慮が出る。思い悩んだ揚句、いっそ自分のものに出来ないならば、世間の想像の裏をかいて、冷泉帝《れいぜいてい》がもう少し大人びてきた

ら、斎宮を入内《じゅだい》させて親代わりに後見しようと考えつく。冷泉帝はまだ十一歳で、すでに権中納言《ごんのちゅうなごん》（前の頭中将《とうのちゅうじょう》）の娘を祖父の太政大臣《だいじょうだいじん》が養女にして入内させ、弘徽殿女御《こきでんのにょうご》となっている。女御も十二歳なので、いい遊び相手として仲よくしている。

前斎宮は二十歳なので、九歳年長という差がありすぎるが、当時の結婚はあまり年齢差など問題にしなかった。身分の釣合いを何より重んじたから勢い相手はせまい貴族社会から選ぶと、近親結婚が多くなってくる。叔父《おじ》と姪《めい》、叔母《おば》と甥《おい》、いとこ同士などの結婚はざらにあった。

元服の時、添臥《そいぶし》をする正妻はたいてい年上が例であった。それでも葵上《あおいのうえ》や六条御息所のように、自分が源氏より年上であることにコンプレックスを抱きつづけた例もあるから、全く女の側では気にしないことではなかったのだろう。前斎宮と冷泉帝の組合わせは、年齢的にやはり無理があった。

朱雀院《すざくいん》は斎宮が伊勢に下向する日、大極殿《だいごくでん》へ別れの儀式を受けに来た際、決まり通り別れの櫛《くし》を親しくさしてあげた。その時はじめて見た斎宮の恐ろしいほど美しかった顔を忘れられず、ずっと想いをかけている。

帰京した時には、自分の院に来て暮らしてはどうかと誘いがあったが、六条御息所は立派な女御《にょうご》たちが宮仕えしている中へ、しっかりした後見もなくて入っていくのは不安だし、院がとかく病弱なので、自分のように早く未亡人になる心配もあり、はかばかしい返事もしないまま時がすぎてしまっていた。

源氏は朱雀院の執心を知らないわけではない。年の釣合いからいえば、院とのほうがずっと自然である。院に気の毒だという後ろめたさもあり、藤壺《ふじつぼ》の入道にひそかに相談する。自分の若気の不心得のため六条御息所とはしたない浮名を流し、御息所の自尊心を傷つけ苦しませ、ずっと恨まれたまま死なせてしまった、それでもいまわの際には、前斎宮の将来を自分に頼んで死んでいった、と綿々と藤壺に打ち明けた末、

「だからせめて御息所に草葉の蔭から喜んでもらえるよう前斎宮の面倒を見たいのです。主上《しゆじよう》はまだ子供っぽい御様子ですし、少し物事をわきまえた年上の女御がお側《そば》にいられるのがよくはないかと存じまして……それも女院《にようゐん》のお考え次第ではございますが」

と持ちかける。朱雀院が執心していることも打ち明けてある。それを聞いた藤壺は、これまでの藤壺のイメージとは別人のような、しっかりした政治家的なしたたかな一面を露骨にする。

「それはよいところへお気づきになりました。朱雀院の御執心にそむくことはもったいなくお気の毒なことではありますけれど、御息所の遺言にかこつけて、そ知らぬ顔で前斎宮を入内させておしまいなさい。院は御譲位後はそんな色めいたことにはさほど御執心はなく、勤行《ごんぎよう》がちにしていらっしゃると聞いております。こうなりました

と事後報告しても、深くはおとがめにならないでしょう」

なんという権力者の自信にみちた発言であることか。ここには昔の可憐《かれん》な、あるいは高貴で清らかな、または不倫と愛の間《はざま》に揺れ迷い悩みもだえる藤壺の俤《おもかげ》は全くかき消えている。

おそらく、人払いした場所での秘密の談合である。この世で二人だけしか知らない若き日の不倫の証《あかし》である冷泉帝の嫁選びをしている中年の男と女。

しかも男のほうには好色はあきらめたもののその代わり、前斎宮を養女のようにして親代わりになって入内させ、あわよくば外戚《がいせき》としての地位を手に入れようという下心がみえみえである。源氏の娘の明石《あかし》の姫君はまだ生まれて間もなく、入内させる年頃までには十数年の空白がある。その間のつなぎに、前斎宮を自分の持ち駒《ごま》として入内させるのは、思いきった手段ながら実に得策といえよう。女はその男の胸の底の計算を見抜いている。朱雀院の執心を封じこめるのに、母親の遺言を楯《たて》にして、院の執心など全く知らなかったふりをせよ、と教えるのだ。これがかつて、命を削るような秘密の恋を分けあったふたりの姿とは信じがたい気がする。人間は変わるものだということを紫式部は書きたかったのか。

この頃からの藤壺は、源氏を唯一の相談相手にし、頼りにしている。それはすべてふたりの不倫の証として生まれた冷泉帝を政敵から守り抜き、帝位の安泰を計るためである。不思議なのは、この二人に、罪の子を帝位につけているということに対して罪の意識がないことだ。藤壺はひたすら自分の子の安泰しか考えていない。そのために、今は源氏が必要なのだ。そこには恋はなく、むしろ、自分たち母子に対する源氏の愛を利用しようというさめた計算が見られる。桐壺帝《きりつぼてい》に不倫をかくし通し、自分の過失を世間から追及されまいとして出家してしまった藤壺の強さが、ここに来て前面にはばかりなく押し出された観がある。

こうして前斎宮の意志は全く聞かれず、それから二年後、帝が十三歳になった時、前斎宮は入内し、梅壺女御《うめつぼのにようご》(後に秋好中宮《あきこのむちゆうぐう》)となる。時に女御二十二歳。源氏三十一歳、藤壺三十六歳、朱雀院三十四歳であった。

朱雀院失恋

前斎宮《さきのさいぐう》の入内《じゅだい》は、朱雀院《すざくいん》にショックを与えたが、面子《メンツ》もあって、院は口惜《くや》しさは表に出さず、手紙などはひかえていた。だが、入内の当日には様々な選《え》りすぐった道具や薫物《たきもの》や衣裳などを贈った。飾り櫛《ぐし》を入れた箱につけた作り物の木の枝に、歌を結びつけてあるのが源氏の目に触れた。

「わかれ路《ぢ》に添へし小櫛《をぐし》をかごとにて
　はるけきなかと神やいさめし」

という哀切な歌が源氏の心を責める。伊勢に斎宮が下る時、前髪に黄楊《つげ》の小櫛《おぐし》をさしてあげ、ふたたび都に帰らぬようにというしきたり通りにしたものだが、その別れの小櫛にかこつけて、遠く離れた仲でいよと、神さまがおいさめになるのであろうか、という歌の意味である。長い間思いをかけて、ようやく逢《あ》えて今こそ恋をとげられる時になって、こんな思いがけない事がおこったことを、院がどんなに心外に思っているだろうと思いやると、自分がその立場なら、とうてい平静ではいられないと源氏は考えて、院の失恋に同情せずにはいられない。こんなことになったのも、自分が無理押しをして、藤壺《ふじつぼ》の女院《にょういん》と秘密にはかってしたことだから、源氏にはやましさが残る。

「何にかくあながちなることを思ひはじめて」

とある原文は、どうしてこんな無理をしなくてもいいことを思いついて、という意味だから、源氏が斎宮入内を無理で不自然を承知で決行したことを自覚しているのだと、読者に知らせている。「何にかく」などとはおとぼけもいいところで、無理を承知でごり押しに決行したのは、自分の勢力範囲の前斎宮を娘分にして後見し、一日も早く帝《みかど》の子を産ませ、外戚《がいせき》の立場を手に入れたいという政略のためである。親代わりの後見といえば聞こえはいいが、本当は御息所《みやすどころ》の遺言を利用して、政略結婚のため、前斎宮を利用したにすぎないのだ。

こんな話は物語の中だけでなく、紫式部の生きた時代にも現実にあった。彼女の仕えた中宮彰子《ちゅうぐうしょうし》は、十二歳で入内しているし、一条帝《いちじょうてい》は十一歳で十四歳の中宮定子《ちゅうぐうていし》を入内させている。更に後一条帝《ごいちじょうてい》は十一歳で二十歳の女御威子《にょうごいし》を迎えている。これらは数え年だから、女はともかく帝はまだ十歳そこそこで妻を迎えるという不自然なことが当然として行われていたのだ。

二十二歳の前斎宮は、朱雀院の歌や手紙や贈り物を受けて無感動ではいられない。

源氏はやきもきして、

「返事はどう書くおつもりですか、外にお手紙もあったでしょう」

などさぐりをいれるが、女房たちは、院の手紙の内容がきまりが悪いようなものなので、わざと源氏には見せない。

前斎宮は気分が悪くなって返歌もしたがらない。気分が悪くなったのを原文は、「なやましげに思《おぼ》して」とある。どうしてなやましげになったのか、これは肉体的な苦痛よりも前斎宮の精神的苦痛をあらわしていると見ていいだろう。

母なき後、天涯孤独になった前斎宮は、後見役の源氏のはからいに何ひとつ抗《あらが》うことの出来ない立場である。自分の意思にかかわりなく進められる入内について、反抗することも出来ない。

女房や源氏に、失礼だから返事を書け、と責められ筆をとる。すると、伊勢に下る時、大極殿《だいごくでん》で櫛をさしてもらった時の朱雀帝のたいそう優雅で美しかった顔かたちが思い出されてくる。自分のために帝が泣いてくれた様子などもありありよみがえる。当時の幼心にも、何となく物悲しい気持になってそんな帝を見あげていたものだ。すべてが昨日のことのように思われて、胸がいっぱいになってくる。それにつれて、故御息所のことなどもつぎつぎ思い出されて切ない。

「別るとてはるかにいひしひとことも

かへりてものは今ぞかなしき」

と書いた返歌には、前斎宮の精一杯の情がこめられていた。源氏は、何と書いたのだろうと気になって、見たいと思うけれど、さすがに言いだせないでいる。

朱雀院は女にしたいほど美しいし、前斎宮とは年頃もふさわしくお似合いの仲と見えるのに、冷泉帝《れいぜいてい》はまだ幼くて、どうみても年齢的には不似合いだ。それを無理やりこうして事を運んでしまったことを、前斎宮は内心不満で不快に思っているのではないかなど憶測《おくそく》して、源氏は不安になる。かといって、今更になって入内をとりやめることも出来ないので、自分は出しゃばらず、人にお世話を申しつけて参内《さんだい》する。朱雀院に対して遠慮して、親代わりのような振舞いは、表向きつとめて控えるようにしている。

絵合《えあわせ》の巻に見えるこのあたりの描写は、当時の貴族の娘たちのあわれさがしみじみ書かれていて痛ましい。

入内の夜は藤壺の女院も内裏《だいり》に来ていて迎える。帝は新しいお妃《きさき》が来ると聞かされ、可愛らしく緊張している。藤壺はそんな帝に、

「とても立派なすばらしいお方がいらっしゃるのですから、主上《しゅじょう》も気をつけてお逢いなさいませ」

と教えさとす。

帝は内心、ずいぶん年上の女だというから気づまりじゃないかしらん、と心配している。

女御はたいそう夜も更けてから清涼殿《せいりようでん》の御寝所に上がってきた。帝の目には、女御が思ったより小柄できゃしゃで、たいそう美しく可愛らしく見えた。

一つ年上の弘徽殿女御《こきでんのにようご》とは馴《な》れ親しんでいるので、仲よく、気がおけない。梅壺《うめつぼの》女御《にようご》は人柄もしっとり落ち着いていて、気がひけるほどだ。その上、源氏が格別大切にかしずいているので、軽々しく扱えないと思って、その後は夜の御寝所に迎える度数も、二人平等になるように気をつけている。しかし、昼間の遊び相手としては弘徽殿女御のところに行くのが楽しい。

弘徽殿の父の権中納言《ごんのちゆうなごん》（前の頭中将《とうのちゆうじよう》）は、自分の娘をやがては皇后にという心づもりで入内させ、今までは競争相手もなくきただけに、今頃とんでもないライバル出現に、やきもきすることとおびただしい。

面白いのは、こんなに世話をしながら、源氏はまだ梅壺女御の顔さえ見たことはないのだった。見たいのに全く見られないのが残念でならない。

明石上洛

明石《あかし》が産んだ姫君も、はや三歳になっていた。

源氏はずっと気にしていて、早く明石母子を京へ迎えたいと思っている。

その時の用意に二条の自分の邸《やしき》の東に、邸を新築した。東の院と呼び、その西の対《たい》に花散里《はなちるさと》を引き取って住まわせ、東の対に明石母子を呼び迎えようと考えた。北にはこれまで関《かか》わった気にかかる女たちを集めて住まわせるつもりで広くつくり、いくつにも区切ってある。

寝殿は空けておき、自分が時々行く時の休み所にするつもりで、ふさわしい飾りつけなどしてある。

明石には手紙で、早く上京するようしきりにすすめるけれど、明石が逡巡《しゅんじゅん》してなかなか腰をあげない。源氏の送ってよこした若い乳母《めのと》などから、都の源氏の噂《うわさ》を聞いたりして、明石は自分なりに情報を集めている。

自分など及びもつかないような高貴な身分の女たちでも、源氏に飽かれ、かといってすっかり見捨ててしまわれるわけでもなく、蛇の生殺しのような目にあっている話など聞くと、あてにならない源氏の愛を頼りに真《ま》に受けて、どうして自分が都の数多い源氏の女たちの中に立ちまじって競争出来ようかと思い悩む。

明石は聡明《そうめい》で思慮深く自尊心が強いので、軽々しく動かない。姫君の将来のためと上京したところで、自分の身分の低さがかえって姫君の恥になるのがおちだ。また源氏が人目をしのんでまれに訪ねてくれるのを待つだけの暮らしでは、さぞかし物笑いの種にされるだけだろう。かといって、このままこんな田舎で姫君を育ててしまって、源氏の子として扱われないのもあまり不憫《ふびん》すぎると思う。考えれば際限なく迷い、自分のプライドだけで源氏の誘いをむげに断り切る自信もない。

親たちも娘の迷いが至極もっともと思えるので、一緒に思い迷っている。

入道はそのうち、嵯峨《さが》の大堰川《おおいがわ》のほとりに、妻の祖父、中務宮《なかつかさのみや》所領の別荘があったのを思い出した。しっかりした後継者がないまま、荒れるにまかせてある。入道は形ばかりの管理者に命じて、その別荘を急遽《きゅうきょ》修理改造して、源氏にそんな住居を用意したことを報告する。

たまたま源氏は大覚寺《だいかくじ》の南の方に新しい御堂《みどう》を造営中だったので、早速、腹心の惟光《これみつ》に命じて様子を見にやらせる。惟光はいつでも、源氏の色事のおしのびの時には甲斐甲斐《かいがい》しく立ち回る便利な男である。

「大堰川に面している岸辺でなかなかいい所です。あたりの景色も何となく海辺に似た風情《ふぜい》で、明石を思い出します」

と報告する。源氏は喜んで部屋の飾りつけや調度など充分にさせ、召使いも気の利いた安心の出来る者を早くも送りこんでおく一方、明石へは迎えの人々を出発させた。

入道は自分の一徹な協調性のない気性から、都で出世の道から外れ、思いきって都を捨て、出家した身分なので、その不運の道づれに娘までしたくないと思っていた。思いがけず源氏と縁が結ばれ女の子まで産んだのだから、この幼い姫君もこのまま田舎で朽ちさせることは出来ない。

漸《ようや》く念願が叶《かな》って娘と孫が源氏に引き取られるのだから喜ばしいのに、やはり恩愛の情が断ちがたくて、別れの悲しみに惑乱しそうになる。長年自分の頑固な気性と栄《は》えない運命につき従ってきてくれた老妻との別離も耐えがたいものがある。入道と家族は別れの悲しさに互いに泣き濡《ぬ》れた。

船は入道ひとり残して、ついに明石を出発する。

こうして明石は嵯峨にたどりついたものの、源氏はまだ事情を打ち明けていない紫《むらさきの》上《うえ》に気がねして、すぐには駆けつけてやれない。ひそかに人をやって、暮らしに困らぬようには至れりつくせりにしてやるものの、明石としては、いつ訪れてくれるかわからない源氏を待ちわび、早くも、都へなど来なければよかった、と後悔する。

淋しさの余り、形見の琴《きん》を取りだして掻《か》き鳴らすと、川音と松風がそれに和していっそう物想いは深まってくる。遠く離れていれば逢えないあきらめもつくものの、こうして近くに来たのに、すぐには来てもらえない現実に、明石は自分の立場のはかなさを思い知らされるのだった。

源氏は気が気でなく、とうとう紫上に明石が都に来たことを白状した。たまたま桂《かつら》の方にも院を新築しているところなので、それにかこつけて出かけようとする。

「桂の家の様子も見に行かねばなりませんし……近くに、訪ねようと約束した女《ひと》も明石から来て待っているので、あまり待たせるのも可哀そうですしね。嵯峨野の御堂もまだ飾りつけも終わっていないのが気がかりですし……まあ、二、三日はあちらにいることになりましょう」

と、いう。紫上は案の定、はじめて明石を都に呼びよせたことを知って機嫌をそこねてしまった。桂の院というのも、その女を住まわせるのが目的だったのかと、面白くない。

「どうせ斧《おの》の柄《え》が朽ちてしまうほど長いお留守なのでしょう……待ち遠しいこと」

と厭味《いやみ》をいう。斧の柄の喩《たと》えは、晋《しん》の王質《おうしつ》が木を伐《き》りに山へ入り、仙童《せんどう》が碁《ご》を打つのに出あい、一局の間、斧を杖《つえ》に見ていたら、斧の柄の木がすっかり朽ちていたという故事によっている。

「また始まった。いつもの、やきもち低気圧ですね。世間ではもうすっかり昔の浮ついた気分はなくなっているといってくれるのに、あなただけは一向に信用してくれない」

など、あれこれ機嫌をとっているうちに、日は高くなってしまう。このあたり、一応恐妻家ぶりながら、紫上に明石の存在を認めさせてしまう男のずるさと計算が、よく書けている。紫上は源氏の裏切りにどんなに腹を立てても、それを見送るしかない。結局、源氏は明石の許《もと》へ行く。

この明石の来た大堰の邸は、今の嵐山《あらしやま》の、「嵐亭《らんてい》」という料亭のあたりになるだろうか。目の前に川が流れていて明石の海に似ているというのだから、川岸に近い所である。

明石の母の祖父は中務宮とあるが、親王で中務卿《きよう》であった醍醐《だいご》天皇の皇子兼明《かねあきら》親王を、古注では、中務宮のモデルにしたといっている。この親王は、亀山《かめやま》（小倉山《おぐらやま》の東南の尾根）の麓《ふもと》に隠棲《いんせい》したといわれている。すると今の大堰川の天竜寺《てんりゆうじ》側に当たるわけだ。

「嵐亭」の背後は亀山につづいている。

御堂というのは今の清涼寺《せいりようじ》と思っていいだろう。ここは源氏のモデルといわれた源融《みなもとのとおる》の別荘の跡でもある。桂の院は、今の桂離宮のあたりである。

妻と愛人の間

源氏は嵯峨《さが》の明石《あかし》の邸で、ようやく明石上《あかしのうえ》に三年ぶりに再会し、はじめて見るわが娘を膝《ひざ》に抱きとる。源氏は明石上に逢《あ》うため、この日は相当めかしこんでいる。女は直衣《のうし》姿の美しさと堂々とした源氏の男ぶりにうっとりして、上京以来、訪ねても来てくれなかった恨みも忘れてしまう。

源氏ははじめて見たすでに数え三歳になっている姫君の、あどけなさと無邪気な笑顔に、可愛くてたまらないと思う。あの乳母《めのと》も、明石での落ち着いた不自由のない暮らしで、すっかり女ぶりが磨かれて上がっており、上京以来の源氏の訪れなかった間の話などを、こまごまと訴える。明石上が遠慮して言えないことも、乳母はずけずけ話す。

「来い来いと呼びよせていらっしゃりながら、もうかれこれ一か月にもなるのに、来てくださらなかったなんて、あんまりひどいとお恨みしておりましたのよ」

くらいの厭味《いやみ》は言っただろう。源氏は明石上のところで二晩泊まる。その間に嵯峨の御堂にも出かけて、法会《ほうえ》も行い、紫 上《むらさきのうえ》へのアリバイ作りや言いわけの用意もする。

再会した明石上は、出産の後すっかり女盛りになって、三年前よりはるかに美しくあでやかで、源氏はその魅力に心そそられる。とても見捨ててはおけないし、もっともっと逢いたいと思う。

それにしても嵯峨は遠すぎる。現代なら市中から嵯峨へ車で三十分の距離だが、徒歩や牛車《ぎっしゃ》で通った当時では、日帰りは難しい。源氏ほどの身分になれば、外出の用意も物々しくなり、ちょっとおしのびでこっそりというわけにもいかない。嫉妬《しっと》深い紫上の手前、口実をつくるのにも苦労しなければならない。

「とにかく、もっと逢いやすいように二条 院《にじょうのいん》の近くに用意してある東の院へ移ってほしい」

と話を持ちかけるが、明石上は、

「も少し都の生活に馴《な》れましてから」

と要心して動こうとしない。明石からはるばるやって来てさえ、こんな扱いなのだから、紫上のいる本宅の近くへ行けば、どんな辱《はずかし》めにあうかもしれないと不安なのだ。源氏は、入道と別れて、娘について嵯峨へ来ている明石上の母の尼君にもあって、しみじみお礼をのべる。

こんな時、母の尼君は、娘と一緒に源氏を出迎えるのではなく、こっそり物かげから親子団欒《だんらん》の様子を覗《のぞ》いて満足しているのだ。源氏が見つけない限り、尼の方から挨《あい》拶《さつ》には出向かないし、明石上も、母が来ています、とも源氏に伝えないのである。それが当時の習慣であった。

二晩、明石上と過ごした源氏は、三日めの朝は、紫上の許《もと》へ帰らなければならないと思う。その朝の描写に、「すこし大殿籠《おほとのごも》り過《す》ぐして」というのがある。少し寝過ごしてということで、短い文章に、二晩めの明石上との濃《こま》やかな愛の交歓が充分うかがわれるように書いてある。こんな点、紫式部のさりげない筆づかいは実に行きとどいている。

帰ろうと思っている矢先、源氏が桂《かつら》の院にいったと聞いて、そちらへ出迎えにいった人々が、大勢、源氏を探しつきとめてやって来た。迎えにかこつけて、源氏は仕方なくというふりをして出かけようとする。乳母が姫君を抱いて顔を出す。

「これからはこんな可愛い子に逢わないではとてもつらいだろう、今までほうっておいたのに。さて、どうしたものか。それにしてもここは遠すぎるよ」

源氏が姫君の頭を撫《な》でながらぐちをこぼすのを聞いて、乳母は、

「遠い明石で、お目にかかれぬものとあきらめておりました今までよりも、京へ来ての、これからのお扱いが心細いのではないかと案じられます」

と、はっきりいう。姫君が手をのばして、源氏の行こうとする後を追うので、源氏

は可愛くてたまらなくなり、膝をついて抱きよせ、ほんのしばらくの別れでもこんなに辛《つら》い。
「何とまあ物思いの種がつきないことか。ほんのしばらくの別れでもこんなに辛い。いったい明石上はどうして一緒に見送って別れを惜しんでくれないのか」

という。乳母がそれを伝えにいくと、明石上はきぬぎぬの別れの悲しさのあまり、心も乱れてうち伏していて、すぐにも立ち上がれない。源氏は、そんなもったいぶった様子を、あまりにも高貴の女めいた気どり方だと思う。女房たちもはらはらしている中で、明石上はようやくにじって出て几帳《きちょう》のかげから見送る。その横顔の美しさに、源氏は思わず几帳の垂れ絹を押しやって耳もとに口をよせ、やさしいことばをかけ、しばらくの別れだと、ことばをつくして慰める。

迎えに来た人々の手前、その晩は桂に泊まることになり、紫上へそれを伝える。愛人のところで濃密な愛の夜を重ねて、まっすぐ妻の許へ帰るのもと、妻と愛人の両方に気がねをしていた源氏には、この桂での泊まりは、むしろ好都合だっただろう。その日は一同と大饗宴《だいきようえん》を開いて、昼から酒をのみまわし、夜は夜で月明りのもとでの音楽の会になり、宴会はいよいよ盛り上がったところへ、思いがけず勅使が訪れて、帝《みかど》からのお便りがとどけられる。

「桂で遊んでいるそうだが、そちらは月もよくてさぞ面白いだろう。うらやましいことだ」

とある。源氏は恐懼《きようく》してお返事を使いに渡すが、出先なので勅使にやる適当な禄《ろく》がない。明石上のところへ使いを走らせ、事情を告げて、あまり仰々《ぎようぎよう》しくない用意の品はないだろうかと相談する。これは明石上をすでに情人扱いではなく、こんな家庭的な相談もする妻扱いにしているのだよ、という、源氏の計算も読みとれる。明石上は喜んで、適当な女物の衣裳を衣櫃《きぬびつ》に入れて送り届ける。勅使はそれをもらい、肩にうちかけて帰っていった。明石上のこんな時の気のきいた振舞いも、そつがなく、源氏を満足させる。翌日、源氏の一行が賑《にぎ》やかに引きあげていく人馬の響きを、明石上は、風のまにまにはるかに聞いて、淋しさに物想いにふけっている。

二条院では紫上が長逗留《ながとうりゆう》を恨みすっかり不機嫌になっている。源氏はすぐ寝所に入り、紫上の機嫌をひたすら取りむすぶ。

「比べものにもならないつまらない相手を対等に考えて、嫉妬するなどみっともないことですよ。自分は自分と、無視して平気でいらっしゃい」

などいってみるが、紫上の不機嫌は一向に直らない。彼女の機嫌が直るきっかけは、源氏が姫君のことを白状し、その子をひきとって育ててくれないか、と持ち出した時からであった。

子別れの冬

どんな芝居でも、子役は観客の涙を誘う。源氏物語では、明石上《あかしのうえ》の産んだ姫君がこの役目をして、読者の涙を誘う。

紫式部は子供を書くのがうまい。夫宣孝《のぶたか》との間に賢子《けんし》という女の子を産んでいるから、幼い女の子の描写はいきいきとして可憐《かれん》である。賢子は後に宮仕えして越後《えちご》の弁《べん》、弁《べん》の局《つぼね》と呼ばれている。

藤原公任《ふじわらのきんとう》の嫡子《ちやくし》の定頼や、粟田関白道兼《あわたのかんぱくみちかね》の子の兼隆《かねたか》等、名門の貴公子を恋人にし、後に大宰大弐《だざいのだいに》高階成章《たかしなのなりあき》と結婚した。歌集も残っているが、文才はとうてい母の足許《あしもと》にも及ばない。

紫式部の夫藤原宣孝は、紫式部と結婚した時、四十五、六歳になっていて、式部は二十六、七歳と推定されている。まるで親子のような年齢差があるが、才気走って文学少女だった紫式部には、これくらい年長のほうが歯ごたえがあったのだろう。すでに三人の妻を持っているし、子供も数人の男の子と一人の女の子がいた。宣孝にとっては小生意気なじゃじゃ馬馴《な》らしが面白かったのだろう。若い頃の式部は、おとなしくもひっこみ思案でもなく、自分の才能を信じ、はきはきしたモダンガールだった。おとなしく無口になってむしろ陰気に見えてきたのは、未亡人になって後、宮仕えしてから、保身のための世間知をつけてからである。

宣孝との結婚生活は、宣孝が流行の疫病にかかりあっけなく病没したので、わずか足かけ三年の短さで、賢子は二歳くらい、父の顔も覚えていなかっただろう。それから、宮仕えするまでの間、賢子を育てることで、夫を失った傷心を慰めていた。乳母まかせではなく、式部は賢子の世話を一切自分の手でしたかもしれない。

明石の姫君が源氏の手で、生母から引きはなされ、紫上《むらさきのうえ》の手に渡された頃は、数え三歳で、紫式部はその可憐なしぐさや言葉のすべてを、自分の子育ての経験からすくいあげればよかった。

源氏は紫上への気がねから、せいぜい月に二回くらいしか訪ねてやれない明石上を、可哀《かわい》そうに思うが、その間にも、将来、宮中へあげるつもりの姫君を、一日も早く、本宅の二条院《にじようのいん》へ引き取り、紫上にゆだねて育ててもらいたいと思っている。明石上の身分の低いことが、姫君の将来の運命にかげりをもたらすと考えているからである。

明石上としては、源氏の真意はとうに見抜いており、理性ではそのほうがわが子の将来の栄達によいとわかっていながら、感情的には、とうていこの可愛い子供を手放せるものかと思い悩んでいる。かくしたところで、どうせこういうことはすぐばれて、かえって、あなたが御迷惑なさるでしょうよ、などいって、なかなか首を縦にふらないのだ。

明石上の逡巡《しゅんじゅん》をくつがえさせたのは、明石上の母、尼君だった。

「自分の感傷に負けて、即位の可能性を左右されます。帝《みかど》でさえ母方の御身分によって、即位の可能性を左右されます。源氏の君が二人とない立派なお方なのに、臣下に下らねばならなかったのは、御生母が更衣《こうい》で身分が低かったからです。もしあちらの身分の高い夫人たちに姫君でも生まれようものなら、こちらは無視されてしまいます。姫君の袴着《はかまぎ》のことだって、こちらでいくら頑張ったところで、こんな田舎の山里にかくれていては、何の晴れがありましょう。ただもう、こうなったからには、何もかもすっかりまかせきって、どんなお扱いをなさるか、じっと見守っておりましょう」

と、説きくどく。占いにもかけてみたが、手放すほうがいいという。明石上も、今はすっかり気が折れて、ついに手放す決心をする。

気ままな入道とつれそい、年とってから夫と別居して娘や孫を守るために都に帰った尼君が、なかなかしっかりした判断力のある聡明《そうめい》な女だということが、ここで明らかになる。この母に育てられたからこそ、明石上は、教養も身につけ、奥ゆかしい魅力的な淑女として都の貴女たちにもひけをとらないでやっていける女に成長したのである。明石上はついに姫君を手放す決心をして、それを源氏に告げる。

いよいよその日が来た。嵯峨《さが》の雪がすこしとけた日、源氏は訪れてきた。今になって明石上は、早まったと思い迷うけれど、今更断ることも出来ない。姫君は赤ん坊の時は剃《そ》っていた髪を、この春からのばしはじめたのが、丁度《ちょうど》尼そぎくらいの長さになって、肩のあたりに剪《き》りそろえ、ゆさゆさしているのが美しく、顔つきや、目もとのほのぼのした愛らしさはたとえようもない。こんな可愛い子を手放した後の明石上の悲しみを思いやって、源氏が慰めると、

「いいえ、覚悟はしております。こんなしがないわたくしのような者の娘としてではなく、高貴な姫君としてお育てくださるのですもの」

と気丈に言いかけて、わっと泣き伏すのもあわれであった。

姫君は事情もわからず外出がめずらしくて、「車に早く乗りまちょう」とはしゃいでいる。明石上が抱きあげて、車に乗せてやると、まだ片言の可愛らしい言葉で、「おかあちゃまも、はやくおのりなちゃい」といって母親の袖《そで》を引っぱるのも悲しく、たまらなくなって、

「末遠きふたばの松にひきわかれ
　いつか木《こ》だかきかげを見るべき

いつ逢えることやら」

と、しまいまで言いきれないでたいそう泣く。

源氏は、無理もない、ほんとに可哀そうなことをすると、自分を責めながら、色々なぐさめるが、どんな言葉もむなしい。何かと話し相手になってくれた乳母もついていってしまったので、残された明石上はいっそう淋しく、身も世もなく辛《つら》い。いくら立派な円満な人格だと聞かされても、所詮《しよせん》は恋敵《こいがたき》の紫上の手に、掌中の珠《たま》を奪われるのも、自分の身分が低いというだけの理由かと思うと、そんな自分の生いたちさえ恨めしいのだ。

二条院では、紫上がすっかり手落ちなく用意して、姫君を待ちかまえていた。

姫君は車の中で眠ってしまい、二条院に降ろされても泣きなどせず、おとなしく果物など食べていたが、だんだんあたりを見回して、母のいないことに気がつき、探しても見当たらないので、しくしくべそをかいている様子が、たまらなくいじらしい。それを見るにつけ、源氏は嵯峨でも、明石上がどんなに嘆いていることかと心が痛むのだった。

春の愁い

年が明けて間もなく、太政大臣《だいじょうだいじん》が病没した。葵上《あおいのうえ》の父で、源氏の舅《しゅうと》に当たる人だから、源氏はたいそう悲しむ。おだやかで人格者だったので、人々も惜しむし、帝《みかど》も世の重鎮で頼りにしていただけに、心から嘆かれる。冷泉帝《れいぜいてい》は、源氏と藤壺《ふじつぼ》の間に生まれた不義の子だが、世間は知らず、今年十四歳に成長している。年より大人びていて、政治を見るのもしっかりして来ているものの、他に後見もないので、ずっと源氏がその後見をしている。

その年は何かにつけ世間にまがまがしい変事が多く、疫病が流行したり、朝廷でも不吉なお告げがしきりにあったり、天にも、日蝕《につしょく》、月蝕など怪しい事が多く、凶兆をつげる不気味な雲がただよったりして、世の中の人々はおじ恐れていた。そんな時に陰陽道《おんみようどう》、天文道、易学の博士たちに占わせるのだが、その報告は、奇怪な、世間では考えられないような不吉な凶兆だというものが多かった。源氏だけはその凶兆の原因を、不義の子が帝位につき、実父の自分が臣下としてそれに仕えているなどという、人道に反したことが行われていることへの、神仏の罰かもしれぬと、ひそかに考えていた。

そんな頃、正月以来ずっと病床にいた藤壺の女院《にょういん》が、三月になると重症になり、今にも死にそうに患《わずら》っている。その頃は陰暦なので、三月といえば、太陽暦から一月遅れで、四月なかばの出来事と考えていい。藤壺はこの年三十七歳で、女の厄年に当たっていた。女の厄年は、江戸時代には、十九、三十三、三十七として、三十三は大厄とされていた。厄年は平安時代からあったらしい。宇津保《うつほ》物語に男の厄年がすでにあらわれている。

帝は見舞って、女院がまだ若々しく女盛りのように美しいのを見て、惜しいと悲しむ。父桐壺院《きりつぼのいん》が崩御した時は、まだ幼くて悲しさもそれほどではなかったが、今度はひどく心配でたまらない。

女院は苦しさをこらえて、

「今年はどうやらのがれられない命の終わりと思っておりましたが、ひどい病気というほどにも思えませんでしたので、死期をさとっているようなふりをしますのも、世間の人が、厭味《いやみ》なわざとらしいことだと思うだろうと気づかいして、後世《ごせ》を祈る仏事もあまりしませんでした。参内《さんだい》して心のどかに昔のお話など申しあげたいと思いながら、気分のはっきりしている時が少のうございまして、心にかかりながら今日までできてしまいました―

と、弱々しく話す。帝はあらゆる加持祈禱《かじきとう》をさせたが甲斐《かい》もなかった。

女院はたいそう苦痛で、それ以上、話も出来ない。自分の一生をふりかえると、高貴な家に生まれ、国母《こくも》、女院にまでなって、女として最高の立場にありながら、心の底にはひそかに源氏を愛し、それを拒まなければならなかった辛さも、人並ではない身の上だったと、つくづく思うのだった。

帝が、源氏の子だなどとは夢にも知らないでいるのがおいたわしくて、これだけが気がかりで、死後の妄執としてこの世に思いが残りそうに思われる。

源氏の想いはまた格別だった。人知れぬ愛惜の深さは限りもなくて、御祈禱などはありとあらゆることをし尽くしている。もう長年あきらめていたせつない恋も、せめて今一度だけでも伝えたかったとたまらなくて、病床近くの几帳《きちょう》のそばまで近づいてお見舞いする。女房が、

「ここ数か月来、とてもお悪かったのに、お勤行《つとめ》を少しも怠らずなさいましたので、それもお身にさわって、一段とお弱りになりました。この頃では柑子《こうじ》のようなものさえめしあがれなくなってしまいました。とても御回復の見込みは……」

と告げる。女院は几帳の奥から、

「院の御遺言を守って、あなたが帝のことをずっと後見してくださいましたのを、長

年、本当に身にしみて有り難く思っておりました。何かの折にはいつか、どんなに感謝しているか、お伝えしたいとのんきに思っておりましたら、こんなになってしまって……今となっては、ほんとに心残りでございます」

と、あるかないかの弱々しい声で伝える。源氏はその短い言葉の中に、自分への愛をはじめてもらしてくれたと思うにつけ、悲しみのあまり、返事も出来ず、泣き嘆く。そんな様子が異様だと、人に見とがめられはしないかと耐えているものの、心にかけめぐってくる昔の若き日の藤壺の様々な俤《おもかげ》や、ふたりしかしらない共有した秘密の濃密な時間が、思い出されるにつけ、今、この人の命を引きとめる何の手だてもないことがたまらなく辛く、絶望的になってくる。

「何の役にも立たぬ私ですが、帝の御後見のことだけは、昔から及ぶかぎりのことはしてまいりました。この度、太政大臣がなくなったのさえ心細いところへ、あなたさままでこんなにお弱りになっては、もうどうしてよいか思い迷うばかりです。私もこの後は、そう長くも生きてはいないことでしょう」

と申しあげている間に、灯火《ともしび》が消えるように女院は、息をひきとってしまわれた。

藤壺の女院が臨終のきわに、はじめて源氏への深い想いをほのかながらも伝え、源氏の目の前で死んでいったのは、せめてもの幸せというべきか。めったに逢うことも出来ない、不自由な恋人たちにとって、この死の場面は、またとない作者の贈り物と見え、救いがある。

あるいは藤壺の女院が、わが子以上に、源氏の訪れを待ちに待って、最後の命をかきたてて、耐えていたとも解釈出来る。

ふたりしか知らない秘密のために受けた遠い日の苦しさにもまして、女院としては、桐壺院の死後も、わが子の安泰を守り通すために、切ない恋の本心を必死にかくし通してきた歳月の辛さが耐えがたかっただろう。

政治にかこつけて、源氏と心を一つにあわせて、ふたりの子を守ってきたわずかなこの歳月だけが、女院にとってはかけがえのない安らかな日々であったかもしれない。その間にも、女院には様々な源氏の浮気の噂《うわさ》も伝わっていたはずである。物語の中では生前の藤壺は、一度も嫉妬《しっと》めいたことをそぶりにも出していない。

藤壺が源氏に嫉妬をあらわすのは、幽魂《ゆうこん》となってからのことである。

出生の秘密ついに露顕

冷泉帝《れいぜいてい》は藤壺《ふじつぼ》の女院《にょういん》の没後、全く思いもかけなかった母の秘密を知ることになった。

女院の最期の病床近くに侍《はべ》って、ずっと病気平癒《へいゆ》の祈願をしていた僧都《そうず》がいた。女院の母后《ははきさき》の代から長く祈禱《きとう》僧として宮家に出入りしていた僧都で、もう七十あまりになっている。朝廷でも厚く尊崇されていて、重大な勅願をたくさん立てて、世にも尊い仏道一途の僧であった。

もう年老いて、自分の後世《ごせ》のための勤行《ごんぎょう》をしようとして、叡山《えいざん》に籠山《ろうざん》していたが、藤壺の女院の重病の御祈禱のため、呼ばれて下山し、四十九日の法要の後も帝《みかど》に召されてまだ内裏《だいり》に伺候していた。帝は、もとのように護持僧《ごじそう》として、もう山へ帰らず、内裏でお側近く仕えてはどうかとおすすめになる。僧都は、年をとって夜居《よい》の夜を徹しての加持などは軀《からだ》にこたえて辛《つら》くなりまして、などいいながらも、帝のおすすめも恐れ多いことだからと、引きつづき内裏で帝のお側に伺候していた。

そんな頃のある静かな晩のこと、お側に伺候の人々もみんな引き払って帝と僧都ふたりだけの時があった。僧都は何かと世間話をしていたついでに、古風に咳払《せきばら》いなどしながら改めて口をきった。

「実は、まことに奏上しにくいことで、これまで黙っておりました秘密がございます。奏上するのもはばかられますが、知っていながら、かくし通す罪も重いし、すべて天眼に見通されていると思うと、いっそう恐ろしくてたまりません。この秘密をひとり胸におさめていることが罪深く感じられ、心中ひそかに嘆いておりましたが、万一、このまま死んでしまいましたならば、何の役にもたちません。仏もずいぶん心汚いやつとお思いになりましょう」

と言いかけて、それ以上は口ごもっている。

帝は一体何事だろう、この世に執念が残るような恨みがましいことがあるのだろうか、僧侶《そうりよ》というものは、聖僧と呼ばれる人物でも思いがけないほど嫉妬《しつと》心《しん》が強く、気味の悪い者だから、と内心考えながら、

「朕《ちん》が幼少であった時から心を許しきってきたつもりなのに、そちらでは何か秘密をかくしていたなどということは恨めしいことです」

といわれると、僧都はあわてて、

「とんでもございません。主上《しゆじよう》には真言密教の秘伝でさえ御伝授申しあげておりま

す。まして心にかくし立てなど何がございましょう。今、私が申しあげたいことは、来《こ》し方《かた》行く末にかかわる重大事でございます。御崩御遊《ごほうぎょ》ばした桐壺院《きりつぼのいん》、女院、ひいては今、この世で時めいていらっしゃる光源氏《ひかるげんじ》の大臣《おとど》の御為《おんため》に、何事もこのままでは、かえって悪い取り沙汰《ざた》が世間に洩《も》れ広まる恐れもございましょう。私ごとき老いぼれ法師にとっては、たとえお咎《とが》めがあったところで何の悔いがございましょう。しきりに仏天のお告げがありますので、思いきって申しあげます。実は主上を御妊娠遊ばした時から御母の藤壺の女院はそのことで深く御心痛になることがおありで、御祈禱を拙僧にお命じになった事情がございました。くわしいことは法師の身でございますのでよく理解出来ません。不慮の災厄があり、源氏の大臣があらぬ罪を負わされました時、女院はますます恐懼《きょうく》なさり、重ねて、いっそう多くの御祈禱を御命じになりました。源氏の大臣の御意向も加えて、更に主上が御即位遊ばすまで、引きつづき祈りつづけたことがございます。その御命じになった祈禱の内容と申しますのは――」

といって、くわしく帝に出生の秘密を打ち明けてしまった。それを聞いた帝は恐ろしく、悲しく、あまりのことに愕然《がくぜん》としてしばらくは口もきけないでいる。僧都はとんでもないことを奏上してしまって、その不届きをお怒りなのかと、恐る恐るこっそり退出しようとする。

帝は僧都を引き止めて、

「こんな一大事を知らないで過ごしたら、自分の実父を臣下にして使っているなどと非難されるはずの秘密を、これまで僧都ひとりの胸にかくし持っていられたのは、かえって油断の出来ない人だと思い恨みに思いますよ。他にこの秘密を知っていて、世間に洩らす恐れのある人物はいるだろうか」

と心配なさる。

「決して、絶対に、拙僧と、王命婦《おうみようぶ》以外は、この秘密を知っている者はおりません。それだからこそ、いっそう恐ろしいのでございます。最近、天変地異がしきりに起こり世の中が不気味に騒がしいのも、この秘密のせいかと心得ます。主上がまだ御幼少で、物の道理をおわきまえでない間は、それでもよろしゅうございましょうが、御成人遊ばし、何事も御理解出来る時になって、主上が何事も御存じなくていらっしゃるのは、仏罰の咎《とがめ》も恐ろしく思われます。一切のことは親の御時から始まると心得ます。世の乱れの原因を、何も御存じないのが恐ろしくて、決して生涯口にすまいと念じておりましたことを、とうとう心から出してしまいました」

と泣く泣く申しあげ、夜明けと共に帰山していった。

帝にとっては、あまりにも異様なショックだった。桐壺院は果たしてこの秘密を知らないまま他界したのか、あるいは承知していたのだろうかと不安だし、源氏が実の親とも知らず臣下にして、自分が使っていることも、親不孝でもったいないことだと心苦しい。色々思い悩んで、日が高くなっても寝所から出ず、泣き悲しみ悩んでいる。その様子を伝え聞いて、源氏が愕《おどろ》いてお見舞いに参内《さんだい》すると、帝はその顔を見るにつけ、これまでのように平静ではいられない。

源氏は泣きはらした帝の様子を見ても、きっと故女院のことを思い出して泣いていられたのだろうくらいに推察している。

それからしばらく後、帝は源氏に退位したい気持を相談する。源氏はとんでもない事といさめたが、帝はそんな源氏の顔をしみじみ見るにつけ、自分との似ている点を発見し、心が平静ではいられないのだった。源氏は常とはちがう帝の様子に、何事か起こったらしいとは察しながら、まさかあの秘密を帝が知ってしまったとは想像も出来ないのだった。

息子の嫁を口説く父親

源氏物語を読んでいて面白いと思うのは、光源氏《ひかるげんじ》の好色ぶりが、時、所、相手かまわずという点である。

源氏が若紫《わかむらさき》を自邸に引き取るのは、藤壺《ふじつぼ》を春妊娠させた年の秋であり、末摘花《すえつむはな》に通いはじめるのは、藤壺が妊娠した身で宮中へ帰った後、一か月もたっていない。同時に多くの女を愛せる男の代表のようなタイプである。

自分との不義の子を藤壺が産み、さんざん悩んでいるかと思えば、その同じ月に、朧月夜《おぼろづきよ》の君との情事が発生している。

正妻葵上《あおいのうえ》が、出産の直後死亡した後、四十九日がすむやすまずで、紫上《むらさきのうえ》と事実上の夫婦の契りをする。一年の喪にも服してはいない。

桐壺院《きりつぼのいん》の四十九日の後、里邸に下がった藤壺の許《もと》へしのびこみ、しつこく迫ったりするのも、常識では考えられない。父の喪中に、継母に迫る源氏だから、自分の息子の嫁に横恋慕しても不思議ではない。

藤壺の女院《にょういん》が崩御したのは、源氏三十二歳の三月だったが、その四十九日の後、冷泉帝《れいぜいてい》に、自分と女院との秘密、つまりは冷泉帝が不義の子であるという秘密を知られてしまったと、源氏にはわかっている。そんな重大な時期に、冷泉帝の梅壺《うめつぼのにょうご》女御が、二条院に里帰りすることがあった。女御は、故六条御息所《ろくじょうのみやすどころ》の息女だが、源氏が養女の格にして入内《じゅだい》させているから、里邸は源氏の自邸の二条院ということになる。

もともと、源氏は昔の恋人の遺児に当たるこの人に好き心を抱いていたが、察しの好《よ》すぎる六条御息所から、娘だけは情人の一人にしないでくれと、きつい遺言をされているので、自分の好色な好奇心を抑えこんで、冷泉帝、つまり自分の息子の嫁にしたという次第だった。九歳も年上の女御を入内させるまでのいきさつは先に語ってある。

梅壺女御は入内した後、帝《みかど》の寵愛《ちょうあい》も日ごとに深まり、何といっても源氏という絶大な後見を控えているので、後宮《こうきゅう》で並ぶ者もない権勢を持っていた。聡明《そうめい》な人で、人々への思いやりもゆき届き、申し分ない女御ぶりであった。

源氏は里帰りする女御のために、邸を飾りたて磨きあげて迎える。女御は身分柄、寝殿に迎え、源氏は東の対《たい》に、紫上は西の対に住んでいる。

折柄、秋雨の静かに降りつづく頃で、前栽《せんざい》の秋草などが咲き乱れ、露しとどに濡《ぬ》れそぼっている。何かと物哀《ものがな》しい想いを誘われる風情《ふぜい》であった。

源氏は様々な物想いに感傷的になりながら、女御のお部屋へ訪ねていく。藤壺の女院の喪に服しているので、濃い鈍色《にびいろ》の直衣《のうし》を着て、袖口《そでぐち》には、藤壺の女院の冥福《めいふく》を祈る精進をつづけているため、数珠《じゆず》をひそかにかくし掛けている。表向きは、世情が不穏で死者が相つぐから祈っていると称していた。

源氏に対して、女御は几帳《きちよう》だけをへだてて、自身で応答した。養父に対してあまりよそよそしい扱いは出来ないからである。

源氏は、六条御息所を嵯峨《さが》の野宮《ののみや》へ訪ねた日のことなどを思い出し、しみじみ語りつづける。女御も亡き母を思い出し、少し泣く気配が、まことにやさしく、かぎりなく柔らかでなまめかしく感じられる。それにつけても源氏はまだ女御の顔かたちを、はっきり見られないのが残念だと胸ぐるしく思い乱れる。

「見たてまつらぬこそ口惜《くちを》しけれと、胸のうちつぶるるぞうたてあるや」

と原文にはある。「うたてあるや」とは、困ったことだと、作者がいっているのである。

ここで源氏は、息子の嫁に当たる人に向かって、綿々と、自分の恋の懺悔《ざんげ》をするのである。

「何の苦労もない立場なのに、自ら求めて人に想いをかけては恋の苦労の絶え間もありませんでした。してはならぬ恋も数々して苦しみました中に、特に最後までしこりを残したままの苦しい恋が二つありました。その一つが亡き母君への想いでございます」

などと始めて、しまいには、

「あなたに対しては、並々でない恋情を抑えこんで、出来ないがまんをしながらお仕えしていることをおわかりになっていただけますでしょうか」

などといいはじめるのである。嫁の立場で、こんなことをいう舅《しゅうと》はまことに困ったもので、気味が悪い。

「あわれとだけでもおっしゃっていただかなくては、どんなにやるせないことでしょう」

などとやられては、返事の仕様もない。

「君もさはあはれをかはせ人しれず

　わが身にしむる秋の夕風《よ》」

などあからさまな恋の歌を詠みかけ、

「この恋心を抑えきれない時も多いのです」

などと迫られては、女御は、「いとうたて（まあ、いやなスケベ）」と思っても当然であろう。

やはり、六条御息所は、源氏の本心を見ぬいていたというべきであろう。

「こう打ち明けてしまった以上は、今後あんまり嫌わないでくださいよ。露骨に嫌われたら、さぞつらいことでしょうから」

どこまでも図々しい舅である。

女御はこんな源氏が去っていった後に残るいいようもないなまめかしい美しい移り香さえ、うとましいと思う。

何も知らない女房たちは、

「何ていい移り香でしょうね。何から何まで揃《そろ》ったあんなお方があるでしょうか。うっとりするわ」

など囁《ささや》いているのも、女御はふるふる厭《いや》だと思われるのであった。

朝顔の斎院のプライド

光源氏《ひかるげんじ》が想いをかけた女で、どうしても想いをとげることが出来なかった女が三人いる。一人は六条御息所《ろくじょうのみやすどころ》の遺児で、冷泉帝《れいぜいてい》の女御《にょうご》になった梅壺女御《うめつぼのにょうご》。この人は秋を好んだということから秋好中宮《あきこのむちゅうぐう》とも、前斎宮《さきのさいぐう》だったので斎宮の女御とも呼ばれている。いくら源氏が好色でも、自分の本当の息子の嫁だし、女御という相手の立場もあって、そう露骨に迫ることも出来ない。それに、この女御は聡明で真面目《まじめ》な性格の上、母の御息所と源氏の辛《つら》い恋を知っているので、源氏の横恋慕をうとましく思い、受けつけようとはしないし、源氏のつけこむすきを与えるようなことはなかった。

もうひとりは、若き日の恋人、夕顔《ゆうがお》の遺児の玉鬘《たまかずら》で、彼女は数奇な運命をたどり、九州から上京して、源氏に拾われ、養女として源氏の邸にひきとられて親身な世話を受ける。実は頭中将《とうのちゅうじょう》と夕顔の間に出来た娘だった。

源氏にひきとられて、みるみる洗練され美しくなる玉鬘は、若い公達《きんだち》の憧《あこが》れの的になり、宮たちも想いを寄せる。源氏もとても養父の心境ではおさまらず、恋心を打ち明けたりしていたが、彼女も聡明で、上手に身を守り、なびかなかった。そのうち、ふとした油断から、候補者の中で一番気にもかけなかった髭黒右大将《ひげくろのうだいしょう》に犯されてしまって、結局、彼と結婚してしまう。源氏としては思わぬ失敗をしたものだ。

もうひとりは、朝顔《あさがお》の斎院《さいいん》で、この人は源氏の父、桐壺院《きりつぼのいん》の弟、式部卿宮《しきぶきょうのみや》の娘だから、源氏とは従兄妹《いとこ》に当たる。物語の初めの方、雨夜《あまよ》の品定《しなさだ》めの後にはじめてちらりと出て来て、その後、時々、あらわれる姫君である。

源氏十七歳頃から、この姫君とは文通している。帚木《ははきぎ》の巻で、紀伊守《きのかみ》の邸に方違《かたたが》えに行き、女房たちがひそひそ話をしているのを覗《のぞ》きに行って、自分の噂《うわさ》を聞いてしまう場面がある。

「式部卿宮の姫君に朝顔奉りたまひし歌などを、すこし頬ゆがめて語るも聞こゆ」

とあるのは、女房たちが、源氏が朝顔につけて姫君に贈った歌を物知り顔に少し文句をまちがえて話しているのを聞いたということである。この歌のことは物語の中では出て来ない。花や歌を贈るというのは、求愛のしるしだから、その頃から、源氏はこの従兄妹に想いをかけていたというわけである。その歌がなぜ紀伊守の女房の口の端《は》にのぼるかといえば、当時の男からのラブレターは、すべて、当の姫君の手に渡る前に女房たちの手に入るわけで、深窓の姫君は自分で手にとろうともしない。女房が読んで判断して、代筆の返事を出すのが普通だったから、女房から女房へと話が洩《も》れて、誰は誰とつきあっているということがわかってしまうのだった。

朝顔の姫君は源氏の求愛にさりげなく気のきいた返事をかえしながら、決してなびこうとしない。源氏が多情なことも知っているし、六条御息所が辛い恥ずかしい目にあっていることも知っているので、自分は御息所の二の舞にだけはなりたくないと思い、その後は次第に返事も書かないように心がけている。とはいっても、露骨に源氏に恥をかかすような気まずい思いはさせない程度の、情のあるあしらいはする。ここらあたりが朝顔の姫君の聡明さで、源氏が惹《ひ》かれるところである。

葵上《あおいのうえ》に死なれた後など、源氏は心の空虚をなぐさめてもらいたくて、彼女に手紙を書く。そんな時は、やさしい想いやりの深い返事を彼女はかえしてくる。

教養があって、気位が高くて、本当の貴族らしいプライドを持った女性、それは源氏の永遠の女性である藤壺《ふじつぼ》にも、六条御息所にも通じるものであった。ちょっと気を張らなければならないような女性に憧れるのも男の本性の中にはある。

源氏はあきらめなかったが、彼女は、桐壺院の崩御の後、服喪で下りた斎院に替わって、賀茂《かも》の斎院になってしまった。神に仕える身となった斎院には手が出せなくなったので、源氏はがっかりする。それでも、手紙だけは折にふれ、出しつづけていた。源氏二十三、四歳の頃であった。

藤壺の女院《にょういん》が崩御した年、斎院の父の式部卿宮も死亡した。その服喪で斎院は下りて、父の旧邸桃園《ももぞの》の宮に移った。

源氏は三十二歳になっている。斎院もほぼ同年くらいだろう。桃園邸には源氏の叔《お》母《ば》に当たる女五《おんなご》の宮《みや》も住んでいたので、すっかり年老いた叔母の見舞いにかこつけて、源氏はしきりに桃園通いをはじめる。何とかして十五年も想いつづけた恋を実らしたいと思うのだ。

前《さきの》斎院は、色恋にはうといふうをして、源氏の攻勢を上手にいなして相手にしない。かといって、全くそっけない態度にも出ない。源氏はじらされて、ますます思いがつのり、どうしてもこの恋遂げてみせようと思い、苛立《いらだ》ってくる。

世間にも源氏の桃園通いが洩れて、昔から朝顔の姫君に執心だったのは知られているので、まだおとろえない源氏の情熱を見ると、いよいよ結婚かという噂が流れる。

紫 上《むらさきのうえ》はそれを知り、はじめて真剣に思い悩む。前斎院は身分も高く、教養もあり、源氏がそんなにまで思いつめるほど素晴らしい人なら、自分は見捨てられるのではないかと心配する。今までも、散々、源氏の浮気沙汰《ざた》にはつきあってきたが、どの場合も、自分だけは別格だという感じを、源氏は与えてくれた。ところが今度は、源氏は傍目《はため》にも恋に思い悩んで、仕事と称して御所に泊まることが多くなり、紫上は珍しく夜離《よが》れの淋しさを味わわされるのだった。

御所に泊まって、前斎院に恋文ばかり書いている。はじめて紫上は、自分の妻としての立場に不安を感じ、嫉妬《しっと》する。

源氏はこのまま引き下がっては男がすたるという意地も手伝って、なかなかこの恋を思い切れない。しかし前斎院の意志は固く、自分の立場を守り通して、最後には出家してしまう。

源氏をとりまく女たちの中で、稀《まれ》に見る自我の確立したプライド高い女性である。作者はこの女性の性格を愛しているように思われる。

私はどうもこの女性がつかみきれなくて好きになれない。聡明に身を持すことは結構だけれど、物語の中で源氏がこれほど惚《ほ》れこむだけの魅力を紫式部はもうひとつ書き切っていないと思う。

親のふり見て

稀代《きたい》のドンファンの光源氏《ひかるげんじ》の嫡男《ちやくなん》の夕霧《ゆうぎり》は、親に似ない、真面目《まじめ》一点張りの、融通のきかない、不粋《ぶすい》な男であった。そういう例は現代の私たちの周囲を見回してもよくある例である。

どういう遺伝の法則が働くのか知らないが、大体好色な遊び人の親の子は堅物《かたぶつ》が多いし、酒呑みの子供に一滴も呑めない人物がいるのも珍しいことではない。千年昔の平安朝にも、そんな例があり、紫式部はそれを面白いと見ていたのだろう。

親も息子も色好みでは面白くない。その逆効果を狙《ねら》ったところなど、紫式部は意外性で読者の興味をいっそうひきつけるなど芸が細かい。

夕霧は、源氏の正妻葵上《あおいのうえ》が産み、母はその産褥《さんじょく》で死んでいったから、生母の顔も覚えていない。その点は、数え年三歳で生母に死別した源氏と同じ不幸を、人生のはじめに背負ったことになる。

夕霧は母方の三条邸で育つ。祖父は太政大臣《だいじょうだいじん》だし、祖母は内親王なので、何不自由ない育ち方をする。源氏は時たま訪れるが、夕霧の養育は一切舅《しゅうと》一家にまかせっきりである。十二歳の時、源氏は自分と同じように夕霧を元服さす。かつて源氏は、元服と同時に、左大臣の娘葵上を添臥《そいぶし》として結婚したが、夕霧にはそんなことをさせない。むしろ、極端にきびしい躾《しつけ》をして、位階もわざと六位の低いところからはじめて、大学へ入れ、勉強させるのだ。親の七光で、実力もないのに、早くからちやほやされては本人のために悪い、という教育パパ的な考えからだが、自分の若い頃と比べて、これはあまりに酷な扱いである。どうも物語の中では、源氏は夕霧を明石上《あかしのうえ》の産んだ娘や、不義の子冷泉帝《れいぜいてい》ほど愛していないように見える。

ところが夕霧は結構ませていて、早くもこの頃、祖父の家に引き取られて姉弟のようにして育てられた雲居雁《くもいのかり》という二つ年上の少女と通じてしまっていた。

雲居雁は、夕霧の伯父《おじ》に当たる内大臣（昔の頭中将《とうのちゅうじょう》）の娘だが、生母が父と離婚して、按察使大納言《あぜちのだいなごん》と再婚したので、父に引きとられて、祖母に預けられ、育ててもらっていた。この少女も薄幸な生い立ちであった。生母と死別、生別した少年少女が、どういう過程で心を寄せあい結ばれたかは物語は省略しているが、一つ部屋で育った二人が十歳になってからは、部屋も別々にされたとある。その頃からかえって、異性として意識しあい、幼い恋が生まれたのだろう。

雲居雁の女房たちはさすがに気づいてきたが、幼い恋に同情して、見て見ぬふりをして、見のがしていた。

　ふとしたことで、その噂《うわさ》が父の内大臣の耳に入り、短気な内大臣は怒って、すぐさま雲居雁を自邸に引き取ってしまう。彼としては、この娘を東宮妃にと当てにしていたので、怒りは烈しく、娘を疵物《きずもの》にした夕霧を憎んでいた。

　それ以来数年間も、ふたりは逢《あ》うことも許されず、辛《かろ》うじて文通だけで慰めあっていた。

　夕霧は生真面目で律義《りちぎ》なので、この筒井筒《つついづつ》の初恋の女を忘れず、ずっと想いつづけている。もっともその間に、源氏の腹心の家来惟光《これみつ》の娘が、五節《ごせち》の舞姫に選ばれた時、見初《みそ》めて恋文を送り、それがばれて、かえって惟光から許され、通い所としていた。しかし、夕霧にとって惟光の娘はあくまで情人の一人で、結婚の相手としては、雲居雁以外には考えていない。

　長い年月の間に源氏が見かねて、口をきこうとしたこともあったが、内大臣は全く受けつけなかった。

　雲居雁が二十歳になった時、さすがの気強い内大臣も弱気になって、夕霧と雲居雁との結婚を許す。夕霧は勤勉に学びつづけ、着々と昇進もして、頼もしい前途を嘱望される貴公子になっていた。源氏に似た美貌《びぼう》で品もよく、申し分ない青年なのだが、紫式部の筆は、どうも夕霧を、女にとって魅力的な男とは書いていないようだ。誠実で健康で女に対して行儀がよくて、仕事熱心で、顔もスタイルも悪くないのに、何かしら、つきあって面白くない男というものが、現代の社会にもよくいるものである。平たくいえば、性的魅力がないというのか、色気が足りないというのか、女の子にはあまり持てない。相談相手にはいいけれど恋人には物足りないという青年。こんな男は結婚の相手なら申し分なし、ただし、恋人には向かない。さしずめ夕霧はそういう人物である。

惟光の娘は頭もよく、宮仕えして藤典侍《とうないしのすけ》と呼ばれるようになり、まだ夕霧とはつづいていた。

夕霧はふたりが幼い恋をはぐくんだ三条の祖父母の邸に手を入れて、恋女房と新家庭を持つ。

雲居雁のまわりの人々は、

「こんな真面目な誠実な浮気心のない男なんて、今時いやしませんよ。ほんとにあなたは幸福なお方です」

と、夕霧のことを絶賛して、雲居雁の結婚を祝福するのだった。

雲居雁という姫君は、薄幸な生い立ちの翳《かげ》りもなく、年より稚《おさな》く無邪気で明るい性質だった。素直に幼い恋に殉じて、長い歳月を、一度も恋人の顔も見られない境遇の中でも、恋人を信じつづけて待っていた。

その可憐さ、素直さは、男にとっては、何より望ましい魅力だろう。とびぬけて美人というのでもないけれど、上品で愛くるしい姫君であった。源氏物語では、光源氏の華やかな、あるいは不倫の匂いの妖《あや》しい、またはスリリングな危険きわまる恋などを、次々妖艶《ようえん》に、あるいは優雅に、絵巻物のように読者の前に展開していく。その中で、夕霧と雲居雁の純情で一途《いちず》な恋は、清冽《せいれつ》な渓川《たにがわ》の流れのように、つつましく清らかにひびいて、読者にほっと安らぎを与えてくれる。誰の胸にもある郷愁に似た初恋が思い出され、身近な誰彼《だれかれ》を思い浮かべるようでくつろぎを感じる。

こんな細やかなサービスをしておいて、紫式部は物語が進んでいった後に、思いがけないこの夫婦の結婚生活の崩壊の様相を、ぎょっとするほどリアルに描いて読者の前に突きつけて見せるのである。

男の夢のハレム六条院

源氏物語は、女ほどには、男にとって魅力がないという話も聞く。だらだらしていて、主人公の源氏は仕事らしい仕事もせず、女ばっかり追っかけて、覗《のぞ》きやら夜這《よば》いに明け暮れているではないか、事もあろうに父親の妻や息子の嫁に懸想《けそう》するとは何事だと、向かっ腹を立てるのも無理はない。

それでも光源氏《ひかるげんじ》がこの世で建設してみせた六条院《ろくじようのいん》という広大なハレムの出現のあたりまで読みすすんでくると、男なら誰しも、うーむとうなってしまうだろう。

今度生まれ変わるなら、平安朝の貴族に、いや光源氏そのものに生まれ変わりたいと垂涎《すいぜん》の的にするだろう。

光源氏のそれまでの本居は二条院《にじようのいん》だった。その東の方に別邸を造って東の院とし、花散里《はなちるさと》を住まわせていた。紫上《むらさきのうえ》は二条院の西の対《たい》に住んでいた。

源氏三十四歳の秋頃から、六条京極《きようごく》の秋好中宮《あきこのむちゆうぐう》の里邸のあたりを、四町《よまち》をひとつにして広大な邸《やしき》を造営しはじめた。中宮の里邸というのは、故六条御息所《ろくじようのみやすどころ》から中宮が伝領した邸で、若き日の源氏が通い所のひとつとしていた想い出の邸である。

町というのは、京の市街地で、大路、小路によって区画された一区画で、一町は約百二十メートル四方、約一万五千平方メートルである。

町と町の間には、大路、小路の道幅が入るからそれも加えなければならない。これが四町だから四倍の広さになる。六万平方メートル、プラス道幅となるわけで、その広大さは想像に絶しよう。池田亀鑑氏の『平安時代の文学と生活』によれば、一町四十丈の計算で、四、四四四と九分の四坪となっている。その四倍だと約一七、七七七坪（約五万九千平方メートル）で、プラス道幅、という計算になる。

後楽園球場ビッグエッグ（現・東京ドーム）のグラウンドが一万三千平方メートルだから、比べて想像していただきたい。

その広大な邸を造営する源氏の意図は、あちこちに離れていて逢いにくい女たち、たとえば大堰《おおい》の山里の明石上《あかしのうえ》なども呼び集めて一緒に住もうという心づもりであった。文字通りハレムの構想である。

その邸は翌年の八月に完成した。旧暦だから秋で、約一年かかったことになる。東南の町に源氏と紫上が住み、西南の町は中宮の旧邸なので里邸とし、東北の町には花散里を、西北の町には明石上を住まわせる構想であった。

前からあった庭の池や築山《つきやま》も、都合の悪い場所のは崩したり移したりして、遣水《やりみず》の流れや池の形、築山の風情《ふぜい》なども、新しい設計のもとに大々的に改造する。その時、そこに住まわす女たちの好みや意見を取り入れてやった。

東南の紫上は春の住まいとして、築山を高く築き、春の花木を無数に植え込んだ。池の造りも趣《おもむき》深くして、庭先の前栽《せんざい》にも五葉の松、紅梅、桜、藤、山吹、岩つつじなどの春の草木を植え、秋の草木をその中にほんの少し交《ま》ぜて植えこんである。

中宮の秋の御座所は、もとからある築山に紅葉の色のよいのを植え、泉水を遠くまで流し、その遣水の音がいっそう冴《さ》えるように岩をふやし、滝の水を落とし、見渡す限り秋の野の風情にこしらえる。丁度《ちょうど》その季節なので、秋の草花が今を盛りと咲き乱れて美しい。

東北の花散里の住まいは夏に見立てて、見るからに涼しそうな泉をつくり、夏の日の木蔭《こかげ》を主とした造りにしている。庭先の前栽は呉竹《くれたけ》なので、下風も涼しそうで、高くそびえる森のような木立も趣があり、山里めいた風情で、卯《う》の花の垣根をめぐらし、花橘《はなたちばな》、撫子《なでしこ》、薔薇《ばら》、竜胆《りんどう》など夏の花を植え、少し春秋の木や草もまぜてある。

東側に特に馬場を造り、柵《さく》で囲んで、五月の競馬《くらべうま》などの折の遊び所にし、池のみぎわには菖蒲《しょうぶ》を植え茂らせ、向かい側には厩《うまや》を造り、名馬を何頭も飼わせてある。

西北の明石上の町は、冬に見立てた造りである。北側は築地《ついじ》でしきって、蔵《くら》が並んでいるそのへだてに松の木を茂らせ、雪の日、松に雪がつもる美しさを配慮している。

冬のはじめの朝霜が置くようにと菊の籬《まがき》が結《ゆ》われ、柞《ははそ》の原や名も知らぬ奥山の木々などをそのまま移し植え、自然の林らしく見せている。

これらの町々の境は塀《へい》や渡殿《わたどの》が設けられ、あちこちへ通うことが出来るようになっている。一番その道を利用するのは源氏である。

秋の彼岸《ひがん》の頃、完成して、まず源氏と紫上、花散里が移り、数日すぎて中宮がお里下りした。

明石上は、これまで頑固に入京を拒んで来たが、さすがに今度は拒みきれず、みんなの移転の終わった十月にそっと引き移った。

源氏は姫君の生母の明石上があなどられないよう、格別気を配って、調度類など申し分なく設備して迎えてやる。

このハレムには、やがて、思わぬことから結婚するはめになる女三《おんなさん》の宮《みや》を迎えるし、かつての恋人夕顔《ゆうがお》の忘れ形見の玉鬘《たまかずら》も引き取ることになり、いっそうハレム的色彩が濃厚になっていく。男として、愛する女たちを一所に集め、気分次第で通っていけるというのは、理想郷であろう。

正月には女たちに晴着を見たてて贈り、次々女たちを訪ねて回るというようなぜいたくなこともする。天子の後宮《こうきゆう》では、妃《きさき》たちが夜の寝所に通っていくわけだが、源氏の六条院では、源氏が女たちのほうへ通うことになる。

これらの邸は板敷きで、畳（置畳）や筵《むしろ》（花ござ）や茵《しとね》（畳を芯《しん》にして布で縁どった座《ざ》蒲団《ぶとん》）などを用い、部屋のしきりは、几帳《きちょう》や屏風《びょうぶ》や、簾《すだれ》や幕のようなものでしきる。

六条院はもちろん寝殿造りである。南面して中央に寝殿があり、その北に北の対、東に東の対、西に西の対があり、廊下で連なっている。寝殿の南に中庭、築山を築き、池を掘り、池には中島をつくり、橋を渡す。遣水を流し、池にそそぐ。池に臨んで東の対に泉殿《いずみどの》、西の対に釣殿《つりどの》がある。邸の周囲は築地をめぐらすという構えである。

こういう豪華な生活を支える源氏の経済力は底知れないものがある。

夕顔の忘れ形見

夕顔《ゆうがお》が某《なにがし》の院で物《もの》の怪《け》におそわれ急死したのは、光源氏《ひかるげんじ》十七歳の八月半ばのことであった。あれから歳月は流れ、十八年もすぎている。

その間、源氏はさまざまの女たちと恋を重ねてきたものの、いとしさの絶頂で断ちきられてしまった夕顔への想いはつづき、忘れる時もなかった。

新しい女を知るにつけても、あの夕顔が生きていたなら、と哀惜の念がこみあげてくる。六条院の完成を見るにつけても、夕顔を思い出すことが切だっただろう。

夕顔の最後の夜もお供をさせられ、その死に立ちあった夕顔の侍女の右近《うこん》は、大して取柄もない女だけれど、源氏は夕顔の形見と思って、事件以来、自分の邸に引き取って面倒を見ている。源氏が可愛がるので、今では古参の女房の一人になって仕えていた。

須磨《すま》へ流された時は、紫上《むらさきのうえ》に預けていたので、それ以来ずっと紫上の女房として仕えていた。気立てのよい控えめな女房だと、紫上にも気にいられていた。

右近はそんな暮らしの中で、内心、もし夕顔が今生きていたら、明石上《あかしのうえ》くらいの扱いは受けていただろうと口惜《くや》しく思っている。

源氏は一度関係を持った女は、さほど愛していなくても、決して零落させるような目には遭《あ》わさず、気長に面倒は見てやるたちなのを右近はわかってきたので、まさか、紫上や花散里《はなちるさと》のように身分の高い人々と同列にはならないまでも、六条院に必ず迎え入れられただろうと思い、夕顔の悲運が今更のように悲しまれるのであった。

夕顔にはあの時、頭中将《とうのちゅうじょう》との間に女の子が生まれていたが、あの姫君はどうしていらっしゃるかと心にかかりながら、源氏にあの時、絶対に源氏の名を洩《も》らすなと固く口止めされていたので、夕顔の家にもあれっきり音沙汰《おとさた》もしないままになっている。

夕顔の家では、突然、夕顔が行方不明になり蒸発してしまったので途方にくれた。右近まであれっきり姿をあらわさないので、探す手がかりも全くない。

そのうち、姫君の乳母《めのと》の夫が大宰府《だざいふ》の少弐《しょうに》（次官）になって赴任することになった。姫君は四歳になっていた。乳母たちは相談して、この上は姫君を夕顔の形見と思い筑紫《つくし》へつれていってお世話するしかないと考えた。頭中将に相談することも考えたが、夕顔のことを訊《き》かれると答えようがないので、それも出来なかった。また、夕顔をあれほどきらった正妻がその忘れ形見を引き取るはずもないだろう、など思い迷った揚句、九州へつれていくことにしたのだ。

姫君はまだ母親を覚えていて、

「お母さまのところへ行くの」

などというのがいじらしい。乳母には二人の娘がいたが、そのふたりも夕顔を恋い慕っていた。

大宰府の任期五年を終えた時も、乳母の夫は帰京する力もなく、ぐずぐずしている間に病に倒れた。十歳ばかりになって輝くような美しさを現してきた姫君を、このまま、こんな片田舎で埋もれさせてはもったいないと思い、息子たちに、

「どんなことがあっても、この姫君を京へおつれするように。それが私への孝行と思ってくれ」

と遺言して死んでいった。

乳母は夫に先だたれ心細く、何とかして早く京へ帰りたいと思うけれど、亡夫の仲のよくなかった土地の者が多く、あれこれ邪魔をされ、思うように帰国も出来ない。ぐずぐずするうち、また三、四年はたちまちすぎてしまって、姫君は匂うような娘盛りに成長した。夕顔より美しい上、父方の気品が加わって、申し分なく魅力的である。性質はおっとりとして可愛らしい。少弐は姫君の素姓を伏せて、自分の孫で大切に育てねばならない筋のものだといいふらしておいたので、誰もそれを信じている。美しいという噂《うわさ》を伝え聞いて、好色者《すきもの》の手紙が後を絶たない。乳母はとんでもないと思い、

「容貌《ようぼう》などは、まあ人並ですが、実はたいそう体が不自由で……結婚はさせず尼にでもして、面倒は見るつもりでいます」

など言いのがれをする。するとまた、

「少弐の孫は体が不自由なんだってさ。あんな美人なのに、惜しいなあ」

などと噂が広がっていく。それもまた腹立たしく、何とかして上京させ、今は大臣になっている姫君の父に引きあわせたいと思うのだった。

乳母の娘たちふたりはそれぞれ配偶者も出来て、筑紫に住みついてしまった。ぐずぐずしているうちに、姫君は二十《はたち》になっている。

成人した美しさはまた格別で、光り輝くようであった。さすがにこの頃では、こんな田舎で生涯を終えるのはいやだと思い、何とかして都へ帰してください、と願かけもするようになっている。

乳母の一家は今は肥前国《ひぜんのくに》（佐賀県、長崎県）に住んでいた。ここでも姫君への求婚者は後を絶たないが、中でも大宰府の大夫監《たいふのげん》という武士がいて、この男は肥後《ひご》（熊本県）一円に広大な土地を持ち、声望もあって威張っていた。この監《げん》が姫君に懸想《けそう》して、

「体が不自由だそうだが、まあ辛棒して、妻にしてやろう」

と熱心に言い寄ってくる。乳母は恐れをなして、

「とんでもございません。本人は何が何でも尼になると申しまして、縁談など見向き

もいたしません」

と断った。ところが監はかえって熱をあげ、とうとう熊本から佐賀までやってきて、乳母の息子たちに、

「姫と結婚したら、あなたたちと同盟を結んで、一緒に仲よくがんばろう」

など持ちかける。二郎《じろう》と三郎《さぶろう》はこの誘惑に勝てなかった。背景のない筑紫で、監の力を後ろ楯《だて》にするとしないでは生涯が変わってしまう。

「あの有力者の監に楯つけば、どんな復讐《ふくしゅう》をされるかわからない。これも前世の縁でしょう。いっそ姫君に監と結婚してもらいましょう」

など言いだす。乳母は気が気でなく案じ暮らした。

玉鬘シンデレラ物語

乳母《めのと》の長男の豊後介《ぶんごのすけ》（大分県の次官）は弟たちとはちがい、父の遺言を大切に思って、何とかして姫君を京へ帰そうと考えている。

弟二人に手引され大夫監《たいふのげん》がやってきた。三十ばかりで背も高く恰幅《かつぷく》もある偉丈夫だが、まるっきりの田舎者で、精一杯気どっているのがかえって武骨さと野暮さをさらけ出して話にならない。

「結婚したら、姫君を頭の上にかかげ奉《たてまつ》ってあがめましょう。たくさん世話しているこれまでのつまらぬ女たちとは別格にして大切にいたします」

などと求愛する。乳母は恐れをなして、体が不自由だからの一点張りで断りをいうが、

「どんな障害でも、私が治して進ぜよう。肥後《ひご》一国の神も仏も、すべて自分のいいなりに従っているのだから」

など大言壮語する。風流ぶって下手な歌など詠《よ》みかけて、あなどられまいとするの

が浅ましい。

　弟二人は大夫監にへつらいきっているので、豊後介はひとり思案をめぐらし、思いきって姫君をつれて都をさして逃亡する決心をする。姉妹のうち姉は子供も多くなったので身動き出来ず、妹のあてきは、長年つれそった夫を捨てて、姫君にお伴する。あてきは今は兵部《ひょうぶ》の君と呼ばれている。豊後介も妻子は足手まといなので捨てていく。

　ひそかに船に乗りこみ、夜逃げして海上へ漕《こ》ぎだした。特別仕立ての櫓《ろ》の多い早船を仕立てて、折からの順風に乗り、飛ぶように船は走りつづけた。監《げん》の追っ手が来ないかと、恐怖と不安で生きた心地もない。ようやく無事に上陸し、都へ入り、九条の昔の知るべを尋ねあてて、ともかくそこに荷をといた。九条あたりは上流の住む所ではない。貧しげな市の物売りたちの住む界隈《かいわい》でわびしいことかぎりない。豊後介も働き口もなく途方に暮れ、なすすべもなかった。ここまでついてきた家来たちも、次第に窮状に耐えかねて、一人去り二人去りしてほとんど筑紫《つくし》へ逃げ帰ってしまった。

　それでも忠義一途の豊後介は、姫君ひとりの幸福のため、たとえ身がほろんでもいいという心意気でがんばっている。この上は神仏にすがるしかないと、霊験あらたかという石清水《いわしみず》八幡宮に姫君をお詣《まい》りさせ、つづいて初瀬《はつせ》の長谷寺《はせでら》の観音詣《かんのんまい》りに出発した。歩いて詣ったほうが霊験があるというので、乗物も用いず一行は徒歩でいく。姫君は馴《な》れぬことなので、足を痛め、辛く苦しく、何という辛い因果の身の上なのだろうと、亡き母を恋いながら、泣く泣く夢中で歩きつづける。ようやっと四日めに椿市《つばいち》にたどり着いた時は、生きた心地もなくなっていた。

せまいその宿に、すぐ後へ来て相客になった一行があった。家来もたくさんつれた相当の身分の女二人づれで、見るからに裕福そうな一行である。

この女の一人こそ、あの夕顔《ゆうがお》と共に消えてしまっていた右近《うこん》であった。右近は源氏にひきとられ何不自由なく暮らしているものの、夕顔のことが忘れられず、年月と共にあまりに身分が上がりつづける源氏のもとで肩身のせまい想いがして、行く末を思い悩み、度々《たびたび》長谷寺へ徒歩でお詣りしているのだった。

相客の間は幕でしきりをしただけなので、話し声や気配はそのまま伝わってくる。

「このお食事は姫君にさしあげてください。こんな所でお膳もなくて失礼ですが」

という男の声に、相客は相当な身分の人かと、右近が幕のかげから覗《のぞ》いてみると、男は何やら見覚えがあるような気がするが思い出せない。昔の若かった俤《おもかげ》しか覚えていないので、中年ぶとりで、陽にやけ、貧しげな風の豊後介がとっさにはわからない。

「三条《さんじょう》、姫君がお呼びです」

という声がして出て来た女を見て右近はおどろいた。夕顔に仕えていた下女《しもおんな》の一人で五条のかくれ家にもつれていった女ではないか。それではこの男は、あの乳母の長男の兵藤太《ひょうとうだ》といわれていた人だったのかと、夢のような気持がする。

ここで右近と乳母たちは思いもかけぬめぐりあいをする。幕も屏風《びょうぶ》もひきのけて、お互い手をとって再会の嬉しさに泣き笑い、話はつきない。姫君の苦労も夕顔の死も互いに語りあって、泣くばかりだった。

翌日はいよいよ御堂《みどう》に上って観音の前で参籠《さんろう》する。姫君の一行は三日の予定なので、右近もそれにつきあい、夜は同じ宿房に泊まり、つきぬ話を語り明かす。右近は姫君を間近に見て、紫上《むらさきのうえ》にも劣らない美しさだと感嘆する。自分の長い願かけがこうして叶《かな》えられた上は、源氏に姫君を引きあわせ、姫君の未来の幸運を導いてもらおうと思う。

この姫君の筑紫での苦難から、長谷寺での右近との邂逅《かいこう》の場面までは、これまでの源氏を中心にした話とは突然趣が変わって、波瀾万丈《はらんばんじょう》で、数奇な運命にもてあそばれた薄幸の姫君の運命やいかにと、読者の手に汗を握らせる。作者の筆遣いも、大衆小説的な読者を引きつける味付けがきいて、テンポも速くなり、場面転換も劇的で、千年後の今読んでも映画を見るような面白さがある。

大夫監や、下女の三条のこっけいな描写もリアリティーがあって幕間《まくあい》狂言のように、息をいれさせてくれる。

紫式部はこういう脇役《わきやく》を書くと、筆がいきいきと冴《さ》えてくる。人間洞察力が秀《すぐ》れていて、あらゆる階級の人々の心理や性格を書き分ける筆力はすばらしい。

夕顔の忘れ形見の姫君玉鬘《たまかずら》は、そこだけを取り出しても、一篇の興味深い物語になる要素を持っている。王朝シンデレラ物語である。
十二、三歳から後宮《こうきゅう》に入ったり、結婚したりする貴族の姫君の多かった時代に、玉鬘は二十歳まで処女だったという設定も特異である。
自分のせいでなく、幼児からずっと不運であった玉鬘に、読者は知らず知らず同情させられていて、その幸福を祈りたくなる。

「紫式部さん、玉鬘はどうなるの、早く幸福にしてやってくださいな」

愛読者の女房たちにせがまれている紫式部の、内心の嬉しさをかみ殺したおすまし顔が目に見えるようである。

危険な関係

玉鬘《たまかずら》を発見したと右近《うこん》から知らされた源氏は、夢かと喜び、早速、六条院へ引き取ることにする。

源氏は、玉鬘がどんな女か心配で、右近に色々訊《き》きただそうとする。

「顔や姿は、あの夕顔《ゆうがお》に劣らないほど美しいか」

「はい、いくら母娘《おやこ》でも、夕顔さまほどの美しさではあるまいと思っておりましたが、どうしてどうして、ずっと母上より美しく成人していらっしゃいます」

「ほ、ほう、それはすばらしいじゃないか。たとえていえば誰くらいかな、この紫《むらさきの》上《うえ》とくらべたらどうだろう」

「まさか、それほどでは」

謙遜《けんそん》した口調で、否定しても、右近の表情には、玉鬘が紫上と比べてもさほどひけはとらないだろうという得意さがかくしきれない。源氏は、

「相当な自信ぶりだな。まあ私に似ているのなら、安心というところだが」

など、実の親めいた口調でごまかしている。

そこに居あわせた紫上の手前も、それ以上は突っこんで訊けないのだ。

後でこっそり右近だけを呼び、すべての事情を聞きとった。今さら実父の内大臣に知らせたところで、内大臣にはたくさんの姫君がいるし、大して後ろ楯《だて》もない玉鬘が急に入っていっても、気苦労ばかり多いだろう、当分は、思わぬところから、自分の娘が発見されたと世間には披露しておこう、と考える。右近に否応はなかった。

「それはもう、お心のままに遊ばしてください。万事おまかせ申しあげます。内大臣に申しあげたくても何のつてもありませんし、あのようにはかなくお亡くなりになった夕顔さまの形見に、とにもかくにも、姫君を引きたてて御世話なさいますことが、罪ほろぼしにもなりましょう」

と、ずけずけいう。源氏は、

「えらく言いがかりをつけるじゃないか」

と笑って、右近の言い分を聞きいれる。右近にだけしか夕顔の想い出は語れないので、源氏は右近に対しては本音の述懐をする。

「夕顔のことはいつまでも、はかない縁《えにし》だったとあわれに思いつづけている。今この六条院に集めた女君《おんなぎみ》の誰と比べても、あれほど夢中で一途《いちず》になったことはなかった。長生きして私の心変わりしない誠実さを見届けた女たちもいるというのに、あの人だけはあんなにあっけなく亡くなってしまって……」

と嘆くのだった。

そうはいっても、長年辺境で落ちぶれて育って来たので、田舎臭くて人前にも出せないのではないかと源氏は内心、心配している。一応手紙を出して様子を見るが、玉鬘の返事はまあまあ筆跡も品がよく、見所もあるのでほっとする。

さて引き取るとなると、どこに迎えればいいのか。東南の町は、紫上と源氏が居て賑《にぎ》やかに人の出入りも多いし、空いた部屋などない。西南は中宮の里邸だから、女房たちと同じように見られる心配もある。花散里《はなちるさと》のいる東北の町は西の対《たい》が文庫に使われているので、文庫を移してそこへ迎えようということになった。花散里はおだやかなやさしい性質なのできっと面倒を見てくれるだろう。

源氏ははじめて紫上に、昔の夕顔との情事の顚末《てんまつ》を打ち明ける。紫上は今までかくしていたのを水臭いと怒るが、源氏は例によって機嫌をとり結ぶ。

「色々女のことでは苦労したので、決してもう女にかかわるまいと思っているのに、ついつい関係が出来てしまうのです。でもそんな女の中でも、心底からただもうひたすら可愛いと思ったのは、夕顔の外にないくらいです。もし生きていたら、北の町の明石《あかし》くらいの扱いはしていたでしょう。才気があって気が利くという点などは全くなかったのですが、実におっとりして、女らしく可愛らしかった」

「まさか、明石上と同列になどなさるものですか」

紫上は、明石上のこととなると、嫉妬《しっと》があらわに出てしまう。

花散里は素直に喜んで、源氏の本当の娘があらわれたと思いこんで迎え入れる。女房たちを集めたり、それぞれの衣裳を調達したりするのに結構日数がかかる。道具や衣裳はすべて源氏がまかなった。

さていよいよ六条院へ迎えてみると、想像以上に玉鬘は美しく魅力的なので、源氏は満足だった。夕顔より品があり理知的で、華やかな面もある。聡明なので、すぐ六条院の空気になじんで、みるみる都会風に洗練されていく。

紫上だけには、実父は内大臣だとあかしてあるが、他へは一切源氏の娘だとふれてあるので、様々な面倒がおこる。夕霧《ゆうぎり》は本当の姉と思いこんでいるが、血のつながった実兄の柏木中将《かしわぎのちゅうじょう》などは、それと知らず熱心に恋文をよこしたりする。源氏は、玉鬘の親ぶって、そんな恋文をあれこれ見たり、玉鬘の評判が日ましに上がって、若い殿上人《てんじょうびと》たちや頼もしい有力者たちの心をそそっているのが、ゲームを見ているようで面白くて、愉《たの》しんでいる。

しかし、目の前に置いた玉鬘の美しさに好色な心をそそられないわけはない。

夕顔の忘れ形見を自分の女の一人として何の不都合があろうと、心の底ではむずむずしている。

いっそ内大臣にすべての事情を打ち明けて、自分の妻の一人にしてしまったほうがいいかもしれないなどと考えもする。

玉鬘は紫上とも引き合わせたが、紫上も気にいって面倒を見ている。もう二十一歳にもなるので、何かにつけ、しっかりした判断が出来るところも頼もしいのだった。

一番有力な求婚者は、源氏の弟の兵部卿《ひょうぶきょうのみや》宮と、髭黒右大将《ひげくろのうだいしょう》だ。

あの忠義な豊後介《ぶんごのすけ》は、その誠実さを認められて、今では六条院の、玉鬘の家司《けいし》に取り立てられ、家政の一切をまかせられ、思わぬ出世をしている。昔なら、ちらとも拝することの出来なかった源氏に近々とお仕えして、六条院を自由に歩きまわっている現在の自分の幸福が信じられないようで、いっそう心を尽くして、奉公第一と励んでいるのだった。

初春衣裳選び

六条院の栄華の様が最も具体的に書かれている場面は、年の暮れになって、源氏が女たちそれぞれに、新春の晴着を選び贈ってやる場面であろう。

事のおこりは、玉鬘《たまかずら》が六条院ではじめて迎える新年の部屋の調度や晴着の支度などを、他の女君《おんなぎみ》たちにひけをとらぬように源氏が調《ととの》えてやることからはじまった。何といっても田舎育ちなので、好みは洗練されず野暮《やぼ》臭《くさ》いだろうと、源氏は心配したからだ。

職人たちが腕によりをかけて染めたり織ったりした新調の衣裳が、華やかに運びこまれるのを見て、源氏は紫　上《むらさきのうえ》に、

「誰にも公平に恨みっこなしに分けてやらないといけないね」

といい、女たちそれぞれの晴着の衣裳選びをはじめるのであった。

紫上も御匣　殿《みくしげどの》で作らせた衣裳や、自分が仕立てさせたものをみんな集めてそこへ持ちだしてくる。御匣殿というのは、宮中の衣類調進所の役所の名だが、上流貴族の

邸《やしき》にも、そう呼ぶ衣裳係があった。部屋いっぱいにひろげられた艶《あで》やかな色彩の氾濫《はんらん》は、想像しただけでも華やかで豪華である。源氏がそれらの中から、次々選びだしていくのを女房たちが片端から衣裳櫃《びつ》や衣筥《ころもばこ》に納めていく。

「着る方にあわせて選んでおあげなさいまし、衣裳がしっくり似合わないのは見苦しいものですから」

と紫上が口を出す。

「そんなことをいって、私が選んだ衣裳で、着る人の器量を想像しようというつもりだな」

源氏は紫上をからかっていう。

六条院に集められてもお互いに顔を見たこともない女たちなのだから、紫上が衣裳でその顔や姿を想像したくなるのももっともなことである。

源氏はまず紫上の晴着を選ぶ。紅梅の模様がくっきり浮きあがるように織られた薄紫の御小袿《おんこうちき》と、濃い紅梅色のとりわけ美しい袿をとりあげる。それは華やかで若々しい紫上にぴったりのものである。明石《あかし》の姫君には桜襲《さくらがさね》の細長《ほそなが》に、薄紅の艶《つや》のよく出た柔らかな絹の袿をあわせる。桜襲というのは、表が白、裏が紫か蘇芳《すおう》である。

花散里《はなちるさと》には薄藍色《うすあいいろ》に波や藻や貝などが取りあわされた紋様の小袿、織り方はなまめかしいけれど、色合いは沈んで見えるのに、ごく濃い紅の掻練《かいねり》をそえている。玉鬘には、鮮やかな赤い袿に、表が赤みのある黄色で裏が黄の山吹襲《やまぶきがさね》の目のさめるような細長を選んだ。

紫上はさりげない表情でそれらを見ていたが、その華やかな取合わせを見て玉鬘を想像している。たぶん実父の内大臣の、派手でぱっと目立つような美しさがあるけれど、陰影となまめかしさのたりない感じに似ているのだろう。

紫上のさりげない表情の中に、源氏はいつもとちがう好奇心と嫉妬《しっと》が隠されているのを見ぬいて、

「まあ、人の器量を衣裳で見立てるのは、本人にとっては不平なことだろうよ。いくらきれいだといっても、衣裳の色には限りがある。人の器量は美人でなくても、やはり奥に何かがあるものだからね」

などいいまぎらす。そして紫上が問題にもしていない二条院にいる末摘花《すえつむはな》の衣裳を選ぶ。それはわざと鮮やかな柳色の織物に唐草の乱れ模様を織りだしたのをとりあげて、にやにやしている。着る人との不調和を笑っているのだ。

やはり二条院にひきとられている空蟬《うつせみ》は尼になっているので、青鈍色《あおにびいろ》の織物に、源氏の衣裳の中の梔子色《くちなしいろ》の袿に、薄い紫色をそえて選ぶ。

明石上《あかしのうえ》には、梅の折り枝に、蝶《ちょう》や鳥が飛びちがっているエキゾチックな白い小袿に、濃い紫の艶《つや》やかなのを重ねて選び出した。

紫上はそれが似合う見るからにしゃれた高雅な女を想像して、やっぱり、と内心おだやかでない。

源氏はそれを元日に着るようにと手紙をそえて、女たちの許《もと》に届けてやる。

そうしておいて、いよいよ年が明けると、源氏三十六歳の元日である。一点の雲もないのどかな初春の空の下を、源氏は女たちの許へひとりひとり訪ねていく。

自分の選び贈ってやった晴着が、どう似合っているか見にゆくのだ。

まず花散里の所へゆく。花散里と源氏は、今では性ぬきの間柄になっているが、源氏を一番安らがせてくれるものがある。派手でない落ち着いた晴着の取合わせが似合う地味な人で、髪もぐっと少なくなり、艶もない。せめてかもじでも使えばいいのに、そんなしゃれっ気もないらしい。自分以外の男なら、魅力も感じないだろうなと思いながら、源氏は心を許しきって、しみじみ語らって出ていく。その足で西の対《たい》の玉鬘のところへ立ち寄る。鮮やかな山吹襲の晴着に負けず、一段と晴れやかで華やいだ器量は、申し分なくきらびやかにさえみえる。九州での苦労のせいか、髪の先の方がすこし少なくて、さらりと袿にかかっているのさえ、さわやかに見え、源氏は娘分としてこのままにはしておけないと心をそそられる。

少しそこで話しこみ、夕暮れになって明石上のところに寄る。御殿に近い渡殿《わたどの》の戸を押し開くと同時に、御簾《みす》の中にたきしめた香《こう》の匂いがなまめかしく漂ってくる。部屋の中に本人の姿は見えず唐渡《からわた》りの錦《にしき》をふち取りにした茵《しとね》の上に琴《きん》が置かれ、風流な見事な火桶《ひおけ》に侍従《じじゅう》香《こう》がくゆらしてある。硯《すずり》のあたりに草子など取りちらし、手習いの反古《ほご》に美しい字が書き流してある。すべての雰囲気から、明石上が朝から源氏を迎えるため、どんなにすみずみまで気を配り、待ちかねていたかがうかがわれる。手習いの反古の歌は、今朝、明石の姫君から、小松を贈ったお礼の歌が届いたのに対し、

「めづらしや花のねぐらに木《こ》づたひて
　谷のふる巣をとへるうぐひす」

と書いてある。「待っていたその声」と書きそえてあるのもいじらしい。気がつくと、明石上がいつの間にかあらわれていた。にじりながらすりよってくる。贈られた衣裳にあわせて、部屋の飾りつけを唐風に統一してあるが、女の態度はあくまでつつましくしおらしい。

白い唐綾《からあや》の例の袿に鮮やかに黒髪がかかっているのが、少し先細っているのさえ、いっそうなまめかしく見える。やはり明石上の魅力は最高だった。源氏は紫上に気がねしながら初春の最初の夜をついにその部屋で泊まってしまうのだった。

養父の横恋慕

玉鬘《たまかずら》が六条院へ引き取られて、早くも半年が過ぎていた。

六条院では撩乱《りょうらん》の春の日々を、新造した竜頭鷁首《りょうとうげきしゅ》の船を池に浮かべ、人々を招待して賑《にぎ》やかな音楽の会をもよおしたりする。雅楽寮《うたづかさ》の人々を呼び、親王や上達部《かんだちめ》も大勢集まって、それぞれに楽器の秘術のかぎりを披露する。

毎日のように何かと口実をつけ遊びの催しがあるので、宮たちや若い上達部が六条院へは喜んで集まってくる。彼等の目あては東北の町に住む西の対《たい》の姫君玉鬘であった。玉鬘は女たちにも好かれて、誰とも仲よくやっていく才覚もすなおさもあって、うるさいはずの女房たちにも、とやかくいわせないものがある。

言い寄る男たちの品定めは辛辣《しんらつ》にするが、源氏は玉鬘の婿選びには慎重で、なかなか決めようとしない。本心は、もう誰に渡すのも惜しくなっていて、いっそ実父の内大臣にすべてを打ち明けてしまって、世間にも他人であることを公表すれば、自分も求婚者のひとりになれるのだがなど、心が迷うことしきりである。

その間にも玉鬘の評判は上がりつづけ、言い寄る男たちは後を絶たない。内大臣の息子たちは実の姉とも知らず、しきりに恋文を寄こすのが玉鬘の側からいえば辛《つら》くてたまらない。

有力候補は北の方に先だたれた兵部卿宮《ひょうぶきょうのみや》と、髭黒右大将《ひげくろのうだいしょう》だが、さてとなると、源氏は両人とも玉鬘をやるのは惜しい。次第に玉鬘への恋心がつのるのをかくしきれず、話の折にその気持を匂わせてみるが、玉鬘は一向に気づかないふりをするので、源氏は次第に悩ましくなっていく。

玉鬘を可愛いと思う気持がつのって、紫上《むらさきのうえ》にもつい話したくなる。

「不思議に心を惹《ひ》きつける魅力のある人柄ですよ。昔の姫の母親はただもうやさしすぎて晴れやかなところが全くなかったけれど、玉鬘の姫は聡明で、しっかりしているし、人なつっこい面もあって安心出来る人柄です」

など手放しでほめるのを聞き、紫上は、こうなると只《ただ》ではすませられない源氏の癖を知りぬいているので、

「すっかり気を許して、安心してあなたに頼りきっているのがお気の毒だこと」

という。

「どうして私が頼もしくないことがあるものか」

「さあねえ、わたしだってはじめは親のように頼りきっていましたのに、ずいぶん、

さんざん苦しめられて、辛棒しきれないような目にもあわされましたものね」と笑いながらいうので、源氏は紫上の勘の早さに愕《おどろ》いて、その話はあわてて打ちきってしまう。

西の対へ行くことが次第に多くなり、とうとうある日、玉鬘があんまり夕顔《ゆうがお》に似て見えたので、源氏は抑えきれなくて玉鬘の手をとって、

「あんまりお母さまに似ているので、だんだん気持を抑えられなくなってしまいます。あまり嫌わないでください」

と、親らしくない心のうちを打ち明けてしまった。玉鬘はあきれて情けなく思うけれど、邪慳《じやけん》にその手を振り払うことも出来ない。源氏はとった手がふっくらと肥《こ》え、身体つきや肌などいかにもきめこまやかで愛らしいのでますますひきつけられて、日頃の恋心を打ち明けずにいられない。玉鬘は思いがけない成行きにただもうおびえて震えている。源氏はいっそう積極的になっていう。

「どうしてそんなに嫌うのですか。これからだって誰にもこの気持を気づかれないよう用心していますよ。あなたもさりげないふうに隠していらっしゃい。これまでの深い親の気持の上に、さらに恋の熱情が加わるのだから、わたしの気持は誰よりも強いはずです。あなたに恋文を寄こすこんな人たちにひけをとっていいものですか」

あきれたけしからぬ親心もあったものだ。

そんなある夜、雨がやみ風の音が竹の葉をさやがせ、月がはなやかに昇り、月光が部屋の中まで淡々《あわあわ》とさしこんでいた。女房たちも何となくふたりのしっとりした雰囲気に遠慮して水いらずにしようと気をきかせ、そばには誰もいなくなった。源氏はこんな好機はまたとないと思い、打ち明けてしまった心のたかぶりのまま、するりと着物をぬぎすてて近々と玉鬘の横に添い寝してしまった。

原文では、

「なつかしいほどなる御衣《おんぞ》どものけはひは、いとよう紛《まぎ》らはしすべしたまひて、近やかに臥したまへば」

とある。着馴《きな》れて柔らかくなった着物の衣《きぬ》ずれの音を上手にまぎらせてお脱ぎになって、ということである。いくら親子でも几帳《きちょう》をへだててあからさまに逢わないのが普通だけれど、源氏はもう几帳の中に入り、手を握っているのだから、その接近度は密接である。その上、着物までぬいでしまい、ぴったり寄りそって添い寝するというのは、玉鬘の横になっているそばへゆき、彼女の衣裳の中に入ってしまったことである。源氏の着ているものは直衣《のうし》と指貫《さしぬき》だっただろうから、それを脱ぐというのは、ぴったり女に寄りそいたいためで、あわよくば、そのまま、抱いてしまうつもりだった。ところが玉鬘があんまりびっくりして身を硬くして辛そうに泣きだしたので、さすがにそれ以上のことは出来なくなってしまった。

「これほど嫌われているとは、何とまあ情けないことだろう。全く見知らない同士でも、男女の仲というものは女はたいてい男に身をゆるすのに、これまでこんなに親しくしてきた仲で、これくらいのことをなぜそうまで厭《いや》がるのでしょう。これ以上の無理なことは決してしはしません。こらえようもない恋しさを、ほんのわずかだけこうさせてもらって慰めるだけなのに」

しみじみとやさしくかきくどく。こうしていると夕顔の時のことがそのままに思い出されてたまらなくなる。それでもさすがに源氏も軽はずみだったことを反省して、この日はそれ以上手を出さないで、女房たちにも怪しまれないうちにこっそり出ていった。出て行きぎわには、

「ゆめゆめ人に悟られないように」

と注意したのは、いい気なものにもほどがある。

蛍の光で見る女

源氏物語の中には数々の名場面があるが、蛍《ほたる》の巻の冒頭の部分もそのひとつである。源氏にはっきりと意中を打ち明けられ言い寄られて以来、玉鬘《たまかずら》は困惑しきっている。

源氏は一たん心の中を玉鬘に打ち明けてからは、いっそう想いがつのって、前よりしげしげ訪れてきて、女房たちのいなくなったすきを見ては言い寄ってくる。

玉鬘は源氏の恋慕をとんでもないことだと思っているものの、こうまで世話になりきっている身分がら、あまり木で鼻をくくったような対応も出来ない。その逡巡《しゅんじゅん》の中には、源氏の身分に対する遠慮もあるが、すでに玉鬘が二十《はたち》もすぎていて、人並以上の苦労もしてきて、世の中の義理やからくりがわかっているせいもあった。

玉鬘は、源氏の言い寄る言葉の意味に気づかないふりをして、はぐらかし、相手をしている。かまととぶるというのではなく、玉鬘の性格がのどやかで人なつっこいため、自分では結構真面目《まじめ》ぶって堅苦しく対応しているつもりなのだけれど、やはり、可愛らしく愛嬌《あいきよう》のある魅力がきわだってくる。それが源氏にはたまらなく、いっそう玉鬘への想いがつのるのだった。

そんなことと知らない兵部卿宮《ひようぶきようのみや》などは、熱心に文《ふみ》を通わせ、相変わらず交際をせまってくる。

五月は婚姻を忌む習慣がその頃はあったので、兵部卿宮は、はや五月雨《さみだれ》になってしまったのに一向に色よい返事もくれないとぐちをいい、せめても少し近くへよせてほしいといってくる。

源氏はその手紙を読んで、

「なに、大丈夫ですよ。そんなに心配しないで、あまり無愛想にしないほうがいい。こういう皇族などが言い寄るのは悪くないことだ」

などそそのかすようなこともいう。わざわざ返事の書き方まで教えて、筆をとらせようとする。玉鬘は、自分に言い寄りながら他の男との交際もけしかけるそんな源氏の、わけのわからない態度がいっそううとましくてならない。

源氏は宮がどんなふうに言い寄るか見ていたい好奇心もあるのだ。そんな源氏の態度を見ていると、玉鬘は宮に惹《ひ》かれる気持はないものの、源氏の横恋慕の様子を見ないですむものならと、少しは宮に対して心が動くのだった。

源氏が玉鬘の女房に書かせた色よい返事に、宮は有頂天になって、今宵《こよい》こそはと、いそいそ訪ねてきた。

源氏は面白がって、その一部始終を見届けてやろうと、用意万端おこたりない。空薫物《そらだきもの》の香を選んだり、几帳《きちょう》や調度に気をくばったりそわそわしている。もちろん宮は源氏がそこにかくれているなど夢にも知らない。廂《ひさし》の妻戸《つまど》の間《ま》に茵《しとね》を出され、そこに招じ入れられた。几帳をへだてた向こうに玉鬘がいるのだから、嬉しい待遇である。手紙の代筆をさせられている宰相《さいしょう》の君という女房は、こんな時姫君にかわってはかばかしい返事をする方法も知らないので、気おくれがしてひっこもうとする。源氏は、「控えめすぎだ」といって指先で宰相の君をつねるので、困りきっている。

源氏が女房をつねるというのはこっけいだ。「引きつみたまへば」と原文にある。

この夜、源氏はずいぶん凝った趣向を見せる。玉鬘が奥に引きこんでいるところへいき、

「それではあんまり失礼だから、もっと近くへ出て、取りつぎではなく自分で返事くらいしてあげなさい」

などいい、玉鬘がしぶしぶ几帳のかげまで出て寄り臥《ふ》していると、いきなり几帳の一枚をあげてそこからさっと光るものをさしいれた。

玉鬘は紙燭《しそく》をさしいれたのかと、どきっとする。それは源氏が夕方から蛍をたくさん集めて、薄絹につつんでおいたものを、いきなりぱっと放ったのだった。玉鬘はあ

わてて扇で顔をかくしたものの、その横顔は蛍の光にほのみえて、この上なく美しい。

「急に光がさしたので、宮も覗《のぞ》かれるだろう。私の娘と信じているから言い寄っていられるのだろうが、実際に姫がこれほど美しいみめかたちの女だとわかれば、もっと夢中になるにちがいない。うんと迷わせてあげよう」

そんないたずら心でたくらんだ趣向だと原文は説明する。そうしておいて源氏は別の戸口からそっと逃げだしていく。

源氏の計企は功を奏し、宮は蛍の光のとびかう中に姫がうち臥している姿を一瞬の間に目にやきつけてしまった。女房たちがあわてて蛍を追いはらったので光はたちまち闇《やみ》にかき消えてしまった。

「なく声もきこえぬ虫の思ひだに
　人の消《け》つにはきゆるものかは」

と宮はいう。声のない蛍火さえも人が消そうとしても消えるものではない、まして私のあなたへの思いが消えるものですか、という気持を詠《よ》んでいる。

「こゑはせで身をのみこがす蛍こそ
　いふよりまさる思ひなるらめ」

だまって身をこがしている蛍のほうが、あなたのように思いを口になさる方より、深い思いでしょうと、一応返歌はしておいて、玉鬘はそのまま、奥へ入ってしまった。

ずいぶんつれない仕打ちだと思いつつ、宮は五月雨に濡れてしおしお帰っていった。

蛍の光で女を見る趣向は、伊勢物語にもある。もしかしたら、紫式部はそんないたずらを男からされ、乳房に蛍を光らせたような想い出があったのだろうか。

私はこの場面が実に美しいと思ったので、紙燭にかわるほどの蛍を集めて、この場をまねてみようとしたことがある。それはとても大変なことで、蛍を集めるだけでも困難だったのであきらめてしまったが、蛍かごの中に二十匹ほどいれた蛍の光でも、闇の中で光らすと、人の顔が見えるほどだったのは実験した。

自分の娘のように扱いながら、実の娘ではない姫への源氏の複雑な屈折した恋心が、蛍の場面にはうかがえる。自身で気づかない玉鬘のコケティッシュな母ゆずりの性格もほのみえてゆかしい。

性ぬきの夫婦愛

源氏の数多い女たちの中で、花散里《はなちるさと》がどう読んでも魅力がないのに、源氏が最愛の紫　上《むらさきのうえ》についで最後まで大切にしていた、ということは前に書いた。

外国人さえそれを不思議に思ったらしく、フランスの女流作家のユルスナールも、花散里をモデルに小説を書いたことも、その時あげておいた。

蛍《ほたる》の巻に、源氏が花散里のところに珍しく泊まる場面がある。

源氏は花散里に、母を失った夕霧《ゆうぎり》を預けて母代わりの面倒も見させるし、玉　鬘《たまかずら》を同じ邸内の西の対《たい》に住まわせて、その世話も頼んでいる。

どんな時でも、花散里は源氏にさからうことはなく、すべて素直に、はいはいと聞き従う。嫉妬《しっと》めいたことを口に出したり、そぶりに見せたりすることもない。

源氏は花散里のつつましい素直ないじらしい性格に惹《ひ》かれているのだと、紫上に述懐したりすることもあるほどで、離れられない気持でいる。

夕霧は花散里に面倒を見てもらいながらも、どうしてこんな不器量な魅力のない女に源氏が惹かれるのか不思議に思う。むしろ醜いほうだと夕霧は観察している。

源氏も花散里があまり化粧もせず、すっかり少なくなった髪をそのままにしているのを見ると、かもじくらい添えてごまかしつくろえばいいのにと思い、自分以外の男ならこんな花散里に厭気《いやけ》がさし、とうていこうは長く面倒は見きれないだろうと思う。そういう女でも自分は見捨てないのだという自己満足が源氏のほうにはある。

どんなに情熱のない扱いをされても、花散里が自分に愛想をつかさないのも、源氏の自尊心をくすぐっている。

二人がもういつからか性ぬきの仲になっていることは、初音《はつね》の巻にもちらりと出ている。

「今はあながちに近やかなる御ありさまももてなしきこえたまはざりけり」

とあるのは、今ではもう強《し》いて親しく枕《まくら》を交わすような対応もなさらないのだったということで、すでに性ぬきの間になっていることを示す。この場合は源氏が主語なので、源氏のほうから、自然、そういう関係にしていったということになる。

花散里のいる六条院の東北の町は、広い馬場がついていた。

五月五日の節句に宮中の武徳殿《ぶとくでん》で競射《きょうしゃ》の手合わせがある。夕霧は左近衛府《さこんえふ》の中将なので、この試合にも出たついでに、友達をひきつれて六条院へ来た。花散里の馬場で、まだしたりない気分の競技のつづきをしようという算段なのだ。源氏は一足先に来て、花散里にその計企を伝えてやる。

「まだ明るいうちに来るといっていましたよ。何をしても六条院でことがあると派手に仰々しくなってしまう。ま、万事そのつもりで用意しておいてください」

古女房に、息子が友達をつれてくるから、その支度を充分して恥をかかさないようしてやってくれという、よく気のつく父親の態度である。

こんな時は、女房たちはこれ幸いと、簾《すだれ》のかげから、こっそり若い男たちを覗《のぞ》き見て、品定めしたり、胸をときめかせたりする。もちろん姫君はそんな真似《まね》は出来ない。

源氏は、

「さあさあ、若い女房たちは渡殿《わたどの》の戸を開けて見物するがいい。今、左近衛府にはなかなか立派ないい男が多いよ。なまなかな殿上人《てんじょうびと》にも負けないほどだ」

など、けしかけるようにいう。

夕霧につれてこられた若い兵たちは、華やかな六条院の空気にすっかり酔わされ、女房たちのちらちらする気配にはりきって、競技にはげみがつく。女たちは競技のルールなど一向にわからないまま、若い男たちが大ぜいいるという雰囲気にすっかり酔っている。

華やかに競技が終わり、日も暮れてしまってから、みんなが引きあげた後、源氏は珍しく花散里のところに泊まった。もちろん、競技の間の飲物や後の食事は花散里がぬかりなく用意しただろうし、こういう後で出す禄《ろく》の品々なども、花散里のところで心配して出したはずである。

そんな気疲れに対してのねぎらいの気持もあって、源氏はその夜花散里の所で泊まったのだろう。西の対の玉鬘のところへは毎日のように訪れていても、めったにこちらに顔を出さない源氏が、珍しく泊まるなどいいだしたので、花散里は内心愕《おどろ》きながらも嬉しい。

源氏がすっかり気を許した態度で、今日の客たちの品定めをするのにも、程のいい相槌《あいづち》を打って、源氏の興をそぐようなことはしない。

眠る時になると花散里は当然のように寝所は別にして、自分の帳台を源氏にゆずり、几帳《きちょう》を間に置いて、自分は几帳のかげに眠るのだった。

いつからこんなふうになったのだろうと、源氏は可哀そうに思う。

「その駒《こま》もすさめぬ草と名にたてる
　汀《みぎは》のあやめ今日やひきつる」

と花散里はつつましく詠みかけるのだった。

馬も食べないという水際の菖蒲《しょうぶ》のように、誰も相手にしてくれない私を、今日は節句なのでお引き立てくださったのかしら、という意味で、源氏はさりげない歌に花散里の分をわきまえたつつましさや淋しさを感じ、

「にほどりに影をならぶる若駒《わかごま》は
いつかあやめにひきわかるべき」

雌雄そろって離れない鳰鳥《におどり》（かいつぶり）のように、いつも菖蒲と一緒に水に影をおとしている若駒の私は、菖蒲のあなたと別れることなどあるものですか、という返歌で、互いにあっさりした遠慮のない歌である。そんな後も花散里は当然のようにけろりとしているので、源氏も強いて帳台に招きいれようともしない。

性ぬきになってしまった夫婦は現代にも多い。今の女性は性の権利も主張するので、疲れた夫は妻を怖がる。そんな夫族にとっては花散里こそ理想の妻であって、女房族に読んでもらいたいところだろう。

紫式部の小説観

千年の昔の貴族の女たちが、生活の中で愉《たの》しみにしたもののひとつが「物語」を読むことであった。「物語」は本当にあった話を正確に伝えた歴史ではなく、嘘《うそ》八百の作り話を作者がいかにも本当にあったように書いたものである。現代の言葉でいえば「小説」のことだ。

現代の小説は純文学と通俗小説の二つに分類されるのが常識になっている。源氏物語はそのどちらかといえば、純文学である。純文学は芸術作品で、どこから見てもいつになっても純文学で通る。

現在、世界の国々で源氏が訳され読まれているのも、純文学だからである。江戸時代に戯作者《げさくしゃ》柳亭種彦《りゅうていたねひこ》が源氏物語の改作『偐紫《にせむらさき》田舎《いなか》源氏《げんじ》』を書いている。時代を足利《あしかが》時代にし、光源氏《ひかるげんじ》に当たる足利光氏《みつうじ》という主人公をたて、彼をめぐる女たちという図式は源氏物語そっくりだが、こちらのほうはまぎれもない通俗小説になっている。女子供にもとっつきやすい、わかりやすい読物だ。

源氏物語のどこが純文学かと問われると、一口にいって作者の姿勢というしかない。通俗読物、大衆小説というのは、娯楽を提供する目的で書かれたものである。そういえば娯という字は女に呉《く》れるという形だ。女、子供に楽しみを呉れようと意図して書かれたものが通俗小説なら、源氏物語だって、王朝の貴族の女たちの娯楽に供されたのだから、通俗小説ではないかという説も出てくる。

たしかに源氏物語は、一条《いちじょう》天皇の中宮《ちゅうぐう》彰子《しょうし》や、そこに勤める女房たちに読ませるために書かれた。彼女たちは紫式部が書くのを待ちどおしがりながら熱烈なファンになって愛読した。虚構の作り話と承知の上で、主人公や、彼を取り巻く女たちの運命や恋の成行きに一喜一憂して、手に汗を握ったり、涙ぐんだり、ため息をついたりした。それは充分彼女たちに退屈を忘れさせ、慰め、喜ばせた。通俗小説だって、それと同じ効果をあげる。ただし、そのちがいは、一口にいって、読者の味わう喜びの質だろう。音楽のクラシックから受ける感動と、演歌から受ける楽しみの質の差とでもいえよう。

ところで、源氏物語の中に、作者の紫式部は、しっかりと自分の文学論を書きこんでいる。

その年は例年より梅雨が長かった。六条院の女君《おんなぎみ》たちは、毎日降りしきる五月雨《さみだれ》のうっとうしさに退屈しきっていた。そんな時一番無聊《ぶりょう》を慰めてくれるのは、物語をである。

読むことである。ラジオやテレビのない時代だから、楽しみといっては音楽をかなでか、本を読むくらいだった。本も挿絵《さしえ》のある絵物語がいい。印刷術のない時代なので、物語は作者の書いたものを写すしかない。誰かが声を出して聞くのも読むことである

源氏が女君たちの部屋に出むくと、どこでも、物語を写したり、挿絵を描いたり、それを表装したりするのに夢中になっている。

玉鬘《たまかずら》は田舎育ちで、物語などあまり手に入らなかったから、珍しくて、毎日熱中して写している。

そこへ源氏がやって来ていう。

「全く困ったものだ。女というものは、よくまあ面倒がりもせず、こんなものを夢中になって写し、わざわざ人にだまされようとして生まれてきたと見えますね。こんなにたくさんある物語の中には、本当にあったことなど少ないとわかっていながら、こんなつまらない話にうつつをぬかし、ていよくだまされて、暑苦しい五月雨時に、髪の乱れるのも忘れて、書き写しているのだから、全く何ということだろう」

と笑いながら、

「そうはいっても、こういった物語でもなければ、どうにも紛らわしようのないこの退屈さを慰められようか。それにしても、この虚構の作り話の中にも、なるほど、そ

ういうこともあろうかと、人情の機微をうがって読む者の心を打つものもある。いかにももっともらしく言葉をつくして書いてあるところは、どうせ作り話だと承知していながらも、やっぱり感動します。可憐な姫君が物想いに沈んでいる場面を読むと、心が惹《ひ》かれ、こっちまでしんみりします。また、とうていそんなことはあり得ないはずだと思いながらも、仰山に誇張して書いてあると、思わず目を見張り、落ち着いて二度目に聞く時は、何だつまらないと思ったりもするけれど、ふと興味をそそられる点がまざまざと描写されていることもあるでしょう。近頃、明石《あかし》の姫君が、女房たちに時々物語を読ませているのを立ち聞きすると、何とまあ話のうまい者がこの世にはいるものだ、と感心されます。こんな物語は嘘をいいなれた作者の口から出るものだと思うけれど、そうじゃないですかね」

などいう。玉鬘はすかさず、

「ほんとうに、日頃嘘をつき馴《な》れた方は、いろいろそういう風に推量もなさいましょう。でも私などには、ただもう本当の話のようにしか思えません」

といって、今まで写していた硯《すずり》を片づけようとする。源氏は、

「せっかく興が乗っているのに、無神経に、けなしてしまいましたね。物語とは神代《かみよ》からこの世に起こったことを書いてあるものだそうです。日本紀《にほんぎ》なんかは、そのほんの一部にすぎないものです。こういう物語の中にこそ、人のためになる細かいことが

書いてあるのでしょう。一体、物語は誰それの身の上といって、ありのままに語ることこそはないものの、善悪いずれも、この世に生きていく人の有様の、見ても見飽きず、聞いても胸ひとつに納めがたいこと、また後世にも語り伝えたいことを書いたものです。作中の人物を、善人は善い点ばかりを挙げて書き、悪人は、あり得ないような悪いことばかり誇張して書きたがりますが、どちらもみなかえって興をそぎます。

昔の物語は、今のとは書き方も捕らえ方もちがうことでしょうし、表現の方法も深さ浅さも差があるでしょう。ただ、物語はまるで作り話だ嘘八百だといいきるのはまちがいでしょう。お経にも方便というのがあります。凡人は、お経にも前後矛盾したことが多いじゃないかなどというけれど、煎《せん》じつめれば、煩悩《ぼんのう》即菩提《ぼだい》の道理《ことわり》のように、物語の善悪もまた、この世の外のことではないという点で、ひとつの道理にゆきつきます。結局、すべて何事も無駄なものはなくなってしまうのです」

と、源氏は物語を、立派なもののように論じている。

小説のいのち

玉鬘《たまかずら》は、六条院で様々な物語を読むにつけても、どんな運命のヒロインよりも、自分のたどってきた過去は数奇だったと、今更のように思いかえす。

人気のある住吉《すみよし》物語の中で、ヒロインの姫君が、継母の奸計《かんけい》で、危うく七十歳の目のただれた醜い老人に、すんでのことに盗み出されそうになった場面など読むと、九州で自分に言い寄ってきたあの厭《いや》な大夫監《たいふのげん》の恐ろしさを思い出して、思わず比べているのだった。

源氏の物語論を聞くと、なるほど、物語もそう考えればなかなか大したもので、うかつに読み流してもいられないと、感心していると、源氏はもっともらしい物語論を講釈して聞かせた後で、

「それにしても、こんな古い数々の物語の中にも、私のように、馬鹿正直な間抜け者の話はありますか。またどんなに人情味のない物語の姫君でも、あなたほど心が冷たくて、そらとぼけて、人の真心を受けつけない人はまたといないでしょうね。ほんと

に、私たち二人の仲を世にも珍しいまたとない関係だとして、物語にして、後世に伝えさせてやりましょう」

などいいながら、物語にかこつけてにじりよって、いつものように口説きはじめる。玉鬘は、衿《えり》に顔を引き入れるようにして、

「わざわざ物語になど書かなくても、こんな世にも珍しい間柄は、世間の語り草になってしまいましょう」

と答える。父親が娘に言い寄るなどあり得ないことじゃないかと、源氏をたしなめる厭味を、即座に口に出来る玉鬘の手応《てごた》えのある応答が、源氏には面白くていっそう心が惹《ひ》かれるのだ。玉鬘がただ美しく、女らしく可愛いというだけでは、これほど源氏も惹かれはしないだろう。玉鬘がもう二十《はたち》にもなって、しかも今までの境遇から、世の中の苦労もずいぶんなめて人間に奥行きが出来ており、何かにつけて源氏に対しても敏感に反応し、知的な気のきいた答えを返してくるところが魅力的なのである。

「へえ、あなたも、私たちの間柄を世にも珍しいと思っていらっしゃるのですか。私もほんとにこんな想いは、全くこれまで思いもつかなかった気持ですよ」

など、源氏は玉鬘の言葉をわざと自分にひきつけて都合よく解釈したふりをして、いっそう色っぽく寄りそっていく。

「思ひあまり昔のあとをたづぬれど

親にそむける子ぞたぐひなき

あなたへの恋の苦しさに、昔の物語の中にあたってみても、親の意向にそむく子の例なんてありませんよ。お経の中にも不孝はきびしく戒めてあります」

などとんでもないことを言い寄る。全く油断もすきもならない色好みの養父で、困ったものだ。玉鬘はいっそう顔を着物に入れるようにうつむきこんで、こんな不埒《ふらち》な源氏の顔を見ようともしない。

その場面で、紫式部は、

「御髪《おぐし》をかきやりつつ、いみじく恨みたまへば」

と書いている。この描写で、源氏の玉鬘への接近度がわかる。源氏は玉鬘を徐々に馴《な》らし、身近く近づき、玉鬘のほうでも、そんなに身近に源氏を近づけてしまったことに不安を感じていない。

手の早い源氏にしては珍しく、なかなか玉鬘には実力行使に及ばない。

「ふるき跡をたづぬれどげになかりけり

この世にかかる親の心は

おっしゃる通り、昔の物語をいくら探しても、こんなおかしな関係、親が子に言い寄るなどという理不尽な親の心はありませんでしたよ」

と、答える玉鬘に対して、源氏は、

「心恥づかしければ、いといたくも乱れたまはず」

とある。玉鬘のもっともな言い分がさすがに気はずかしいので、源氏はそれ以上は、あまり思いきった色っぽい所行《しょぎょう》にも及ばないということである。

玉鬘に思いきって手を出してしまわない源氏の態度、一向に進展しそうで進展しないふたりの関係は、当時の読者にとって、即《すなわ》ち、中宮彰子《ちゅうぐうしょうし》やそのまわりの女房たちにとっては、ずいぶん気をもませられ、様々に意見や感想が交わされたことだろう。

源氏物語の中に出てくる女たちの中で、玉鬘に筆をついやした場面が圧倒的に多いのは、いかにも物語のヒロインめいた玉鬘の運命に、読者の人気が作者の予想以上に集まったからではないだろうか。

玉鬘の生い立ち、特に筑紫《つくし》での場面などは、源氏物語の中では一番通俗的で、初瀬《はつせ》詣《もう》での途中での主従のめぐりあいなど、あまりに出来すぎていて、やはり通俗小説ふうの感がするのだが、こんなところが、当時の物語の読者にとってはこたえられない、興味津々《しんしん》の場面だったのではないだろうか。

御用作者の紫式部としては、やはり読者の意向や期待も考えないわけにはいかなかったと思える。

どうも源氏物語を幾度も読み直すと、玉鬘の件だけが、ちょっと浮き上がっているように思えてならない。

紫式部は、案外、玉鬘の処遇については頭を悩ませたのではないだろうか。若い頃とちがい、この頃の源氏は、分別もつき、世間での地位の重みも加わって、そうそう軽々しい所行が出来なくもなっている。

じりじりするほど、玉鬘との間が進展しないのは、紫式部が書きながら、この二人をどう扱うか迷っていたように思えてならない。

小説というものは、不思議なもので、それ自体「いのち」を持っていて、作者の思惑《おもわく》を外れて、筋や人物が勝手に動き出すことがある。実作者の立場からいえば、そういう時、つまり作中人物が作者の手におえない程、勝手に動きはじめた時、はじめて、その作品に「いのち」が吹きこまれたような快感があり、作品としても成功した時のほうが多いのである。

近江の君の不幸

源氏物語の中で、読者の物笑いにされるようにに書かれているのは、まず末摘花《すえつむはな》だが、つぎには近江《おうみ》の君があげられる。

末摘花は容貌《ようぼう》の異様さが嘲笑《ちょうしょう》の対象にされ、更に度外れに気のきかない融通性の無さや、常識外れのとっぴでこっけいな言動が軽蔑《けいべつ》の対象とされる。けれども末摘花の身分は宮家の姫君という高貴さなので、誰も面と向かっては嘲弄《ちょうろう》出来ない。

近江の君のほうは、内大臣（昔の頭中将《とうのちゅうじょう》）が若い頃、身分の低い女に産ませた娘である。母親の身分が人の一生を左右した時代であった。光源氏《ひかるげんじ》でさえ、生母桐壺《きりつぼ》更衣《こうい》の身分の低さによって臣下に下った時代なのである。近江の君の素姓の低さが彼女の不幸を決定的なものにする。

同じ父を持つ玉鬘《たまかずら》にしても、母の夕顔《ゆうがお》の身分は低い。それでも三位中将《さんみのちゅうじょう》の娘で、乳母《めのと》にかしずかれて育っている。玉鬘も乳母に育てられ、九州まで流れて育ったものの、一応の貴婦人としての基本的教養は受けている、中の部の女性である。

近江の君のほうは、くわしくは書かれていないが、生い立ちが下の部であったらしい。

若い頃の頭中将は見境もない乱行が多かったから、ずいぶんいかがわしい落としだねもあるだろうなど源氏が皮肉っているが、近江の君はそういう落としだねということになる。

内大臣が夢占いによって、実の娘が他人の養女になっていると告げられ、急に娘を探しだす気になって現れたのが近江の君である。自分で名乗り出たのを、内大臣の長男の柏木《かしわぎ》が、よく調査もせず連れてきたのだった。

彼女はことごとく内大臣を失望させる。教養がなく、することなすこと下品で的外れで、愚かで、人の嘲笑の的になっているのに、本人は一向に気づかない。容貌は小づくりで愛嬌《あいきょう》もあり、髪も見事なのだが、額がたいそうせまいのが難で、品がない。とはいっても、内大臣とその顔はよく似ていて、まぎれもない落胤《らくいん》だと認めないわけにはいかない。声が上っ調子で、あきれるくらい早口でせかせかしているので、いっそう下品に見える。この時代はすべておっとりして、声など小さく、物言いはゆっくりしたのが上品だとされていた。

内大臣は人の嘲笑の的になっているこの姫を、彼女の異腹の姉に当たる弘徽殿女御《こきでんのにょうご》に預けて宮仕えさせようとする。近江の君はそれを聞くと大喜びで、

「わたしは大御大壺取《おおみおおつぼと》りでも何でもしてお仕えします」

という。大壺とは大便器つまりおまるのことで、当時の貴族は一回毎《ごと》にそれに用を足し、最下級の下女《しもおんな》がそれを掃除した。近江の君は樋洗《ひすまし》と呼ばれたその役も辞さないというのである。内大臣は辟易《へきえき》しながら、そんな近江の君に対しては、いつでもからかい半分の揶揄《やゆ》しきった調子で対応する。

「へえ、そんなに孝行なら、どうか、そのせかせかした早口だけはやめてもらえないかね。それだけで私の寿命ものびるだろうよ」

そんなからかいも、近江の君は大真面目に受けて、

「ほんとに、この早口は困ります。母の話ですと、私の生まれる時、祈禱《きとう》してくれた坊さんが、べら棒な早口だったそうです。それにあやかったんだろうということでした。でも何とかして直すよういたしましょう」

と、まことに素直で無邪気なのである。

「宮仕え出来れば、水汲《みずく》みをして頭にのっけてお仕えいたしますわ」

ともいう。重労働も辞さないという心根がいじらしいが、内大臣はその下品な発想に絶望的になる。彼女は早速女御あてに物笑いになるような教養のないとんちんかんの手紙を書き届け、女御つきの女房たちの失笑を買う。

とにかく行儀作法を仕込んでもらうつもりで、彼女は女御の女房の一人として宮仕

えが始まる。たちまち、女房たちの嘲弄の的になり、ことごとに笑い者にされてしまう。近江の君自身は、どんなに嘲笑されても感じないで、彼女としては精一杯励み勤めているつもりだ。

ところが、内大臣にもうひとり玉鬘という落胤があらわれ、しかも源氏がどういうわけか彼女を引き取って養女として仕込み、最近、内大臣の実子として披露したという。しかも玉鬘は、多くの求婚者があるのに、帝《みかど》の命を受け、今度尚侍《ないしのかみ》になって宮仕えするというのだ。さあ、彼女の虫が収まらなくなった。突然彼女は女御の御前に血相変えて詰め寄った。

「私がこちらへ上がったのは、女御さまのお引立てで、尚侍にしていただける日もあるかと思えばこそです。普通の女房のしないような下様《しもざま》の仕事まで進んで引き受けて勤めてきたのに、女御さまもあんまりお冷たいではありませんか」

と思いつめて恨みごとをいう。柏木たちはにやにやして、

「尚侍が欠員になったら推薦してあげようと思っていたのに、自分からいいだすなんて厚かましい」

というと、近江の君はますます腹を立てて、

「あなた方のような御立派な御家族の中に、人並でない私のような者はどうせ仲間入りすべきではなかったのです。柏木中将こそあんまりです。お節介に私を引き取って

おきながら、馬鹿にしきって笑い者にしていらっしゃる。なまなかな者では、とてもこんな御殿には住んでいられないところですわ、ああ、怖《こわ》、怖」

と後ろへにじりながら、目を吊《つ》りあげて恨めしそうに柏木を睨《にら》んでいる。

柏木も少将もその場のがれの慰めをいって、早々と逃げだしてしまう。近江の君はほろほろと泣きだし、女御に向かって、あなただけが優しいから、私はお仕えするのですと訴え、その後も、下臈《げろう》や童《わらわ》の厭《いや》がるようなことも引き受け、こま鼠《ねずみ》のように働くのだ。

そんな近江の君を内大臣はからかい、だまし、笑い者にし通す。近江の君は自分がだまされていると気づかず、やはりいつかは尚侍にと、夢を捨てず働きつづける。

近江の君をこっけいだ、馬鹿だと、作者が描けば描くほど、私はこの無知な庶民的な娘があわれでいじらしくなる。場ちがいの世界に置かれた彼女の不幸に、同情の涙を禁じ得ない。

野分の朝の覗き見

源氏と玉鬘《たまかずら》の仲は次第に馴《な》れしたしんできた。玉鬘も、すきあらばと言い寄る源氏をはじめは気味悪がり、厭《いや》がっていたが、今では和琴《わごん》を教えてもらうため、近々と身を寄せあっても平気になっていた。

源氏は珍しく心の炎を抑えこんで、手を出さないでいるものの、このままではとてもすまされないという気持がつのってくる。

いっそこのまま六条院に住まわせたまま、婿をとって通わせ、自分は相変わらず娘分として大切にして、時々夫の来ぬ間にこっそり忍び逢ったらどうだろうか、男を知らない処女の玉鬘には、いとおしくて手出しも遠慮されるが、人妻になって性愛もわきまえてしまえば、自分のほうも遠慮がなくなって、思いきって夫の目を盗んで密通することも可能だろうなど、とんでもない不埒《ふらち》なことを考える。しかしそうなれば、いっそう恋心がつのり、嫉妬《しっと》に苦しめられてたまらないだろうなど、勝手なことを考えて悩んでいる。いっそ兵部卿宮《ひょうぶきょうのみや》か髭黒右大将《ひげくろのうだいしょう》などの求婚者に許し、向こうの邸《やしき》に連れ去ってもらえば、自分の執心を断ちきることが出来ようかなど、悩みは果てしない。

あんまりしげしげ訪れるのも人目に怪しまれようかと、無理をしてがまんしている日は、何かと用事にかこつけて手紙をやったりする。どんなに愛しているといっても、とうてい紫上《むらさきのうえ》と同列には出来ない。すると数多い女たちのひとりにしてしまうのも可哀そうだと思う。

そのうち秋風が吹きそめ、いっそう人恋しい季節になってきた。源氏は和琴を教えるという名目で、玉鬘を訪れない日はない。

今では和琴を枕《まくら》にふたりで仮寝したりする仲になっている。玉鬘もすっかり気を許し、そんな身近にしどけない様子をしていても気にしなくなっている。こんなにまで親しくなりながら、手を出さないことがあろうかと思いながらも、源氏はなぜか、玉鬘には思いきった行動に及べないでいる。

これほどの玉鬘への執心を紫上や他の女たちが気がつかないはずはない。嫉妬深い紫上が黙っているのもおかしいと思うが、作者はそこは書いていない。

ただ、野分《のわき》の吹き荒れた翌日、源氏たちが例によって女君《おんなぎみ》たちを次々見舞う折に、明石上《あかしのうえ》を見舞って、端近《はしぢか》にちょっと坐って見舞いをいっただけで内へも上がらず、そのまま立ち去っていった源氏に対し、明石上が、満ち足りぬ想いを抱いて、もう飽かれてしまったのかと怨《えん》じる歌を詠《よ》んでいる。

待つだけの身で、男の訪れる回数だけが愛の証《あかし》だったのだから、一つ所に暮らしている紫上よりも、明石上のほうが敏感に源氏の心変わりを感じとったということだろうか。

明石上をお義理に見舞ったその足で源氏は玉鬘を見舞う。

明石上を訪ねる時は、家来たちに前駆払《さきばら》いの声をたてさせたのに、玉鬘のところでは、

「大仰《おおぎょう》に前駆払いの声をたてるな」

と、気を使う。あんまり目立たぬようにしたいと気を使うのは、そうでなくても訪ねすぎるという気おくれがあるからだ。

昨夜一晩荒れ狂った野分によく眠れなかったので、朝寝して、玉鬘は丁度《ちょうど》朝の化粧を終えたばかりで、まだ鏡に向かっていた。朝のみじまいを終えたばかりの顔がまぶしいほど美しい。

源氏は例によって見舞いにかこつけて身近に寄り添い、想いのたけを訴える。

玉鬘は、

「もう、そんなうるさいことばかりおっしゃるなら、昨夜の野分と一緒に、どこかへ行ってしまうんでしたわ」

とすねていう。源氏はそんな女のすね方が可愛らしく、笑いながら、
「さてはどこかへ行くあてがもうあるのですね。風と一緒に飛んでいくなんて、軽はずみな人ですよ」

とからかう。玉鬘はそれを聞くと、ほんとに遠慮もなく、思ったままを大胆によくもいってしまったと自分でも笑えてきた。

そんな冗談が遠慮なく交わしあえる親しさがいつの間にか湧《わ》いていたのだ。源氏が照れて赤くなっている玉鬘を、いつものように引きよせる。

玉鬘は厭そうに顔はそむけながら、からだでは抵抗を見せず、すんなりと源氏の懐《ふところ》に引きよせられていく。

そんな只《ただ》ならぬ様子を覗《のぞ》かれているのを、ふたりとも気づいていない。覗いているのは夕霧《ゆうぎり》だった。

律義《りちぎ》な夕霧は、野分の朝、早々と六条院を見舞った。南の御殿へ行くと、源氏は見えず、紫上が庇《ひさし》の間《ま》の端近に出て、庭の折れた萩《はぎ》を見ていた。

東の渡殿《わたどの》の小さな小障子《こそうじ》のかげから、思わずその姿を覗いてしまった夕霧は、衝撃で息をつめてしまった。はじめて見る継母は、目のくらむほど美しく気高く、例えば春の曙《あけぼの》の霞《かすみ》の間に、たわわな樺桜《かばざくら》が撩乱《りようらん》と咲き乱れているような華やかさに見えた。こっそり覗いている自分の顔にまで紫上の艶《あで》やかさが照り映えてくるかと思われ

る。

こぼれるばかりの愛嬌《あいきよう》があり、女房が何か失敗したらしいのを見返ってにっこりした笑顔が、心がしびれるほど魅力的だ。女房たちもそれぞれ並々でない美しい者を揃《そろ》えているが、紫上とは比較にならない。日頃、源氏が異常なほど自分が紫上に近づくのを警戒している理由が、今わかったと、夕霧はうなずけるのだった。

その後、夕霧は源氏についいて女君たちをそれぞれ見舞った。源氏が玉鬘の所では上がりこんでなかなか出て来ないので、こっそり覗いたのだった。夕霧は自分の目を疑った。源氏の懐に抱きよせられている玉鬘の姿、しきりにその耳に何か囁《ささや》きつづける源氏の甘い横顔。根が好色な人なので、自分の娘でも他所《よそ》に育てば、見境もなくなってしまうのかと、夕霧は呆《あき》れて、わが親ながらうとましく、恥ずかしく思う。

行幸見物

　王朝の貴族の姫君たちは、年頃になると、兄弟にさえ男の目に顔を見せないように気を使う。男は覗《のぞ》き見をして姫君たちの容貌《ようぼう》を何とかして知ろうとする。

　姫君のほうでは、男を現実に見ることが出来るのは、法事や仏事の時で、御簾《みす》の中からこっそり覗き見る。女房たちにとっては、こんな時こそ、男たちの品定めが出来る。

　今では深窓の姫君として扱われている玉鬘《たまかずら》も、自分への求婚者たちの容姿を、はっきりと見てはいない。身近く顔をあわすのは養父の源氏だけで、異母弟ということになっている夕霧《ゆうぎり》とも対面はしていない。野分《のわき》の朝、夕霧に、源氏との間を覗かれたことは、玉鬘のほうでは夢にも知らないのだ。

　玉鬘の処遇に迷いつづけた源氏は、彼女を宮仕えに出すことを思いつく。たまたま、その年の冬十二月に、大原野へ鷹《たか》狩りの行幸《みゆき》があることになった。そんな時、世間の人々は行幸の進む道端に車を並べたり、坐ったりして、行幸の美々《びび》しい行列を見物しようとする。

女車の中から、貴族の姫君や女房たちも行列を見物することが出来る。葵祭《あおいまつり》の日と同じことだ。

玉鬘は源氏にすすめられて、見物に出かけた。行列は御所から朱雀《すざく》を通り五条の大路を西の方へ折れ進んで行く。桂川《かつらがわ》の岸辺まで、見物の車がびっしり道の両側に立ち並んでいる。玉鬘ははじめてこの日、冷泉帝《れいぜいてい》を見た。赤色の御衣《おんぞ》を召し、端麗に身じろぎもしない横顔の美しさには比べる人もいない。源氏と瓜二《うりふた》つに似ているものの、帝《みかど》のほうが威厳において立ちまさっているように見える。何といっても若い娘である玉鬘は、たぐいまれな帝の美貌にうっとりとなってしまった。今時の若い娘が、美しいスクリーンの俳優や、セクシーな歌手に一目惚《ひとめぼ》れするようなものである。

玉鬘はこの時、供奉《ぐぶ》の中にまじった自分の生みの父の内大臣や、熱烈な求婚者の兵部卿宮《ひょうぶきょうのみや》や髭黒右大将《ひげくろのうだいしょう》の顔もはじめて見た。右大将は華やかな装束で胡籙《やなぐい》など背負って立派だが、色が黒くて、髭《ひげ》ばかり黒く恐ろしげに目立って、どうみても好きなタイプではない。外の化粧した男たちに比べたら見劣りがするのが当たり前だが、若い娘はそこまで思いやらず、一途《いちず》に毛嫌いしてしまう。

はじめて見た父親の堂々とした立派さに感心したものの、やっぱり帝と比べたら、臣下の器だと感じる。

宮仕えしないかと源氏にすすめられている時だったので、玉鬘は帝の美しさに心が揺れる。宮仕えして帝寵《ていちょう》を他の妃《きさき》たちと争うようなことになれば、源氏が親代わりの秋好中宮《あきこのむちゅうぐう》や、内大臣の姫君で自分の腹ちがいの姉妹の弘徽殿女御《こきでんのにょうご》が参っているので、彼女たちと争うようなことになるのは困りものだと取越し苦労もする。

源氏は玉鬘の心の揺れを素早く見抜いて、尚侍《ないしのかみ》として宮仕えしないかと催促して来る。

玉鬘は、帝のお手つきになるのではなく、ただ尚侍の職務だけならいいと考える。何はともあれ、その前に裳着《もぎ》の式をあげなければならない。裳着とは女の成人式で、普通十二、三歳で行うはずを、玉鬘の場合は、境遇のせいで、まだのびのびになっていたのだ。

源氏はこの機会に内大臣に玉鬘のことを打ち明け、式に腰紐《こしひも》を結ぶ役目を引き受けてくれと頼む。内大臣のこのことを知った反応と感想がふるっている。色好みの源氏のことだから、愛した夕顔《ゆうがお》のゆかりの者として引き取った娘をそのまま手つかずで置くはずはない、まあ、それなら源氏の夫人の一人として押しつけてしまっても、格別外聞の悪い話でもないようだ、というのである。さすがに長い歳月、親友ともライバルとも見てつきあってきた内大臣の観察は、当たらずといえども遠からずで、源氏にはくすぐったいことであった。

野分の朝、源氏と玉鬘の危険なほど接近した只《ただ》ならぬ様子を覗き見た夕霧は、ああ、そういう仲だったのかと、はじめて合点がゆく。他人だったなら、自分だって名乗り出てよかったのにと、気のつかなかった自分がつくづく間抜けに思われる。一方、いやいや雲居雁《くもいのかり》という恋人に対して、そんな不貞なことは考えてはならないと考え直すのだった。

そういう夕霧を、作者は、

「あり難きまめまめしさなめれ」

と書く。世にもまれな誠実さだというのは、必ずしもほめているのではない。

色好みは、王朝では、現代の意識のような人格の欠点に数えあげられはしない。むしろ、「もののあはれ」を解するということで、徒然草《つれづれぐさ》で兼好法師《けんこうほうし》もいっているように、「色好まざらむ男は、いとさうざうしく、玉の杯の底なきここちぞすべき」で、かえって不粋《ぶすい》な風流心のない人間として変人扱いされたのだ。「まれなるまめ人」である夕霧は父に似ず融通のきかない人間で、幼馴染《おさななじ》みの恋人一人を守り、結婚してからは子沢山のマイホーム亭主になる。ところがこんな堅物《かたぶつ》が、ふと間違いを起こすと、とんでもない無茶をやり、心に歯止めがきかなくなる。

友人の未亡人に恋をして夢中になる話は後にゆずるが、夕霧の生真面目《きまじめ》さかげんは、読んでいて、じりじりするほどであり、どこかこっけいでさえある。

ところで、玉鬘の裳着の腰紐を内大臣が結んだことから、はじめて玉鬘の素姓が次第にわかり、求婚者たちは色めきたった。

兵部卿宮は、

「もう裳着の儀式も終えたし、結婚にさしつかえる支障は何もなくなったことだし」

と、攻勢に出てきた。

内大臣は裳着の日は、玉鬘が儀式通り、扇で顔をかくしていて、はっきり顔を見られなかったので、もっとしみじみ逢ってたしかめたいと思う。少しでもみっともないところがあるなら、源氏がこうまで力をいれないだろう、きっとすばらしい器量にちがいない、と想像する。

尚侍の宮仕えのことを源氏からも内大臣からもすすめられ、玉鬘は思い悩む。源氏は、実の娘でないと世間に知らせてからは、これまでよりいっそう図々しく、色めいた仕打ちをしてくるので、玉鬘は人知れず悩みが果てしなくつづくのであった。

そのうち、全く思いもかけない事件が突然起こって、玉鬘の運命が逆転する。

鳶に油揚、玉鬘の結婚

さんざん読者に気をもたせて、長々とつづいてきた玉鬘《たまかずら》の結婚が、急転直下、全く意想外の形で決まってしまった。

真木柱《まきばしら》の巻の冒頭で、読者はそのことをいきなり知らされる。

「『内裏《うち》に聞こしめさむこともかしこし。しばし人にあまねく漏らさじ』と諫《いさ》めきこえたまへど、さしもえつつみあへたまはず」

とはじまるこの文章は、

「『このことが帝《みかど》のお耳に聞こえるのも恐れ多いから、しばらくはふたりの結婚は世間に内緒にして、こっそりしておくように』と源氏が注意するけれど、髭黒大将《ひげくろのうだいしょう》のほうは得意で嬉しくて、とうてい隠してなんかおかれない」

ということで、主語がないのでわかりにくいが、とにかく何等かの形で全く思いもかけない相手に玉鬘をさらわれてしまった源氏の口惜《くや》しさが想像出来る。

冷泉帝《れいぜいてい》の尚侍《ないしのかみ》に十月には出仕する予定になって、帝も楽しみにしていたのに、こんな事態になったので、帝の心中を思いやっているという形だが、帝よりも誰よりも源氏が腹を立てて、この結婚を承服出来ないのである。

事は髭黒が玉鬘の女房の弁《べん》のおもとに取り入って、彼女の手引きで玉鬘の寝所に案内されてしまったのであった。この頃の貴族の姫君は、自分の寝所へ男にふみこまれたら、もう絶対逃げられない仕組みになっていた。それだけに女房にどう取り入るかが、男にとっては決め手になる。源氏と藤壺《ふじつぼ》を結びつけた王命婦《おうみようぶ》の例もある。

玉鬘にとっては、はじめから求婚者の中では好きになれない相手だっただけに、こうなってしまっても一向に情がわかず、嫌っていて冷たい態度ばかりみせ、何という不運な身の上だろうと、嘆き悲しんでばかりいる。

髭黒はそんな女の態度を情けないと思うものの、見れば見るほど美しく魅力的な女を手に入れて、これがもし外の男の手に渡っていたらと、今更ぞっとして、現在の幸福にほくそ笑《え》んでいる。この大将は、武骨で髭が濃く、色が黒いと表現されている。優雅で上品なのが、男としても魅力だった時代だから、女に好かれるタイプではないが、律義《りちぎ》で有能で、社会では出世する頼もしい男である。

正妻は式部卿宮《しきぶきようのみや》の姫君だから、紫上《むらさきのうえ》とは腹ちがいの姉妹にあたる。紫上に冷たい継母の可愛い娘である。この人は普段はおとなしい性質なのに、物《もの》の怪《け》が強くて、そんな時は突然ヒステリーが高じて手に負えない。

髭黒はこれまで夕霧《ゆうぎり》と同じくらい真面目《まじめ》で、今までは浮気らしい浮気もしたことがない堅物《かたぶつ》で通っていた。それだけにいったん恋に陥るととめどがなくなる。こんな例は現代にもよくあることだ。

鳶《とんび》に油揚《あぶらげ》をさらわれた形で一番がっかりしたのは源氏だが、さすがに露骨にも怒れず、一応親らしく、三日《みか》の餅《もち》など調《ととの》えてやる。髭黒は、源氏と玉鬘の仲は怪しいと思っていただけに、玉鬘が処女だったので、いっそう有頂天である。何とかして自分にとっては窮屈で、玉鬘にとっては危険極まりもない六条院から玉鬘をつれだし、自分の邸《やしき》へ迎えたいと思う。源氏はそれだけは許さず、むしろ、尚侍出仕を、もう帝の寵《ちょう》を期待しない役名だけとしてでも宮仕えさせようとする。

帝もそれを望む。

この事件での玉鬘の実父の内大臣の反応が面白い。彼はこの結婚をそう悪くないと思っている。源氏の女君《おんなぎみ》のひとりになり、あいまいにされるのよりいい結果と考えている。後宮《こうきゅう》に入るとなると、自分の娘で玉鬘の腹ちがいの姉妹の弘徽殿《こきでんのにょうご》女御と君寵《ちょう》を争わせるようになるのも、どうかと思われるし、と迷っていただけに、思いがけない解決法を得てかえって喜んでいる。

髭黒は今まで女に通うことなど経験が少ないので、浮ついて大満悦で、すっかり色事師ぶって、宵《よい》にも晩にもしのんで通い、昼でも図々しく玉鬘の部屋にこもって出ていかないので、玉鬘はいっそう嫌って不機嫌になる。すっかり沈みこみ、憂鬱《ゆううつ》そうにしているので、誰もが玉鬘は心ならずもこうなったのだと同情する。そう人に思わす利巧さが、玉鬘の特徴かもしれない。

玉鬘は結婚してみて、今更のように源氏の優雅さや、やさしさを思い知る。

源氏は髭黒のいない留守をねらって玉鬘を訪れ、しんみり話をする。心ならずも女にされた玉鬘は、嘆き悲しんでいる分愁《うれ》いの影がさして、しっとりした女らしさが増している。これまでの玉鬘のように、いつでも明るく、苦労したわりに苦労の跡の残っていない愛らしさも、ざらにあるものではなかった。その上に、男女の仲を知って自然ににじみ出る色気が、源氏を悩ましいものにする。

式部卿宮は噂《うわさ》を聞いて髭黒の北の方に、恥をかくよりは、いっそ里へ帰って来い、とすすめる。宮としては、紫上が自分の異母姉の不幸を承知で、わざと玉鬘を髭黒に取りもったのかと邪推して、怨《うら》みに思っている。

こういうそれぞれの立場の心のうちを描きわけて、紫式部の筆はいきいきする。

そんなある日、髭黒は北の方をなぐさめて珍しく終日家に居たが、やはり宵になると、六条院へゆきたくてそわそわする。たまたま大雪になった空を見上げて落ちつかない。そんな夫を見て、北の方は止めても仕方がないとあきらめていたが、いよいよ夫が雪をついてでも出かけようとするのを見ると、いきなり逆上して立ち上がり、大きな伏籠《ふせご》の下にあった火取りを取り、さっと後ろから浴びせかけた。たちまち灰かぐらがたち、灰が髭黒の目や鼻に入り、鬢《びん》にも舞いちり、灰まみれで、やつしていた衣裳も台なしになってしまった。

せっかくあわれだと思っていた妻への同情も失《う》せてしまって恨めしいが、物の怪のしわざなので怒ることも出来ない。北の方は物の怪がつのって、わめきちらし、暴れてもう正体もない。

夜中に、僧たちを招いて調伏《ちょうぶく》の加持祈禱《かじきとう》をしてもらったりして、とうとうその晩は六条院へは行きそびれてしまった。

朝になって、いいわけの手紙をやるが、玉鬘のほうでは、通って来ないでせいせいしているくらいだから、平気で返事もやらない。

何となくこっけいな場面がつづく玉鬘の結婚話であった。

離婚の悲劇

親の離婚のため子供たちの運命が変わり、心に傷を受けることは、現代でも問題にされることだが、千年昔の王朝でも離婚の悲劇はあり、別れる両親の間で、はじめてこの世の不幸に直面する可哀そうな子供たちはいた。

紫式部はそういう家庭悲劇も、小説の中に掬《すく》いとっていて、捨てられる妻の悲哀も、心ならずも片親と引きさかれる子の立場のあわれさも描いている。

髭黒《ひげくろ》の北の方は物《もの》の怪《け》がつく持病を持っている他に、もともと魅力がなかったように書かれている。

紫上《むらさきのうえ》の異腹の姉で、三十二、三になる髭黒より、年齢も三つ四つ年上なのは、大して問題にもならないが、性質や人柄がどういう人なのか、髭黒はかねがね、この北の方を「お婆《ばあ》さん」と呼んで、大切にもせず、何とかして離婚したいと思っていたと書かれている。原文では、

「年のほど三《み》つ四《よ》つが年上《このかみ》は、ことなるかたはにもあらぬを、人柄やいかがおはしけ

む、嫗《おうな》とつけて心にも入れず、いかで背《そむ》きなんと思へり」

とある。嫗とはずいぶんひどい呼び方だが、うちの婆ちゃん、と親しんで安心しきって呼んでいる感じがないでもない。

その一方で作者は、この北の方を、式部卿宮《しきぶきょうのみや》が大切に可愛がって育てたので、世間でも尊敬され、容貌《ようぼう》などもたいそう美しいと書いている。性質ももの静かで気立てがよく、おっとりしているともある。ただ物の怪のせいで長年異常な状態がつづいているので、家庭の中も荒廃しきっているのだというのだ。この二つの説明は一見矛盾するが、病気がおこってからの北の方を「嫗」と呼ぶようになったと見れば納得がいく。

単細胞の夫と、こちらも単純な妻は、妻が発病するまでは、結構つりあった取合わせの平凡な夫婦仲で平和だったのだろう。

子供は十二、三歳になる女の子と、十歳と八歳の男の子がいた。

二人の離婚劇は、病気の妻の意志というより、妻の里の父の意向で強硬に決着がつけられたという形であった。

式部卿宮としては、若い玉鬘《たまかずら》が入ってきた邸《やしき》の片隅に、捨てられた妻として、みじめに住まなければならない娘の立場に同情し、そんな屈辱に耐えさせることが出来ないと考え、娘の三人の兄弟たちを迎えにやる。北の方のほうでは三つも車をつらねて迎えに来られたので、いよいよ立ち去らねばならない。荷物を荷造りしたりする中で、女房たちも大半は一応実家に帰すので、泣きながら自分の荷物をまとめたり大騒ぎになる。

そんな中で、子供たちはわけがわからないので、屈託もなくあちこちうろうろしているのを北の方が呼びよせて坐らせて、今度の別れについて言って聞かせる場面がある。幼い子供は、葬式などでもよく意味がわからず、人々が集まることに興奮してはしゃぐことなどあるものだが、ここでは、二人の男の子はそれほど稚《おさな》くはない。しかし両親の離婚などという事態はのみこめていない。その子供たちに向かっていう北の方の言葉はあわれである。

「わたしはどうせこんな不幸な目にあって、もう世の中をあきらめきって出家でもしてしまいますからいいものの、あなたたちはまだ未来も長い中で、肉親がちりぢりに別れてしまうのは可哀そうなことです。姫君はどうなってもわたしと一緒についていらっしゃい。男の子たちは、将来のことを考えると、そう簡単には決められない。父君のほうに出入りしても、父君は目をかけてくれそうにもないので、かえってどっちつかずで頼りなくなり困るでしょうね。お祖父《じい》さまが生きていらっしゃる間は、一通りの宮仕えはさせてもらっても、今は、源氏の太政大臣《だいじょうだいじん》や内大臣のお考え次第の世の中だから、わたしはあちらに嫌われているから、お前たちはわたしの子供というだけで憎まれて出世もおぼつかないでしょう。かといってわたしの後を追って出家されたりしては、来世まで悲しいことだし……」

と泣くと、子供たちは深い事情はわからないまま、何やら悲しくなって、べそをかいている。

「うち顰《ひそ》みて泣きおはさうず」という子供たちの表現は、いかにも子供たちの頼りなげな姿が浮かんできて涙を誘われる。紫式部は子供たちを書くのが実にうまい。

日も暮れかかり、雪が降り出しそうな空の心細い夕方である。こんな悲劇の場面が晴れた五月空だったり、花霞《はながすみ》の春だったりしてはふさわしくない。作者はその辺の演出効果もちゃんと配慮している。

「ひどく荒れてきそうですよ、早く早く」

とせかされても、北の方は涙にくれて今更万感胸に満ち、思い沈んでいる。

姫君はとりわけ父親に可愛がられていたので、どうして別れもつげないで去ってしまうことが出来ようと、悲しみのあまりうつ伏して動こうともしない。北の方は、

「そんなにここにいたいなんて、情けない」

など、なだめすかしたりする。姫君のほうでは、そんな間にも父君が帰ってくれはしないか、と待ち望んでいるものの、こうすっかり日も暮れてしまって、帰るはずもない。

姫君は思いあまって、いつも自分が寄りかかっている東面《ひがしおもて》の柱をこれから人に取られてしまうのかと悲しくて、紙にほんの一筆書いて、それを柱の干割《ひわ》れたすき間に笄《こうがい》の先で差しこんだ。

「今はとて宿離《か》れぬとも馴《な》れきつる
　真木《まき》の柱はわれを忘るな」

それだけの歌も、泣きながら書くのでなかなか書けなかった。

「今日かぎりわたしはこの家を去っていっても、いつももたれて馴れ親しんだ真木の柱よ、どうかわたしを忘れないでちょうだい」

という歌は、稚いながらも、姫君の真情と悲しみがあふれていていじらしい。どんな芝居でも子別れは観客の涙をしぼらせる。男女の死別生別は、源氏物語の中では数多く登場するが、生木をさくような親子の生別の場面は、明石上《あかしのうえ》と幼い姫君の嵯峨《さが》の別れとここだけである。

この姫君は、後で式部卿宮邸へ妻子を迎えに来た時、追い返される父親に、逢わせてもらえない。この歌が名となって真木柱《まきばしら》と呼ばれる姫君は、読者に強い印象を与えて残る。

色事師の色の戒め

息子や娘の縁談で、親が心配させられる例は、現代でもありがちなことである。千年前の王朝の貴族の間でも、今と全く変わらない親の心配があるのを、紫式部はリアルに書き残している。

梅枝《うめがえ》、藤裏葉《ふじのうらば》の巻は、源氏三十九歳の出来事で、この年の四月、源氏は十二歳になった明石《あかし》の姫君を東宮の女御《にようご》として入内《じゆだい》させる。やがては国母《こくも》となるであろう明石の姫君の未来は、やがて源氏の外戚《がいせき》としての地位も約束するものである。明石の姫君の入内の準備や支度に源氏が神経を使って大騒ぎをするのも、もっともである。

その騒ぎを伝え聞いて気を揉《も》むのが内大臣（昔の頭中将《とうのちゆうじよう》）である。内大臣は源氏と最も親しい親友であると同時に、若い時から何かにつけてライバルとして生きてきた。言い換えれば、源氏と対等に立ち向かい競争出来る器量は、内大臣をおいて他には見出《みいだ》せないともいえる。

源氏より男らしく、快活で、派手な内大臣は、優雅さや繊細さでは源氏に劣るが、その分、頼もしい実力派だともいえる。

内大臣の妹が葵上《あおいのうえ》なのだから、夕霧《ゆうぎり》は内大臣の甥《おい》に当たる。その夕霧と内大臣の娘の雲居雁《くもいのかり》が幼い恋をして、内大臣の怒りを買い、生木をさくような別れ方をしたのは前に記した。あれ以来、雲居雁は内大臣邸の奥深くにいて、夕霧とは手紙だけのやりとりで逢うことも出来ない。

雲居雁は今や娘盛りで申し分なく美しい。独りでいるのはもったいないように愛らしく、魅力的である。夕霧との不幸な恋に思い悩んでいてしおとしている姿が親の目にもいじらしい。夕霧ときたら、一向にあわてず、平然としているので、今更、こっちから気弱く折れて出るのもみっともない。いっそ夕霧が夢中だったあの頃に許しておけばよかったと、内大臣は内心後悔している。

夕霧は、内大臣が大分気が折れているという噂《うわさ》も耳にしているけれど、あの頃、雲居雁の乳母《めのと》に、六位風情《ろくいふぜい》にとあなどられた時の口惜《くや》しさが骨身に徹していて、今も忘れていない。せめて位が納言《なごん》に上がるまでは、こっちからプロポーズなどするものか、と気負っている。

そんな様子を見て、源氏も気を揉んでいる。中に入って、取りなそうとしたこともあったのに、その時は内大臣が歯牙《しが》にもかけなかったので、源氏もこの件では内大臣に内心怒っているのだ。いつまでも身を固めない息子に向かって、源氏がある日、意見をする。源氏三十九歳、夕霧十九歳の時だから今の年齢から考えるとおかしな感じだが、当時は四十歳はもう老人と呼ばれていたのだし、男は十三、四歳で結婚してもおかしくなかったのだから、今ならさしずめ六十歳と、三十過ぎの親子の会話として読んでほしい。

「あの内大臣の姫君のことをあきらめてしまったのなら、今熱心に縁談を申しこんできている右大臣の姫君か、中務宮《なかつかさのみや》の姫君のどちらかに決めてしまいなさい」

と源氏がいっても、夕霧はじっとかしこまって返事もしない。

「こういう女性問題は、自分だって父帝の有り難い御教訓にも従おうとは思わなかったのだから、口をはさみにくいが、今になって考えてみると、あの御教訓こそ永久の規範で、今にも通じるものだった。独身でいると、何か思惑《おもわく》でもあるのかと、世間の人がとやかく憶測《おくそく》するだろうし、そのうち、宿縁のまま、つまらぬ女にひっかかったりしてしまう。それでは尻《しり》すぼみで世間体も悪い。たいそうな高望みをしても叶《かな》わぬことだし、限度はあるものだから、そんなあたりへ浮気心をおこさないがいい。わたしは幼い時から宮中で育って、自由のない窮屈な身分で過ごした。少しでもしくじりをすれば、軽率だと非難されるので、気をつけていたが、やはり、好色だと非難されてきた。あなたはまだ位も低く気楽な身分だからと気を許して、勝手な行動はしないように。自分で慢心してしまうと、浮気を抑えるような妻がない時は、立派な人でも昔から女の問題でしくじっている。

道ならぬ恋にうつつをぬかして、相手にも浮名を立て、自分も恨みを負ったりすると後生《ごしょう》の障《さわ》りになる。見誤って夫婦になってしまった相手が、自分の心に適《かな》わず、がまん出来ないような点があっても、思い直すように心がけて、相手の親の気持に免じて、あるいは親がなくて暮らしが不充分であっても、その人柄がいじらしかったら、それを取柄と見て、見捨てないことだ。自分にとっても、相手にとっても、結局はよくなるようにと心がけるのが、分別というものだよ」

源氏のこの教訓は、現代でもそのまま通じる。独身でいたら世間が色々憶測するなど、今でもよくある例で、ホモじゃないかインポじゃないか、不倫の相手がいるんだろうとか、世間の憶測とはとかく無責任で勝手なものである。

夕霧は律義《りちぎ》一方だから、こんなことを聞くといっそう、他の女に心を移すようなことはしない。しかし雲居雁のほうでは、夕霧の縁談の噂などが聞こえてくるので、不安がっている。

内大臣もその噂を聞いて、

「もしそれが本当なら、ずいぶん冷淡な人間じゃないか。源氏の君が間に入ってくれようとしたのに、こっちが意地悪したと思って、他の縁談に心を移されるのかもしれない。そうなら今更、心弱く下手《したて》に出るのも、物笑いにされるだけだから」

と、雲居雁にいいながら、この剛気な人が目に涙を浮かべるのも、親心である。

「やっぱり、こっちから下手に申し出て、向こうの気持をたしかめるのがいいのかな」

など迷う内大臣の姿は、なかなか人間味があって魅力的である。この人は短気で、めめしいところがないので、こんな失敗もするが、陰険なところはみじんもない爽《さわ》やかな人柄である。自分に冷たくした相手をいつまでも覚えていて、ねちねちいじめるような源氏のほうが、めめしくて性質はよくないと私は思う。

結局、この問題は、夕霧と雲居雁の祖母大宮《おおみや》の法事に内大臣と夕霧が顔をあわせた時、内大臣のほうから夕霧の袖《そで》をひいて、

「どうしていつまでも怒っているのですか。もういいかげんで、わたしの過去の失礼を許してくれてもいいでしょうに」

と、和解を申しこんだことから、急転直下して、藤の花の宴に夕霧が内大臣邸に招待され、雲居雁との結婚を晴れて許されて、めでたく大団円とおさまる。

不幸の足音

源氏物語は五十四帖の大長篇で、それを三部に分けて、第一部を桐壺《きりつぼ》から藤裏葉《ふじのうらば》まで三十三巻、第二部を若菜上《わかな》から幻《まぼろし》まで八巻、第三部を匂宮《におうのみや》から夢浮橋《ゆめのうきはし》まで十三巻とすることが、一般的に通っている。

第一部は、源氏の両親の純愛から説きおこし、その愛の結晶としての源氏誕生から、元服、結婚、様々な浮気、純愛等の経験の中で、大きな挫折《ざせつ》も味わい、やがて立ち直り、地位を高め、官位も上がり、六条院に壮大なハレムを築き、栄華を極めるまでを描いている。源氏三十九歳までの半生であった。

第二部若菜からは、突然様相が一変して、輝かしい源氏の生活に暗い霧が漂いはじめる。人によっては、源氏は若菜を読めばいい、などという人もあるくらい、若菜上下は質もたっぷりしているが、内容が深刻になって、人生の苦味も濃くなってくる。

幸福の権化《ごんげ》のように描かれてきたヒロインの紫上《むらさきのうえ》が、思いもかけなく人生の悲哀をなめさせられる。

源氏三十九歳から、四十七歳まで、紫上三十一歳から三十九歳までの出来事である。前篇、藤裏葉の巻で、源氏の現世での宿望はすべて達成され、光源氏《ひかるげんじ》栄華物語は豪華なフィナーレを迎えたかの感があった。最後には冷泉帝《れいぜいてい》と朱雀院《すざくいん》が六条院へ華々しく行幸《ぎようこう》して、いっそう源氏の栄華に彩《いろど》りをそえた。

若菜に入って、源氏も全く予期しなかった思いがけない事件が、突如、六条院に降って湧《わ》いた。

六条院行幸の後から病床に臥《ふ》していた朱雀院が、その内親王女三《おんなさん》の宮《みや》の結婚を心配して、候補者選びに苦悩する。院には東宮の外に四人の姫宮がいるが、なぜか女三の宮を偏愛して、格別の鍾愛《しようあい》を抱いている。

子供の結婚に心を砕く例は、内大臣にも見てきたが、子を想う親心に身分の上下はないと見える。

主《おも》だった乳母《めのと》たちと相談し、あれこれ婿選びに苦慮する。夕霧《ゆうぎり》、柏木《かしわぎ》、蛍兵部《ほたるひようぶ》卿宮《きようのみや》などが、求婚者、あるいは候補者として浮かび上がってくるが、帯に短し襷《たすき》に長しで、朱雀院は迷いつづける。

女三の宮の生母は藤壺女御《ふじつぼのにようご》（源氏の義母の藤壺の女院《にようい》の異母妹）と呼ばれていたが、先帝と更衣《こうい》の間に生まれた人なので、後宮《こうきゆう》で勢力もなく、弘徽殿《こきでんの》女御が、妹の朧月《おぼろづき》夜《よ》の尚侍《ないしのかみ》を強引に後宮に入れ、朱雀院は、尚侍に心を奪われたので、いっそう藤壺女御の影は薄くなった。

先帝には兵部卿宮（紫上の父）と藤壺の女院と、藤壺女御の三人の子供がいた。上二人は后《きさき》の子で、藤壺女御だけが更衣腹だった。

朱雀院は内心、藤壺女御を可哀そうだとは思いながら、自分が譲位してしまったので、立后もさせず、藤壺女御は自分の身の不運を恨みながら死んでしまった。その忘れ形見なので、女三の宮に不憫《ふびん》さが募るのだった。大切に可愛がり育てて、姫宮は十三、四歳ぐらいになっていた。

内親王は普通、結婚しないのが常識とされていたが、女三の宮は年より幼く、頼りないので、しっかりした後見がなくては生きていけないだろうと、朱雀院も乳母たちも心配するのだった。結局、後見として一番頼もしいのは源氏だということになる。

女三の宮の乳母の兄の左中弁《さちゆうべん》が源氏に仕えていたので、それとなく朱雀院の内意を伝えさせ、源氏の反応を窺《うかが》ってみる。源氏はおどろいて、朱雀院と自分なら、それほど長く自分が生き残るとも思わないのに、姫宮のお世話は責任がもてない、といいながらも、女三の宮の生母は藤壺の女院の妹で、女院についでたいそう美しいと評判されていたので、女三の宮もさぞ美しいだろうと想像して、まんざらでもない気持が動く。藤壺の女院の姪《めい》という点では、紫上とも同じで、源氏は女院の血筋の女には、はじめから無関心ではいられないのである。

女三の宮の裳着《もぎ》の式を終えると、朱雀院は病気の身のまま念願の出家をとげてしまった。

源氏は朱雀院を見舞い、そこで朱雀院に泣きつかれ、断り切れないで、女三の宮の降嫁を承認してしまう。自分なら女三の宮が親のように思ってくれるだろう、などという理屈をつけるが、内心は女三の宮の若さと美しさに好奇心と期待がないとはいえない。

その夜は六条院に帰っても、すぐには紫上に打ち明けられない。このことを紫上が知ったらどんなに悩むだろうと、今更ながら大変なことを引き受けてしまったと思う。

紫上も、薄々女三の宮の降嫁を朱雀院が望んでいるという噂《うわさ》は耳にしていたが、まさかこの年になってそんなことはないだろう、朝顔《あさがお》の前斎院《さきのさいいん》の時だって、源氏はずいぶん執心していたけれど、結婚などは強行しなかったではないか、そんなことが今更あるものかと、安心しきっている様子なので、源氏はいっそう切り出しにくくなってしまう。

長年つれそった今では、二人の間には何のかくしだてもない仲なので、少しの秘密を持つのも心苦しく、紫上がどんなに嘆くだろうと、その夜はとうとう打ち明けられなかった。

翌日は雪が降り、静かな日だったので、源氏は紫上と昔の想い出話や将来のことなどしみじみ語りあったついでに、朱雀院から女三の宮のことを面と向かって頼まれ、断りきれなかった、と告白する。

「院が山寺へ隠棲《いんせい》なさったら、女三の宮を六条院にお迎えしなくてはならないでしょう。あなたはさぞ厭《いや》だろうが、どんなことがあってもあなたに対するわたしの気持は変わらないのだから、女三の宮を憎まないようにしてください。女三の宮こそ、こんなに愛しているあなたのいるところへ降嫁されては、どんなにお辛《つら》いだろう」

という。紫上はちょっとした源氏の浮気にでも嫉妬《しっと》するたちなので、どんな反応が出るかと思ったら、案外けろりとして、

「あちらがわたくしを目障《めざわ》りなとお思いでないなら、ここにおいていただきますわ」

と謙遜《けんそん》していう。

しかし、紫上の内心の苦悩は、この日から始まった。全く青天の霹靂《へきれき》のように降って湧いた源氏の結婚に、もう大丈夫と安心しきっていた紫上の心は、はげしく動揺しないはずはなかった。

夜離れの古女房

年が明け、源氏の四十の賀が祝われる。

長寿の祝賀は、四十歳から始めて、五十、六十、七十と十年ごとに百まで行う祝いである。帝《みかど》も国をあげての祝賀にしようとするが、源氏は儀式ばったことは嫌いだからと、そのすべてを断った。

それでも正月二十三日の子《ね》の日に、いち早く玉鬘尚侍《たまかずらのかん》の君がお祝いの若菜を持参して駆けつけ、その日は人々も集まって、結局、大変賑《にぎ》やかな四十の賀になった。玉鬘は、髭黒《ひげくろ》との間に年子の男の子を二人も産んでいて、その子も夫と共々つれてきている。

結婚して三年めの対面である。この子たちを見て、源氏が夕霧《ゆうぎり》の孫たちにまだ逢わせてもらえない、というくだりがある。当時の貴族の家庭では、孫でも物心ついてから正式に祖父に挨拶《あいさつ》させるのが常態であったらしい。源氏はそれでも、夕霧の律義《りちぎ》な行儀よさを非難した口調で、

「ことごとしく思ひ隔てて、まだ見せずかし」

ごたいそうに隔てを置いて、まだ見せないのですよ、ということで、夕霧の水臭さを嘆じている。太政大臣《だいじょうだいじん》の一家も来合わせ、和《なご》やかな音楽の会が暁方《あけがた》までつづいて、会はお開きになった。

そんな間にも、女三《おんなさん》の宮《みや》の結婚の準備は着々とすすめられていて、二月十日過ぎについに六条院へのお輿入《こしい》れとなった。

源氏のほうでもお迎えの準備おさおさおこたりなく、邸内を磨きたてて飾りつけてある。

源氏や紫《むらさきのうえ》上が暮らしている東南の御殿の、寝殿の西の放出《はなちいで》に、花嫁の御帳《みちょうだい》台を置いた。帳台はベッドのことだから、ここが花嫁の寝室兼居間になるわけである。放出というのは、諸説あってはっきりしないが、ここでは寝殿の母屋《もや》を、障子《そうじ》や几帳《きちょう》でしきって部屋としたものらしい。寝殿造りの寝殿は、寝室ではなく正殿のことで、主人の居間、客間として一番重要な場で、南面して造られている。中央に母屋があり、その外に廂《ひさし》、更にその外に簀子《すのこ》がある。

その左右に対《たい》の屋《や》があるわけで、紫上は東の対に住み、源氏もほとんどここで暮らしていた。

寝殿は客間のようにして今まで使っていたのだった。ところが女三の宮は降嫁なので、一番重々しい寝殿に迎え、そこを住居とすることになる。それだけでも紫上は屈辱を味わう。

すべて御所へ入内《じゆだい》するような物々しさで女三の宮はやってきた。

輿がつくと、車寄《くるまよせ》まで源氏が出迎え、輿の中から女三の宮を自身で抱き下ろしてあげる。准太上天皇《じゆんだいじようてんのう》ともなった源氏にしては軽々しいしぐさだが、源氏はあくまで臣下の立場で内親王の降嫁を迎えたという形にして、へりくだっている。

紫上としては、いくら平静を装っていても内心おだやかでない心境で、現実にその華々しい輿入れの有様を見ると不安もつのってくる。新婚三日間は、朱雀院《すざくいん》からも源氏側からも競争で、盛大な風雅の催しや饗宴《きようえん》がつくされる。

紫上は居たたまれない思いをこらえて、つとめてさりげなく、婚礼の忙しさの中で源氏と心を合わせて、こまごましたこともよく気づかって処理していく。辛《つら》さをかくして表面いかにも爽《さわ》やかにふるまうのを見て、源氏は紫上へのすまなさと愛情を深めずにはいられない。

さて、はじめて目《ま》の当たりにした女三の宮は、あまりにも小さく未成熟で、あどけなく、全く子供っぽい。昔、少女の紫上を発見した頃を思い出してみても、あの頃の紫上は子供ながら気働きがあって、張合いがあったものだ、しかしこの様子なら、威張ったり我を張ったりはしないだろう、と源氏は思い直すが、大いに期待外れだったことは否めない。

とはいっても、三日間は毎晩花嫁の所で寝るのが習慣だから、源氏は東の対から通っていく。

紫上は三日も夜離《よが》れしてひとり寝するなどは馴《な》れていないので、こらえはするけれどやはりもの悲しい。花嫁のところへ出かけていく源氏の衣裳に常より念入りに香《こう》を薫《た》きしめさせながら、物思いに沈んでいる様子が、源氏にはたまらなくいとしく見える。

どうしてこんな馬鹿なことをしてしまったのだろう、こんないい妻の外にまた結婚するなんて、つまりは自分の浮気で弱気な性根からおこったことだ、と後悔しても始まらない。

「今夜だけは三日の最後だから許してください。この後、もしあなたをひとりにする夜があったら、われながら自分に愛想をつかすでしょう。とはいっても、あちらを捨てておいても朱雀院が何とお思いになるかと考えると……」

と思い悩んでいるのを見て、紫上は薄笑いを浮かべて、

「御自分の心さえ、はっきりお決めになれないんですもの、ましてわたくしなどに何もわかるはずがありませんわ」

と、そっけなくいう。源氏はそんな紫上をそのままにしては女三の宮のところへ行

く気にもなれず、頬杖《ほおづえ》をついて横になり、ぐずぐずしている。

「いつまでもぐずぐずしていらっしゃると、向こうで変に思われますわ。さ、出かけてください」

紫上にうながされて不承不承立ち上がり、やっぱり行ってしまうのを見送りながら、紫上の心の内は決しておだやかであろうはずもない。

もうこれで大丈夫と安心していた矢先に、こんな外聞の悪いことが起ころうとは……。所詮《しょせん》、夫婦などいつでも頼りない関係だったのだ、これから先だって何が起こるか知れたものじゃない、と心配する。

このあたりの紫上の不安や悲しみはしみじみあわれで、現代の夫婦の間でも通じる古女房の悲哀である。男は永遠に、若くて新しい女に魅《ひ》かれる本性を持っているからだ。

紫上づきの女房たちも黙ってはいない。その中には源氏のお手付きたちがいるから尚更《なおさら》のことだ。

「まあ、口惜《くや》しい。今までだって大ぜい女君《おんなぎみ》がいたけれど、みんな紫上さまには遠慮して小さくなっていたから許せたんだわ。それが女三の宮ときたら、どうでしょう。ずいぶん図々しい威張りくさった態度じゃないこと。このまま負けてたまるもんですか」

「でも、ちょっとしたことでも、あちらと対抗して事をおこすと、一大事になってしまうわよ。何しろ内親王ですからね」

など、わいわいがやがや評定《ひょうじょう》はつきないのであった。

朝帰りの夫の迎え方

紫上《むらさきのうえ》に気がねして、なかなか女三《おんなさん》の宮《みや》の方へ出かけられない源氏を、紫上は自分が引き止めてでもいるように思われるのは厭《いや》だと思い、押し出すようにして源氏を行かせてやる。

美しく着飾り、いいようもなくいい匂いを残り香にして、新しい妻のところへ出かけて行く夫を見送り、紫上の心の中がおだやかでないのは当然だ。

長い夫婦生活の年月には、こんなことも起こるのではないかと懸念《けねん》されたこともあったけれど、今ではもう源氏もすっかり落ち着いてきたので、これなら大丈夫と安心しきっていたところへ、こんな世間の物笑いになりそうな不体裁なことが持ち上がってしまった。所詮《しょせん》、自分たちの夫婦仲なんて不安定なものだったのだ、これから先だってどんな思いがけないことが起こるかわかったものではない、と心細くなる。それでも表面さりげなくつくろい、平気をよそおっているのを見て、女房たちはおさまらない。

寄るとさわると、女三の宮の情報を集めて口さがない悪口を言ったり、勝手に評《ひょう》定《じょう》したり心配したりしている。

紫上は聞きづらいと思い、

「たくさん愛人がいても、今までは、これはと思うようなふさわしいはなやかな身分の人はいなかったし、いつも同じ顔ぶれでもの足りなく思っていられたところへ、今度はいかにもふさわしい高貴な方がいらっしゃったんだから、これでいいのよ。わたしは子供っぽいのかしら。あちらとも仲よくさせてもらいたいのだけれど、変にこだわっているように勘ぐられていそうね。何しろあちらは恐れ多い御身分でいらっしゃるから、面倒ね」

と、女房たちにいう。中務《なかつかさ》や中将《ちゅうじょう》の君などという女房は、以前から源氏のお手付き女房だっただけに、

「そこまで卑下なさることはありませんわ」

と、紫上よりいきり立っている。彼女たちは今では紫上に仕えて、心服しきっている。

花散里《はなちるさと》や明石上《あかしのうえ》たちも、

「どんなお気持でしょう。ほんとにお察しいたします。どうせ初めから、愛してもらうことなんかあきらめているわたしなんか、何が起こっても気が楽ですけれど……」

などおもねるような見舞いの手紙を寄こす。紫上はこのほうがよほど癪《しゃく》にさわる。あまり夜ふかしするのも、いつにないことと女房たちに変に思われるだろうと、寝所に入ったので、女房が夜具をかける。

こんな淋しいひとり寝が三日もつづいたので、やはり心おだやかでない。あの須磨《すま》に源氏が流されていた時の別れなど思い出されてくる。あの時もつらかったが、どんな遠くに別れていても、同じこの世でとにかく源氏が無事でいてさえくれたらと、ひたすら源氏の身の上が可哀そうで悲しかった。あの時あのどさくさの中で、もし自分も源氏も死んでしまっていたら、今更何の甲斐《かい》もない二人の仲だったろうに、と思い直すのだった。

風の吹きはじめた夜気が冷え冷えとして、なかなか寝つかれない。女房たちに眠れないのをさとられまいと、身じろぎもしないでいるのがやはりつらくて、涙があふれてくる。まだ夜の明けぬうちに一番鶏《いちばんどり》の声が聞こえてくるのも、しみじみと胸に沁《し》みる。

源氏はその頃、女三の宮と共寝の床の中で、まざまざと紫上を夢に見た。夢の中の紫上が見たこともないほど悲しそうな顔をしていたので、胸騒ぎがして起き上がり、一番鶏の声を聞くや否や、まだ夜明け前なのにかまわず、急いで紫上のいる東の対《たい》へ帰ろうとする。女三の宮はまだほんとに子供じみているので、すぐ近くに乳母《めのと》たちがひかえている。源氏が帰るのを、乳母たちが見送るのだった。外は雪明かりがしている。残雪が白い庭砂と見わけもつかない時刻だった。

東の対へ帰って、格子戸をほとほと叩《たた》いたのを女房たちはすぐ耳にしたが、しめしあわせて、わざと戸を開けてやらない。意地悪してこらしめてやろうという魂胆である。しばらくして、やっと戸を開けてやると、外で源氏は寒さにふるえていた。

「ずいぶん長いこと外で待たされていたから、体の芯《しん》まで冷えきってしまった。こんなに早く帰って来たのをみても、あなたをどんなに怖がっているかわかるでしょう。なにもわたしに罪はないのだけれど」

などいいわけしながら、紫上の着物をとりはらおうとすると、紫上は涙で少ししめった袖をそっとかくして、恨みがましいことなど一言もいわず、やさしく迎え入れる。それでもすっかりは許していず、すぐには源氏のするままにはなるまいと、やんわり抵抗するのが、いいようもなく色っぽく、源氏はたまらなくいとしくなる。どんな高貴の身分の女だって、これほどには申し分のない人もいないだろうと、つい心の中で女三の宮と比較してしまう。

紫上との長い歳月のあれこれが思い出されてくる。紫上がまだ機嫌を直さず、源氏を受け入れようとはしないので、その日は専《もっぱ》ら機嫌をとり結んで、とうてい女三の宮の方へは行く気にならない。

「今朝の雪で風邪をひいて気分が悪いので、気のおけないところでぐずぐずしています」

と手紙を持たせると、乳母の口頭で、「そう申しあげました」とそっけない返事だった。こんなことが朱雀院《すざくいん》の耳に入ったら、また面倒だと思いながら、何とか当分の間は人前だけでもつくろいたいと考えるが、早くもそうもならない結果を見て、ほんとにとんでもない結婚をしてしまったと後悔している。

その日は終日べったりと紫上にくっついているので、紫上のほうでは、自分がすねて引きとめていると向こうに思われるだろうに、何と察しのない人だと、かえって源氏を恨んでいる。

その夜は紫上と共寝して、源氏は女三の宮を訪れなかった。

焼けぼっくいに火が

朱雀院《すざくいん》は、女三《おんなさん》の宮《みや》を源氏に降嫁させてから、その月のうちに西山の寺に入ってしまった。西山の寺とは、朱雀院が出家後入るつもりでかねがね建てておいた寺で、現在の仁和寺《にんなじ》と目されている。

これでいよいよ、院に付き従っていた女御《にようご》、更衣《こうい》たちも、上皇御所から退出して実家へ帰っていく。朧月夜尚侍《おぼろづきよのないしのかみ》も、里の二条宮に帰った。ここは弘徽殿大后《こきでんのおおきさき》のいた邸で、彼女たちの生まれ育った旧右大臣邸である。

朧月夜は、長い歳月をかけて、この頃では朱雀院のやさしさや深い愛情が身にしむようになり、源氏のことはつとめて忘れ、朱雀院の愛情にこたえるようになっていた。院の出家の時も、お側《そば》にぴったりとつきそって悲しみをかくそうともしなかったので、院も悲しくいとしく思い、出家の決心も危うく鈍りそうだった。それだけに朱雀院としては、女三の宮のことに劣らないほど、朧月夜のことに後ろ髪をひかれるように思う。朧月夜は自分も尼になろうとするが、朱雀院に、後を追うようでかえって見苦しいからといさめられ、ゆっくり出家するつもりになっている。

源氏は朧月夜のことを内心ずっと想いつづけていた。生木をさかれたような別れなのだから、みれんはくすぶり残っている。世間をはばかって、今まで我慢してきたが、朧月夜が院から暇を出されて自由の身になったのだから捨てておくはずもない。さりげない見舞いにかこつけて、心をこめたやさしい便りをしきりに送り始めていた。相手も時々返事をよこすのが、昔よりずっと成長して円熟しきった女の魅力が手紙から匂ってくるので、いっそう昔のような熱情がよみがえってくる。

昔、何かと間を取りもってくれた中納言《ちゆうなごん》の君という女房にも、せつない心情を訴え、その兄の前和泉守《さきのいずみのかみ》にも、こっそり逢わせてくれと頼む。

朧月夜はふたりから源氏の求愛を伝えられても、昔から源氏のつれない仕打ちも味わってきたし、朱雀院の誠実な愛に対しても、あんな悲しい出家を見送った後で、今更、源氏と何の昔語りをすることがあろうかと、断りつづけている。たとえ他人に気づかれず密会をとげたところで、自分の良心に責められて恥ずかしいではないかと、自分にいいきかせる。

源氏は昔、あんな無謀な危うい恋をしていた時でさえ、自分のいうことに反対出来なかった朧月夜なのだから、という自信がある。朱雀院には後ろめたいが、どうせ一度は立った朧月夜とのスキャンダルの汚名が消えるわけでもあるまいと、段々、不敵になって、前和泉守の手引きで逢いにゆくことにする。

紫《むらさきのうえ》上には、二条院の末摘花《すえつむはな》が病気なので見舞いにゆく、など嘘《うそ》をついて出かける。そわそわしている源氏の様子に、紫上は、末摘花のことなんかいつもは全く心にもかけないのにと、すぐ怪しいと思い、朧月夜がお目当てなのだろうと察してしまう。女三の宮が来てからは、紫上は源氏に昔のようにすべて心を打ちわってはいない。ある距離を置くようになっているので、気づかないふりをしている。女三の宮にも手紙だけ出しておいて、夜になって、昔のしのび歩きのように粗末な網代車《あじろぐるま》に乗って出かけていく。

朧月夜は、源氏が来たと女房に知らされて驚き、とんでもないことと不機嫌になるが、源氏が強引に廂《ひさし》の間《ま》に入ってきて、

「せめて物越しにでも話してください。この廂の間の境まででも出て来てください。昔のような不埒《ふらち》な心など全くなくしていますから」

と例によってかきくどくと、朧月夜は苦しそうにため息をつきながら、にじり寄って出てくる。ほら、やっぱりこの女は、昔のままに情が深くなびきやすいのだと、源氏は嬉しがる。

お互い並々でない想い出を共有しているだけに、心にこみあげてくる感懐はひとしおである。そこは東の対《たい》であった。障子《そうじ》にしっかり鍵をかけてあるので源氏は苛立《いらだ》っ

て、

「ずいぶん要慎深くされますね。あれ以来、ずっとあなたに恋いこがれてきた私に、あんまりな冷たいおもてなしだ」

と怨《うら》みごとをいう。夜が更けるにつれ源氏は理性も忘れがちになり、涙まで出てきて、

「このまま、帰すおつもりか」

と、障子をがたがたゆさぶって、開けてくれ、とせがむ。朧月夜も冷たさを装うものの、あの昔の騒ぎを思い出すと、須磨流浪《すまるろう》などのあんな苦労をさせたのも、もとはといえば自分が原因ではないかと思い、もう一度くらいなら逢ってもいいのではないかと、早くも心が鈍ってくる。もともと、誘惑に弱い人で、あれ以来、ずいぶんこりて、それなりの苦労もしてきて自重してきたのに、昔を思い出させる今夜の逢瀬《おうせ》に、月日がかき消え、いつまでも気強く出来ず、とうとう障子を開けてしまった。

逢ってみれば、女は昔と同じようにさわやかな若々しさがあふれ、ものやさしい風情に包まれている。世間への遠慮と、抑えがたい源氏への思慕の情がせめぎあい、思い乱れて熱いため息をつきながら、激情に流され、我を忘れていく様子など、今初めて逢いそめた女より珍しく、いとしい。夜の明けていくのが名残惜しいほど、愛を交わしつづけて飽きない。帰っていく気もないほど、源氏もすっかり女に惑溺《わくでき》してしま

った。

いつまでも名残を惜しんでいるわけにもいかず、こまごまと次の逢瀬の約束などして帰っていく。あの当時から只《ただ》ならぬほど惹《ひ》かれた相手なのだから、焼けぼっくいに火がついてしまえば、ふたたびどういうことになるだろうと、心のどこかに恐れもある。

ひどく人目をしのんで帰ってきた源氏の寝乱れた姿を見て、紫上は大方のことは察してしまったけれど、素知らぬふりをしてみせる。源氏はやましいから、紫上の機嫌をとろうとして口がすべってしまう。

「物越しにちょっとだけ逢ってきた」

など白状したふうにみせかけても紫上が相手にしないので、御機嫌を取り結ぶうち、いつのまにか、すっかり紫上に白状させられてしまっていた。源氏は動じない紫上に、昔のようにもっと率直に、つねるなり何なりして、はっきり恨み言をいってくれと迫る。

女三の宮のほうは、まだ源氏が訪れないでも、おっとりして格別心も動かさない。まわりの女房たちが心配して扱いの冷たさに不満を訴えるのだった。

六条院の栄華の極み

明石《あかし》の女御《にょうご》が懐妊して、六条院へ里帰りしてきた。まだ十二歳だから、みんなが心配する。十二歳というのは数え年だから満十一歳で、懐妊など現在の感覚では不自然な気がするが、当時でも珍しいので、「いとゆゆしくぞ、誰も誰も思《おぼ》すらむかし」という表現になるのだろう。

女三《おんなさん》の宮《みや》のいる寝殿の東半分をしきって、女御の部屋にする。生母の明石上《あかしのうえ》は入内《じゅだい》以来娘につきそっているので幸福そのものである。「あらまほしき御宿世《すくせ》」ということばが使われていて、女として理想的な境遇だといわれている。

紫上《むらさきのうえ》は育ての親として女御に逢いにいくついでに、女三の宮をも訪ねてみようと思う。

源氏はもちろん大賛成で、わが意を得たり、と喜ぶ。

紫上は女三の宮より明石上にまだライバル意識が残っていて、気を張り、髪まで洗って念入りに化粧し、衣裳選びをする。何といっても、実母として女御につきそっている強味には敵《かな》わない。

女三の宮は源氏から紫上が来ると聞いて、

「恥ずかしいわ。どんなお話をすればいいのかしら」

など、おっとりという。源氏は、あまりに頼りない子供っぽい女三の宮を紫上に見られるのはきまりが悪い、と思ったりする。

紫上は対面の支度などしながら、とかく物想いに沈みがちである。自分が六条院では誰よりも源氏に愛されていると自認しているものの、やはり現在の境遇の変わりようが情けなく、心が鬱屈《うつくつ》するのだった。

源氏は、若いかわいらしい女三の宮や明石の女御を見た目に紫上を見て、普通の女なら見劣りするはずなのにいっそう紫上の美しさを認識し直し、惚《ほ》れ直す。この頃の紫上は、源氏の目には、限りなく気高く気がひけるほど整っている上、はなやかでモダンで、照り映えるような艶《あで》やかさや優美さや、すべての色も匂いも取り集めた見事な女盛りと見える。今年、紫上は三十二歳になっていた。去年より今年はまさり、昨日より今日はめずらしく、いつでも今初めて見るような新鮮な感じがする。どうしてこうも美しく生まれついているのかと、源氏は感心してしまう。

何かにつけ、心にこれまでにない悩みをかくしている痛々しさが洩《も》れ見えるのを、つとめてかくし、さりげなくふるまっているのがいじらしい。

源氏にとってそれほど紫上は絶対最高の女であった。女三の宮を迎えていっそう紫上の魅力が際立って源氏に認識されてくる。かといって、浮気心がおさまるものではない。

今夜は紫上が寝殿を訪ねるので、女三の宮と両方に用がないとなると、もうむずむずして朧月夜《おぼろづきよ》に逢いたくなる。ずいぶん無理な首尾をして忍んでいくのだ。われながら何というあるまじい振舞いだときびしく反省はしてみても、どうすることも出来ない。

妻の目をかすめてこっそりかくし女のところへ忍んでいく男の心理は、千年昔も今も一向に変わっていないのが面白い。

紫上は女三の宮に逢ってみて、噂《うわさ》以上の無邪気な子供っぽさに拍子抜けがする。年が下の明石の女御のほうが、妊娠しているせいもあって、久しぶりに逢うと、ずいぶん大人びて見えたのと比べても、女三の宮の稚《おさな》さは頼りない。女としていかにも未熟な相手に、ライバル意識も出ず、紫上は母親のようにやさしく、

「わたくしの父とあなたの母上が腹ちがいの兄妹ですから、恐れ多いけれどわたくしたちは従姉妹《いとこ》同士になるのですよ」

などと血縁のことも話してあげる。女三の宮は応対もろくに出来ないあどけなさながら、初対面の紫上を、ほんとにやさしい若々しい気立てのよさそうな人だわと、す

っかり打ちとけてしまうのだった。

年が改まり、いよいよ明石の女御のお産も近づいた頃、明石上の母の尼君が、女御に昔話をしてしまった。六十五、六でまだぼけきっているわけではないけれど、明石上について女御の側《そば》に始終居るうちに、女御の生まれた頃が思い出され、抑制がきかなくなったのだった。

女御は初めて自分の生まれた事情もわかり、そんな片田舎で生まれたのかと驚く。自分の生母の身分が低いことは薄々感づいていたが、今日その事情もわかると、これまで入内して誰はばからず心おごりしていたことを恥ずかしく思う。それにつけても、紫上が高貴な姫君として養育してくれた御恩は忘れがたいと、改めて感謝の思いがつのる。祖父の入道が今はひとり明石に残り、仙人のように暮らしているという話も、しみじみ心にしみてあわれに思うのだった。

明石上は、尼君がうっかりした話で女御が傷つきはしまいかと、はらはらする。

女御があんまりひよわく痛々しいので、源氏は心配して、ありとあらゆる安産の加《か》持祈禱《じきとう》をする中で、三月十日過ぎ、安らかに男の御子《みこ》を産んだ。この御子はやがて東宮に立ち、天子にもなる将来の幸運を約束されているのだから、源氏の喜びはこの上もない。

紫上も産室を訪れ、いかにも祖母らしく若宮を抱いてばかりいる。自分がお産の経験がないだけに、生まれたばかりの赤ん坊が珍しい。本当の祖母の明石上は、産湯《うぶゆ》の儀式の用意などしている。明石上としては、今までの忍従の生活もすっかりむくわれた気がする晴れ晴れしさであった。明石上の未来もまた、この若宮が天子になればこの上なく尊まれる身分になるのだから、子を恵まれなかった紫上よりはるかに安泰なのだった。

そんな中でも明石上は万事に気が利いていながら、大様《おおよう》で、分を心得て出しゃばらない態度が上品で、ほめない人もない。

紫上もこれまでは明石上に一番嫉妬《しっと》して憎んでいたが、この若宮のおかげで今は大切に思い、親しくなっている。

源氏は、自分の娘が東宮の男子を産むという理想的な幸運に、さすがに喜びをかくしきれない。

六条院の幸福と栄華はここに極まったようで、望月《もちづき》の欠けたところもない源氏の幸運の絶頂かと見えた。

明石の入道の退場

明石《あかし》の入道は、源氏物語の中に登場する数多い人物の中で、非常に個性的な、印象に残る性格を持っている。

元は大臣の子と生まれ近衛中将《このえのちゆうじよう》という要職まで手に入れたところで、自分からその職を捨て、播磨守《はりまのかみ》となって都落ちをする。播磨は大国ながら、その国の受領《ずりよう》となっていくということは、中央政権の出世コースから外れるという意味がある。

当時の宮廷に仕えている男にとっては、正月の除目《じもく》の時、自分の名の上に新しい役職がつき、自分が昇進していくことが最高の喜びであった。

近衛中将という要職は未来のかがやかしい昇進を約束されている。それを自分から捨てるにはそれなりの理由があったはずである。明石の入道の話が初めて出てくるのは、若紫《わかむらさき》の巻で、源氏がわらわ病みで北山へ加持《かじ》を受けにいった時、供をしていた播磨守の息子の良清《よしきよ》が世間話としてこの入道を話題にする。

前《さきの》播磨守で近頃出家した入道、と紹介している。大臣の子孫で出世も出来たはずなのに、大変なひねくれ者の変人で、宮仕えのつきあいも嫌い、近衛中将という官位を捨てて、播磨守に自分から願い出てなったものの、播磨の地でも変人ぶりを馬鹿にされて、「何の面目あって都に帰れよう」といって、剃髪《ていはつ》してしまったというのである。

出家後は籠《こも》るにふさわしい静かな山もあるのに、若い妻子がそんな所では恐ろしがって住みわびるだろうといって、海岸に広大な邸《やしき》を構えて悠々と暮らしている。一人娘を大切に育て、自分は受領風情に落ちぶれているけれど、娘は受領の妻などにはしない。娘の将来のことはその結婚に高い望みをかけ、高貴な人との結婚しか考えていないから、自分が死んで、その望みが果たせない時は、「海に入りね」と遺言してあるという。「海に入りね」とは、海に身を投げて自殺せよ、ということで、ずいぶん激しい言葉である。この考えだけでも入道が世のひがものと呼ばれる気性がうかがわれる。

入道は十八年間、住吉《すみよし》の明神に年に二度詣《まい》りつづけ、娘の結婚のことで願掛けしている。

そこへ源氏が目と鼻の先の須磨《すま》へ流されてきた。これこそ神のおはからいと喜ぶ。娘を源氏と結びつけることになって、子孫が都に栄えるかもしれぬという夢が実現可能になるかもしれない。

入道は夢に住吉明神のお告げを受け、暴風雨の夜、明石から舟を出し、源氏を須磨から連れ出し、自分の邸に迎える。

ここで明石の君と源氏が結ばれ、明石は源氏の胤《たね》を宿したところで、源氏は許されて京へ帰っていく。

一時は悲嘆に暮れるが、源氏は明石母子を京へ迎えとる。この時入道の妻は尼になって、娘と孫に従い京へ行き、入道一人が明石に残る。その時も気強く、別れの悲しみはかくして、

「自分が死んだと聞いても法事などの心配をしないでくれ」

と言い渡す。

源氏が初めて入道と会った時、入道は年は六十ぐらいで、たいそうさっぱりとしたいい感じで、勤行《ごんぎよう》のためやせ細っているが人品卑しからず、偏屈で少しもうろくしているところはあっても、昔のことなどよく識《し》っていて、上品で趣味がよい、と書かれている。特に琴《きん》が巧みだったとある。

明石の入道の運命や個性的な人物造形は、夢告や神頼みなどに飾られながら、不思議に近代的で、書かれた分量にしては印象が強い。

物語の舞台からの引き際も、なかなかドラマティックで、個性的である。

物語の底に沈んでその後長くあらわれなかった入道が、突然いきいきとよみがえっ

てくるのは、入道の孫にあたる明石の姫君が東宮の女御《にようご》となり、男御子《おとこみこ》を安産した直後である。やがては帝位に立つ若宮誕生を聞いた明石の入道は、

「今こそこの現世から心安らかに去っていくことができる」

と弟子たちにいって、邸を寺に変え、領地はすべて寺領にして、自分は国の奥の方の人も行き通わないような深山へ籠りに入っていった。これまで入山を決行出来なかったのは、京のことに気がかりがひとつ残っていたからで、もうこれで自分の願はすべて叶《かな》えられた、と満足したのだ。

最近はめったに京へも便りをしなくなっていたが、入山に臨んで遺書を書き、京の明石上《あかしのうえ》へ送り届ける。その中に初めて明石上の将来を示す夢を昔見たことを打ち明けている。

「あなたが生まれてこようとした年の二月の夜、わたしは夢を見た。私は右手に須弥《しゆみ》山《せん》を捧《ささ》げ、山の左右から日月の光が明らかにさし出て、世を照らしていた。私は山の下蔭にかくれてその光にはあたらない。山を広い海に浮かべておいて、自分ひとり小さな船に乗り、西のかた極楽浄土をさして漕《こ》ぎ去っていく。

その夢を瑞夢《ずいむ》と感じ、その時から私は将来に大望を期待するようになり、あなたが生まれて以来は様々な書物を探しても夢を信じてよいと思うことが多かったので、いよいよ確信を持ってあなたに望みをかけ、大切に育てました。受領にまで落ちぶれて

長くここに暮らしている間にも、あなたを頼りに心ひとつに多くの願をかけてきました。いよいよその願ほどきをする御運がめぐってきたのです。姫君が国母となり大望の叶った暁には、必ず住吉明神へ御礼詣りに行きなさい。これで私の極楽往生の願いも叶うでしょう。阿弥陀《あみだ》さまのお迎えのある夕暮れまで、静寂の山中で勤行いたします。

私の死ぬ日のことなど必ず御放念ください。親のための喪服など着る必要はありません。御自分は神仏がこの世に現れた化身と信じなさい。その上で、私の冥福《めいふく》を祈ってください」

また、老妻の尼君には、

「この月の十四日、深山へ入ります。役にも立たない身を熊狼《くまおおかみ》の餌《えさ》に施してやりましょう。あなたは今後も長生きして、若宮の御即位なさる世を見届けてください。極楽浄土でまた逢いましょう」

とだけ書いてあった。その遺言を書いた三日目に人跡未踏の深山に、僧一人、童《わらわ》二人だけを供に分け入り、行方知れずになったのであった。

頑固な一徹者の思いつめた生き方と、いさぎよい身の終わり方である。

猫のひきあげた御簾の奥に

明石上《あかしのうえ》は実の娘の女御《にようご》の世話を親しく出来る立場に置かれたので幸福だった。それでも慎み深くして決して女御の親ぶったりせず、陰の立場というのを心得えて万事ひかえめにして出しゃばらないので、紫　上《むらさきのうえ》ともうまくいっている。

源氏はますます紫上への愛情が深まり、女三《おんなさん》の宮《みや》は表向きや儀式の時は大切に扱い、決して疎略にはしないものの、愛情の点では紫上に比べようもない冷淡さで、義理だけで女三の宮のところへ泊まりに行く回数も少ない。

世間にもそれは洩《も》れていて、女三の宮への同情も集まっていた。

夕霧《ゆうぎり》は身近に六条院へ行ける立場だから、誰よりも早くそのことに感づいていた。もともと、自分と結婚したかもしれない話もあったくらいだから、今でも女三の宮のことに全く無関心ではいられない。

気をつけて見ていると、女三の宮のところには女房にしっかりした者もいないようで、年が若く器量がよくおしゃれな女ばかり集めていて、絶えず賑《にぎ》やかに楽しそうに浮き浮きしている。

女童《めのわらわ》などが子供っぽい遊びに毎日のように戯《たわむ》れているのも、女主人がそういうことを好きだからだろう、も少し物静かで奥ゆかしい雰囲気があってもいいのに、と批判しながら、万一何かの拍子に、女三の宮の顔を見る折もないかとひそかに窺《うかが》っている。

柏木衛門督《かしわぎのえもんのかみ》も、ぜひ結婚を、と望んだ相手なので、今もって女三の宮をあきらめきれない。

源氏が人の手前だけ大切に扱い、実は紫上ばかり愛して女三の宮の方へは数えるほどしか訪れないと聞き、自分が結婚していたらそんな気の毒な目には決してあわせないものをと、口惜《くや》しがっていた。

そんなある春のうららかな午後のことであった。六条院の花散里《はなちるさと》のところで夕霧や若い殿上人《てんじようびと》が蹴鞠《けまり》に興じていたら、聞きつけた源氏が自分の邸《やしき》の方へ来るようにと呼びよせ、寝殿の前の庭で蹴鞠をさせて見物した。

柏木衛門督は父親ゆずりの才能で、格別、蹴鞠が得意だった。彼等の中で群を抜いてうまい。蹴鞠とは、足でボールを蹴るのはサッカーに似ているが、ボールを足で受けて蹴り返すので、足でするバレーボールのようなところもあるスポーツである。

ひとしきり蹴った後、夕霧と柏木は寝殿の中央の階段の中ほどに腰をおろして休んでいた。いつの間にかたそがれがしのびより、咲きみだれた桜の花が夕風に吹かれ吹雪のように舞い散っている。

「花がたいそう散りますね」

などいいながら、ふたりともそれとなく視線は女三の宮の御座所の方を窺っている。

いつものように何となくそのあたりは華やかで、御簾《みす》の外にこぼれ出た女房たちの衣裳の端が艶《あで》やかで派手派手しい。

几帳《きちょう》などもしどけなく片隅に片づけてあるので、女房たちの影がすぐ簾《すだれ》ごしに透《す》けていて、声をかけたら返事がかえりそうに間近に見える。

その時、唐猫《からねこ》のまだ小さな可愛らしいのが走り出て来た。それを追って親猫らしいのも走り出た。女房たちがあわてて逃げたりかくれたりする騒ぎが、ここまで聞こえる衣《きぬ》ずれの音にも察しられる。

猫はまだ人に馴《な》れないのか、長い紐《ひも》がつけられていて、それが体にからまり、ほどこうとあわてた拍子に、紐がひっかかって簾の裾《すそ》をさっと斜めに引き上げてしまった。女房たちはただあわてふためいて、それを下ろす者もいない。

上がった御簾の向こうのうす暗い奥に、袿 姿《うちきすがた》で立っている人影があった。紅梅襲《こうばいがさね》らしい華やかな袿を色さまざまに着重ねた上、桜の細長《ほそなが》を着ている。髪は絹糸をよりかけたように艶々《つやつや》と美しく長く、裾を切り揃《そろ》えてあるのが、袿の裾に余り、三十センチほども長いのだった。

きらびやかな衣裳がいかにも重たそうにかさばり、からだのほうはほんとうにきゃしゃで小さく、髪の頬《ほお》にかかっている横顔が、いいようもないほどみやびやかで愛らしい。夕べの光なので定かでないだけに、夢の中の人のようにあえかで美しい。

女房たちは桜吹雪の中でまだ鞠を蹴っている公達《きんだち》に気を奪われて、女主人がそんなにあらわな様子になっているのにも気づかない。猫の鳴き声の方に顔を向けた女三の宮の表情や姿は、実におおらかで明るく可愛らしいのだった。

柏木は一目で女三の宮に心を奪われてしまった。夕霧はそんなはしたないところを柏木に見られてしまったと思うと、はらはらして簾を引き下げに走りたいけれど、それも出来ない。女房たちに気づかせようと、わざとらしい咳払《せきばら》いをしてみせると、女三の宮がゆっくり奥の方へ身をかくしていった。

柏木は迷い出てきた猫を抱きあげて、いとしそうに頰ずりしている。猫に女三の宮の移り香らしい芳《かぐわ》しい匂いがしみているのを、胸ふかく吸いこみ、うっとり目を閉じている。

寝殿の方に呼び込まれて、それから酒宴に移ったが、柏木はすっかりふさぎこんで気もそぞろであった。

夕霧は柏木の只《ただ》ならぬ様子に、あの幻のような一瞬に、柏木がよからぬ想いを抱いてしまったのではないか、と心配する。高貴の女は決して夫以外の男に、たとえ義理の息子であっても顔を見られてはならないのだった。顔を見られるのははしたないこととされていた。

ましてぼんやり突っ立っていたりするのも行儀が悪い。女はいつでも坐って、動くのも膝《ひざ》でにじり進むくらいだ。横になったりうつ伏せになって寝るのはそう行儀の悪いことではなく、立つほうがはしたないとされていた。

女三の宮はこの時、外から見られるような端近《はしぢか》に立っていたということで、二重にはしたないとされるわけである。

柏木はこの猫の偶然のいたずらで、夕闇《ゆうやみ》のたそがれの中に一瞬の光のように垣間見《かいまみ》た俤《おもかげ》が心に焼きつき、宿命の恋に捕らわれてしまった。

やがてその恋のため身を滅ぼすことになろうとは露知らず。

身代わり猫

柏木《かしわぎ》は偶然のことから女三《おんなさん》の宮《みや》を垣間見《かいまみ》てしまい、叶《かな》わぬ恋に捕らえられて恋病になってしまった。

まだ父の太政大臣《だいじょうだいじん》邸の東の対《たい》に、独身生活をつづけていたのは、結婚に高い望みをかけていたからなので、やはり女三の宮のような高貴な女性でないと妻にはしたくないと思う。

女房の小侍従《こじじゅう》をとりこんで、恋文を送ってみても、一向に手応《てごた》えがないばかりか、小侍従から、変ないいがかりはつけないでくれ、といったような冷たい手紙をもらったばかりなので、すっかりくさってしまった。

これまではひたすら尊敬していた源氏に対しても、恋敵《こいがたき》という感じが湧《わ》き、これまでのように素直ではいられなくなり、ひそかに憎しみを抱きはじめている。

六条院で三月の晦日《つごもり》に殿上人《てんじょうびと》たちを多く集めて賭弓《のりゆみ》の会があった。柏木も何となく気が進まないまま、欠席するのも不自然だし、恋しい人のあたりの桜の花でも見れば気が晴れるかと出かけていく。勇ましい賑《にぎ》やかな弓の競技を見ても心が引きたたず、人々の中でも目に立つほど憂鬱《ゆううつ》に沈みこんでいるのを、夕霧《ゆうぎり》が見とがめた。

あの夕暮れ、女三の宮の立ち姿を見て以来、どうも柏木の様子が変なのに、夕霧は気がついていて、厄介なことが起こらなければいいがと、内心気を揉《も》み、わが事のように心配している。柏木自身もこうして源氏を間近に見ると、何となく目を伏せたくなるような恐れを感じ、身の程もわきまえない邪恋を抱いたものだと気持が萎《な》えて、せめてあの猫でも手に入れたいものだと思いついた。

恋の悩みを猫に訴えても始まらないが、淋しい独り寝のなぐさめくらいにはなろうと思いつくと、どうしたら盗み出せるかと、物に憑《つ》かれたように思いつめて、それさえ難しいことに思い至ってがっかりするのだった。

ある日、気晴らしに柏木は東宮のところに参上した。東宮は女三の宮と異腹の兄妹なので、もちろんどこか俤《おもかげ》が似ているにちがいないだろう、という気持からだった。そんな気持で改めて東宮を見ると、それほど派手やかな顔立ちではないが、さすがに東宮という御身分がら、とりわけ気品高く優雅でいられた。

この頃、猫を飼うのがはやっていて、内裏《だいり》で帝《みかど》が飼われている猫の仔《こ》が方々へ貰《もら》われていた。

東宮にもそのうちの一匹が来ていて、それが可愛らしいのを見て、柏木は一計を思いついた。

「六条院の女三の宮さまの所に飼われている猫は、それはもう珍しいほど可愛らしい顔をしておりました。ほんのちらりと見ただけですが」

と気を引くようにいうと、東宮は格別猫好きなので、思わず身を乗り出して、もっとくわしく聞きたがる。

「唐猫《からねこ》で、やはりここのとはずいぶん様子がちがっています。猫はみな同じようですけれど、りこうで人なつっこいのは、不思議に可愛らしいものでございます」

と東宮の気をそそるように大げさに言いたてるのだった。東宮はすっかり興味を抱いて、東宮妃の明石《あかし》の姫君から、女三の宮へ、その猫をゆずってほしいと申し入れさせた。女三の宮から猫が献上されてくると、なるほど可愛らしいと人々がその猫を可愛がっていた。

柏木は頃合いを見計らって東宮へ参上した。柏木は元服前から朱雀院《すざくいん》に可愛がられていて、東宮にも親しく仕え、和琴《わごん》なども教えていたので、東宮を訪れるのは不自然ではなかった。

「こちらには、ほんとに猫がたくさん集まっていますね。どれどれ、私の見た人はどこにいるのかな」

などいいながらさがして、すぐあの猫を見つけ出し抱きとり、いかにも可愛いとい

うように撫《な》でさすった。東宮は、

「たしかにきれいな猫だね。まだ人馴《ひとな》れず用心しているようだよ。でも、前からいるここの猫だって、この猫に見劣りはしないね」

という。柏木は、

「猫にも聡明《そうめい》なのがいて、中にはしっかりした根性のもいるようですよ。それにしてもこちらにはこれよりすぐれたいい猫がたくさんいるようですから、この猫はしばらく私がお借りしてお預かり申しましょう」

という。われながら、何と馬鹿げたことをいうものかと思うものの、ついにその猫をもらいうけて、夜も身近に抱いて寝る。

目がさめると、猫の世話をして撫で可愛がるのだった。人見知りの強かった猫もすっかり柏木には馴れて、着物の裾《すそ》にまつわりついてじゃれたり、側《そば》に寝そべって甘えるのを、柏木は心から可愛いと思っている。

柏木が片恋の人を想いつづけて悶々《もんもん》として悩みながら、横になっていると、猫が寄ってきて、

「ねう、ねう」

と、可愛らしい声で甘えるように鳴く。寝よう、寝ようというように聞こえて、

「お前はずいぶん情が深いね、積極的で」

と、愛撫《あいぶ》してやりながら、手の届かぬはるかな人に比べて苦笑してしまうのだった。

「恋ひわぶる人のかたみと手ならせば
　なれよ何とてなく音《ね》なるらん

お前とこんな仲よしになったのも、前世からの縁であろうか」

と、人にいうように、猫の顔を見つめていうと、猫はいっそう可愛らしい声で甘え鳴きするので、懐《ふところ》に入れて物想いに沈みこんでいく。

そんな異様な猫の可愛がりかたを見て、旧《ふる》くからいる女房などは、

「いったい、どうなってるんでしょうね。もともと、生き物なんかきらいな御性分だったのに、あの猫を気味の悪いくらい可愛がっていらっしゃるのは、何だかおかしいですよ」

と不審がっている。

東宮から、猫を返してくれ、といってよこされても、柏木はそ知らぬふりをして、独り占めにして、この猫を女三の宮の身代わりに見立てて夜も昼も愛撫しつづけているのだった。

この世は、かばかりと

源氏物語の面白さは若菜《わかな》の巻上下だといわれてきた。

源氏の営んだこの世の極楽ともいわれるほどの六条院のハレムを舞台に、読者の予期しなかった事件が次々と起こり、登場人物の運命が思いがけない方向へそれぞれ走っていく。

中でも物語のヒロインである紫《むらさきのうえ》上の運命に、女三《おんなさん》の宮《みや》降嫁という衝撃的事件によって翳《かげ》りが生まれてくる。源氏の須磨流謫《すまるたく》の歳月だけが彼女の過去の不幸だったが、六条院で彼女を待ち受けていた運命は、もっと厳しいものであった。表面は何事もなく、華やかにおだやかに過ぎているだけ、彼女の内面に沈潜している苦悩は深刻であった。

女三の宮の予想外の未成熟に失望した源氏は、かえって紫上への愛を深めはするが、紫上がそのことで安心しきるわけではない。事と次第によっては、まだ他の女を受けいれる可能性を源氏の心に見てしまった紫上の失望は、表面にあらわさない分だけ、紫上の心の底に深く積もっている。

その上、他のどの女よりも紫上を嫉妬《しっと》させた明石上《あかしのうえ》が、実の娘の明石の女御《にょうご》が入内《じゅだい》し、東宮との間に男宮を出産、やがてその御子《みこ》が冷泉帝《れいぜいてい》の退位により東宮に立つ幸運を得たため、帝《みかど》の女御の実母で、東宮の実の祖母という光栄な立場になる。これは明石上の幸運を決定的なものにし、明石上は世間からその目ざましい出世ぶりを羨《うらや》ましがられ、尊崇される。

子供を産まなかった紫上にとって、これもまた表にあらわすことの出来ない精神的打撃と敗北感を受けることであった。

女三の宮が一向に稚《おさな》くて、紫上の内面的苦悩を一切関知しないことが救いになっているものの、その鈍感さが、紫上にはやりきれないこともあったはずである。

明石上の、決して自分の立場におごらない謙遜《けんそん》さや卑下も、世間は慎ましい人柄としてほめようが、紫上の内心では、実質上のゆるがない幸運を摑《つか》んだ女の上べだけの演技で、内心の優越感と勝利感のカムフラージュとして受けとることもあっただろう。

人より聡明なだけに、その程度の想像力はあって当然である。女三の宮降嫁から早くも五、六年の歳月が過ぎさっていた。源氏は四十六歳になっていた。

そんな頃、紫上はふたりだけの間で、度々《たびたび》口にすることがあった。

「今は、かうおほぞうの住まひならで、のどやかに行ひをも、となむ思ふ。この世はかばかりと、見はてつる心地する齢《よはひ》にもなりにけり。さりぬべきさまに思《おぼ》しゆるしてよ」

——今はもうこんないいかげんなざわざわした暮らしではなく、心静かに仏道の修行に勤めたいと思います。浮世とはどうせこんな程度のものだと大方見きわめてしまったような気のする年齢にもなりました。どうぞ私が仏道修行の出来るように出家を許してください——

という意味である。

「この世はかばかりと、見はてつる心地する」

という紫上の述懐は哀切で、真実で、読者の胸を打つ。

平家《へいけ》物語の平知盛《たいらのとももり》の「見るべき程の事は見つ。いまは自害せん」ということばと共に、ショッキングな印象的な言葉である。知盛の見るべき程の事とは、滅ぶ平家の味方たちの最期《さいご》を充分見届けたという意味にもとれるが、私は、この世のあらゆることを見てしまったと解釈したい。

紫上の、この世は、かばかりと見果てた心境と呼応するものと思われる。

紫上が出家を思いたったのは、あるいは女三の宮降嫁の事実を源氏から聞かされた夜であったかもしれない。

源氏への信頼感はその時から昔のようではなくなって、もう心の中をすみずみまで源氏にあかすようなことはなくなっていた。もはや若くはなくなった時に受けた源氏の裏切りを紫上は決して許していないし、一度絶望した心は、源氏のどんな慰撫《いぶ》をも、もはや受けつけないものになっていた。

相変わらず源氏は、紫上を女たちの中で第一のものとして愛してくれている。だからこそ尚更《なおさら》、紫上は今、出家をしたいのだ。

真剣にくりかえし、それを言うようになった紫上に対し、源氏は頭から、「とんでもない料簡《りようけん》だ」といって、彼女の必死の願望を拒絶する。

「私のほうこそ前から出家したいのに、後に残されるあなたの身の上が心配で、それを果たさないでいるのですよ。私が出家した後では、どうなりと勝手にすればいい」

といって、取り合わない。

源氏は紫上をつれて住吉詣《すみよしまい》りを思いたち、明石の女御も明石上も、明石の尼も共につれて出発する。この華やかな旅の道中も、明石一族のきらびやかな栄達ぶりが目立って、紫上の心はかえって晴れない。

そのうち、女三の宮は、帝から二品《にほん》に叙せられ、それに相当した封戸《ふご》も増えて、ますます華やかに威勢が増すばかりで、それも紫上のコンプレックスを深めることであった。

それにつけても、紫上は源氏ひとりしか頼るもののない自分の立場のはかなさが思われ、今はまだ大切にされているものの、年をとれば、どんな扱いを受けるかと不安になってくる。

帝まで格別に妹の女三の宮のことを心配しているので、源氏も女三の宮を疎略にしていると帝の耳に入るのが憚《はばか》られて、ようやくこの頃では、紫上と半々くらいに、女三の宮のところで夜を過ごすようになってきた。それも当然だと理性ではわかっていても、やはりそうだったのかと思い知らされて不愉快なのを、あくまで表面はさりげなく振る舞っている。源氏の夜離《よが》れの淋しさをまぎらわすため、明石の女御の産んだ女一の宮をひきとって養育していた。

女三の宮はもう二十一、二なのに、いつまでも子供っぽくおっとりしている。源氏は入内《じゅだい》させた明石の女御のかわりに、この頃では女三の宮を幼い娘のようにたいそう心にかけて、大切に育んでいる。

その年の秋から暮れへかけて、源氏は女三の宮に琴《きん》の伝授をするという理由で、毎晩のようにそちらへ泊まった。朱雀院《すざくいん》の五十の賀の時、女三の宮の琴をお聞かせするための特訓なので、これにも紫上は苦情をいえない。

紫上の鬱屈《うっくつ》とストレスは次第に雪のように心の底に降りつもって、いつ雪崩《なだれ》をおこすかわからない危機感が増していく。源氏は一向にそれに気づいていなかった。

女楽《おんながく》花見立て

年が明け、紫上《むらさきのうえ》は厄年の三十七になった。

正月二十日頃、梅の花も盛りで、大方の花も蕾《つぼみ》がふくらみ、うららかな日がつづいていた。

源氏は六条院の寝殿で女たちだけの音楽会をもよおした。紫上も寝殿へ招かれていく。

廂《ひさし》の間《ま》の仕切の障子《そうじ》をみんな外して、几帳《きちょう》だけで隔てて、中央には源氏の場所をつくる。日頃秘蔵している名器が色々取り出された。明石上《あかしのうえ》も呼ばれている。

明石上は父入道ゆずりの琵琶《びわ》の名手で、今日も琵琶を弾《ひ》く。明石上以外はみんな源氏に手をとって教えられた人たちばかりなので、源氏は心配しながら満足している。

紫上は和琴《わごん》、明石の女御《にょうご》は箏《そう》の琴《こと》、女三《おんなさん》の宮《みや》は琴《きん》ということで始まった。調絃に夕霧《ゆうぎり》が招かれた。

御琴の調律もすっかり調《ととの》い、やがて華やかに合奏が始まった。明石上の琵琶はとりわけ上手で、神々《こうごう》しいほどの撥《ばち》さばきが、澄みとおった音色で趣《おもむき》深い。

紫上の和琴は、やさしく愛嬌《あいきよう》のある魅力的な爪音《つまおと》で、掻き返した音色などが殊にはなやかで新鮮で、この道の名人たちがものものしく弾く調べにも一向ひけをとらない。聴《き》いていた夕霧は、和琴にもこんな弾き方があったのかと、驚いた表情をかくさない。

年来の修業のたしなみのほどがはっきり聴き取れて、源氏も安心し、すっかり感心する。

明石の女御の箏の琴も愛らしくなまめかしく、女三の宮の琴は、熱心に習った甲斐《かい》があって、結構危なげなく弾きこなし、なかなか上達したものだと、源氏は満足する。

夕霧も源氏も、時々扇を鳴らして拍子をとりながら一緒に歌う。夜が更けゆくにつれて楽の音は冴《さ》え、この上なく優雅な、趣のある音楽会になっていった。

源氏は自分の女たちがそれぞれひけをとるまいと一生懸命合奏している様子を眺めて、心の中に、女たちを花になぞらえて見立ててみる。

女三の宮は誰よりも小柄で愛らしく、おびただしいかさばった衣裳だけがあるようで、軀《からだ》はないようにさえ見える。つややかな女っぽい美しさはないものの、さすがに気品があって美しく、花ならば、二月の半ば頃の青柳がわずかにさみどりの芽をふいてしなやかにしだれそめたような感じで、鶯《うぐいす》の飛び交う羽風にもあえなく乱れそうにか細く可憐である。桜襲《さくらがさね》の細長《ほそなが》の上に黒髪が左右からこぼれかかっているのが、柳の糸をよりかけたようにすがすがしく清らかに見える。

明石の女御は、やはり高貴な品がそなわった中に、女三の宮よりもう少しつややかさが加わり、物腰や風情などが奥ゆかしく、みごとに咲きこぼれた藤の花が、夏の初め、ほかに並ぶ花もない暁方《あけがた》の美しさのように眺められる。とはいえ、もうお腹《なか》が相当大きくなっているので、気分がすぐれないとみえ、演奏の後ではお琴をおしやって、脇息《きょうそく》によりかかっていらっしゃる。脇息は普通の大きさなので、小さな女御は、背のびしているようで、小さいのを作ってあげたいほど痛々しく可憐に見える。

紅梅襲《がさね》の御着物に、黒髪がかかっているのが、はらはらと清らかで、灯影《ほかげ》のお姿がまたとなく美しい。

紫上は葡萄染《えびぞめ》なのか、濃い色の小袿《こうちき》に、薄蘇芳《うすすおう》の細長を着て、その上に黒髪がゆたかにたまっているのが、多すぎるほどゆるやかに見えて、背丈などもほどほどで軀つきも申し分なく、あたり一面照り映えるほどの美しさで、花ならば桜の花ざかりにたとえてもまだ、他の誰よりもすぐれた様子は、格別の美しさである。

こういう方々の中では、明石上は気圧《けお》されて見劣りがするはずなのに、格別そうも思われない。身ごなしなど、風格があり、しゃれていて、心の奥ゆかしさがしのばれて、何ともいえず高雅でなまめいている。

柳襲の織物の細長に、萌黄色《もえぎいろ》だろうか、さわやかな小袿を着て、羅《うすもの》の裳《も》のあるかなきかのように軽やかなのをひきかけて、女房めいた装いをして、同席の女君《おんなぎみ》たちに、ことさら遠慮した気配りを見せているけれど、その様子はかえって奥ゆかしく、見下しになど出来はしない。

高麗錦《こまにしき》の青地の縁をとった茵《しとね》に、遠慮してまともに坐らず、琵琶を膝において、ほんの少しばかり弾きかけてしなやかに使いこなした撥さばきなど、音《ね》を聞くよりも、この上なく立派でやさしい感じがして、花ならば、歌にも詠《よ》まれた五月《さつき》待つ花橘《はなたちばな》の花も実も一緒に折りとったような清楚《せいそ》な薫《かお》り高さを覚える。

自分の愛するハレムの女たちをいとしい娘の女御と同席させて、その美しさを花になぞらえて見立てる源氏の得意と満足は男冥利《みょうり》につきるものであろう。

女たちの美しさも、豪華な衣裳も、その音楽の技能も、すべて自分の財力と権力と愛情によるものだと思えば、源氏のこの夜の得意さは、頂点に達したといっていい。

月が高くなるまでその夜の楽しい宴はつづいた。

その翌日、源氏は紫上とゆっくりくつろぎながら、昨夜の女君たちの音楽の品評などしていた。それにつけても、紫上の何ひとつ難のないすぐれた世にも稀《まれ》な人柄を見るにつけ、こんなに才色すべて兼ね備えて一点の非の打ちどころもないような人というのは、えてして短命に終わるものだが、と、ふと不吉な予感に脅《おび》えたりする。

この予兆ともいうべき源氏の不安が、やがて的中するとは、まだ読者は知らされていない。紫上は今年、厄年の三十七なので、不安がある。

藤壺《ふじつぼ》の女院《にょういん》が死亡したのも、三十七の厄年だったことを源氏は忘れていない。厄払いの御祈禱《ごきとう》なども出来るだけしっかりして、今年は用心したほうがいいと、源氏は紫上に注意する。

「それにつけてもあなたには、例の須磨《すま》行きの一時の別れ以外、つらい想いをさせたことはなかったでしょう。后《きさき》や女御といっても、気苦労があり、嫉妬《しっと》があり、後宮《こうきゅう》の苦労は大変なものです。あなたのようにまるで親元でのんびり暮らしたような歳月は稀《まれ》なことなのですよ。思いがけず女三の宮の件で、色々辛《つら》いこともあったでしょうが、かえってそれによって私の愛情がまさり、あなた一辺倒になったのだから、御自分の幸せの度合はわかっていらっしゃるでしょうね」

と、自分の見解をのべて、しみじみさとすのだった。

紫上発病

華やかな六条院の女楽《おんながく》の日が、源氏のハレムの栄華の頂点を示したとすれば、その日を界《さかい》に、六条院のさしもの平安と調和の上に翳《かげ》りが見えてくるのも自然の成行きであった。

紫上《むらさきのうえ》の漠《ばく》とした厄年への不安以外に、登場人物の誰ひとり、そのことに気づいてはいない。

翌朝、出家をさせてくれという紫上をなだめるため、源氏は一日じゅう、紫上と水入らずで語らいながら、あれこれなぐさめ、機嫌をとってやる。話の中で、源氏は過去の女たちについてその人物評をする。もう時効にかかった女たちについて打ち明けた批評をするのも、紫上の機嫌をとろうとする源氏の下心が見える。

「それほど多くもないけれど、これまでにいろいろな女たちを見てきたが、芯《しん》からおっとりしておだやかな性質の女というのはめったにないものでしたよ。葵上《あおいのうえ》はわたしのまだ幼い時結婚して、正妻として大切にしなければならないと思っていたが、どうも気が合わずしっくりいかないまま死なせてしまったのが、今思えば可哀そうで心残りです。しかしまあ、わたしだけが悪かったともいえないと自分では思っています。いつもきちんとして重々しく、これといって不満な点があるというのではないのに、ただあまりうちとけてくつろいだところがなく、生真面目《きまじめ》すぎて、いくぶん賢すぎ堅苦しかったといえましょう。離れて思うと信頼がおけるものの、一緒に暮らすとうっとうしい人でした。

六条御息所《ろくじょうのみやすどころ》は、人並すぐれて美しく、教養や趣味の深さ優雅さでは、まず比べる人もないほどに思い出されます。それだけにこちらも気が張って、つきあいにくい人でした。怨《うら》むのも当然と思われることでも、いつまでも執念深く忘れずに思いつめられるのは、こちらも耐えがたくてやりきれませんでした。つきあっている間、緊張のし通しで気がねで、お互いのんびり気を許して仲よく暮らしていくには、とても気づまりなこともありました。あんまり打ちとけては馬鹿にされるのではないかなど、上べをつくろってばかりいるうちに、わたしとの間に、恥ずかしい浮名が流れて、前《さきの》東宮の未亡人という御身分にふさわしくない立場になられたのを嘆かれて、そのことをたいそう思いつめていられたのが、ほんとにお気の毒でした。

あちらのお人柄から考えても、悪いのはすべてわたしの罪のように思われるうちに二人の仲が終わってしまったのが、いまだに心がとがめます。その罪滅ぼしにもと、秋好中宮《あきこのむちゆうぐう》を、前世からのお約束とはいいながらお引きたてして、世間の非難も人の恨みも考えず、お世話申しあげているのも、御息所はあの世からごらんになって、わたしを見直していてくださるでしょう。今も昔も、いいかげんな浮気心から、気の毒なことや後悔するようなことを不用意にして、人を苦しめることをたくさんしてきたものです」

そんな打ち明け話をすること自体が、紫上を最も身近な気の許せる相手と見立てているという源氏の気持だろう。

「明石上《あかしのうえ》は、大した身分でもないと初めから侮《あなど》って気楽な相手だと思っていたのに、なかなか心の底を見せない限りなく深味のある人物でした。上べは人に従順になびきおっとりしていると見せながら、決して人に心を許さないところが陰にこもって、どことなく気のおけるところがありますよ」

という。

「あちらはわたくしの底ぬけの単純さをどう思っていられるでしょうね」

「あなたこそはさすがに心の中を開けっぱなしというのではないけれど、事情に応じ人に応じて上手に心を二筋に使いわけることのできる人ですよ。たくさんの女を見てきた中に、あなたのように行き届いた人はいなかった。全く申し分ない性質ですよ」

と、微笑しながら機嫌をとるようにいう。ところがそんな話の後で、源氏は、

「女三《おんなさん》の宮《みや》に、たいそう琴《きん》がよく弾けたことをほめてきてあげよう」

といって、夕暮れには寝殿の方へ行ってしまうのだった。

残された紫上は、やっぱりという気持で、いつまでたっても馴《な》れない夜離《よが》れの淋しさを、女房たち相手に物語など読ませてまぎらわせている。物語の中の不実な男のことを聞くにつけ、物語の女たちは結局は頼れる一人の男にめぐりあうのに、自分は人並でなく、源氏の正妻にもされないで根なし草のように頼りないまま過ごしてきたものだと思う。人より幸運らしく表面は見えても、これまで嫉妬《しっと》の苦しみからついに解放されることもないまま死んでいくのだろうか、つまらない一生だこと、など悩みながら、夜もすっかり更けてようやく寝についた。

その暁方《あけがた》、急に胸の痛みで苦しみ始めた。

女房たちが心配して女三の宮のところにいる源氏に報《しら》せようとするのを、

「そんなことをしてはいけない」

と気をつかって止める。高熱を出し、がまんしかねるほどの苦しさをひとり辛棒するのだった。この頃では、源氏は女三の宮のところへいけば、すぐには帰って来ない習慣になっているので、気がねして知らせない。昔の紫上なら、すぐに呼びもどし、源氏の介抱に甘えただろう。

寝殿に里帰りしている明石の女御から便りがあって、病気のことを知らせたので、女御から源氏に伝え、源氏は胸もつぶれる思いであわてて対《たい》へ帰って来た。

あんまり苦しそうなので、からだにさわってみるとびっくりするほど熱い。源氏は昨日厄年のことなど話しあったのを気にして、必死に看病する。

病人は粥《かゆ》はおろか、果物の一片さえ受けつけない。そのまま寝ついてしまって、起き上がることも出来ない。あらゆる御修法《みずほう》などさせてみたが、病状は一進一退で一向に快方に向かわないのだ。

この時代の病気はほとんど心因性のものが多かった。紫上も女三の宮降嫁以来の心の鬱屈《うっくつ》がストレスになって病気になったのだった。

発病が、女楽の直後だということもそれを示している。琴を教える名目で源氏がこれまで以上に女三の宮の所へ泊まることが多くなり、その結果として女楽で示した宮の琴の上達を目《ま》の当たりにしたことが、紫上の嫉妬をかきたてたことだろう。老いていく自分の将来や、女三の宮の若さなどが、圧迫感となって、紫上にがまんの限界を知らせ、それが肉体に病の形をとってあらわれたのであった。

夫のいぬ間の不倫

柏木衛門督《かしわぎのえもんのかみ》は中納言《ちゅうなごん》に昇進した。今上《きんじょう》の御信任も厚くて、若いけれど今を時めく人になっている。それにつけても、柏木は叶《かな》えられない女三《おんなさん》の宮《みや》への恋が思いきれないで悩んでいる。女三の宮の異腹の姉に当たる女二の宮を、せめてものゆかりの人として北の方に迎えていたが、女二の宮の母が身分の低い更衣《こうい》だったので、どこかに軽んじる気持があり、あくまで女三の宮の代用品のような気持がぬけず、心から妻に対してという愛情はないのだった。

女二の宮は容姿も人柄もやはり内親王としての品位と優雅さを備えており、普通の女から見れば比べものにならないほど魅力的なのだが、すでに女三の宮への恋に心を占められている柏木には、自分の北の方の真価がわからなくなっていた。丁度《ちょうど》源氏が紫《むらさきの》上《うえ》に心の大方を傾けながら、人前だけは女三の宮を怪しまれないよう大切に扱うのと同じ状態で、女二の宮に対していた。

小侍従《こじじゅう》は女三の宮の乳母《めのと》の娘で、乳母の姉が柏木の乳母という関係から、柏木は早くから小侍従を手なずけて、女三の宮との間の文使いとか情報源にしていた。

何かにつけては小侍従を邸《やしき》へ呼んで、何とか女三の宮と逢えるよう手引きをしてくれ、とかき口説く。

「前からあなたにこんなに頼んでいるのに、一向に験《しるし》を見せてくれないのはどういうことなのかね。ずいぶんひどい話だ。朱雀院《すざくいん》も、源氏の君がたくさんの女たちに愛情を分け与えて、女三の宮は紫上に気圧《けお》されていて、夜離《よが》れのため一人寝の多い夜を過ごされている、など人づてに聞かれ、源氏の君に降嫁させたことを後悔していらっしゃるとか伺っている。かえって女二の宮がわたしに嫁がれ、安らかに過ごされているのを喜んでいられるということですよ。そんな話を聞くにつけ、おいたわしくてたまらない。ところがわたしのほうでは、御姉妹といっても、やはり身代わりの方では満足出来ず、女三の宮があきらめきれない」

と、嘆息していうのを聞いて、小侍従は、

「まあ、あきれた。何て大それたことを。途方もない不埒《ふらち》なお考えですわ」

という。

「そんなことをいっても、昔はわたしが女三の宮の夫になってもいいと、一時は院も帝《みかど》もお考えになったことがおありなのだよ。まんざら無茶な望みでもないのだ」

と柏木は強引だった。

「よくまあおっしゃること。源氏の君と女三の宮さまの御結婚は前世《ぜんせ》の宿縁によるものだったのでしょう。朱雀院の方から熱心にお願いになってまとまった御縁というじゃありませんか。それに張り合って競争出来るほどの実力や貫禄がおありだったと思われますか。最近こそ少し偉そうに位も上がられたようですが」

とずけずけ遠慮のない口調でやりこめられるので、柏木も敵《かな》わず、

「わかった、わかった、もうその話はやめよう。昔のことはともかく、少しはお近くでお話し出来るよう取りはからってくれてもいいじゃないか。そんな大それた不埒な料簡《りょうけん》は決して持っていない。姦通《かんつう》などは決してしないから」

「これ以上大それた料簡がどこにありますか。こんな恐ろしい話を聞くならなぜ来たのかしら」

と、口をとがらせて怒っている。とはいうものの、柏木があまりにも熱心に身にかえてもと頼みこむので、次第に可哀そうになり、若さの無分別も加わって、とうとう、断りきれなくなり、

「そのうち都合のよい折が見つかったら、手引きしてあげましょう。でも源氏の君のいらっしゃらない夜は、御帳のまわりに大ぜい女房たちが集まっているのでめったに隙《すき》などないのですもの、どうしたらいいのかしら」

と、当惑しながら帰っていく。

そのうち、毎日のようにまだかまだかと問いつづけられていた小侍従から報《しら》せがあり、今夜こそといってきた。柏木は大喜びして、ひどく姿をやつし、人目を忍んで六条院へ行く。そうはいうものの柏木自身そんな不届きな願望が叶えられるとも信じられないので、いよいよその時がくるとさすがに脅《おび》えて、ほんの少しお側《そば》でお話しさえ出来たら満足しようと、しおらしいことを考えていた。

四月十余日のことで、賀茂《かも》の斎院《さいいん》が禊《みそぎ》をする日を明日にひかえて、女房たちは晴着を縫ったり、化粧に憂き身をやつして、大忙しの有様で女三の宮のお側には人がいなくひっそりとしていた。いつも宮のお側近くに控えている女房の按察使《あぜち》の君も、時々通ってくる恋人に無理に呼び出されて局《つぼね》に下がっていた。その間に小侍従が柏木を手引きして、そっと御帳台の東側の帳《とばり》の中まで引き入れてしまったのだった。

女三の宮は不用心に眠っていたが、何となく近くに男の気配がするので、てっきり源氏が来たものだと思っていた。ところが相手は妙に恐れかしこまって、帳台の下の床に女三の宮を抱きおろしたので、女三の宮は驚いて、悪夢を見ているのかと、精いっぱい目を見開くと、知らない男だった。その男が妙なことばかりくどくどいいたてるので、恐ろしくなって、人を呼んだけれど誰も来ない。わなわな震えて、恐ろしさに汗が水のように流れて、茫然自失《ぼうぜんじしつ》しているその様子が、柏木には可憐で痛々しく、いとしくてたまらない。

柏木は長い歳月の片想いのたけを申しあげるが、女三の宮としては一向に聞いていない。この時、柏木は初めはただ意中を伝えるだけでもいいと思っていたのに、女三の宮の態度が、気高く気のひけるような様子ばかりでなく、どことなくやさしく、可愛く、もの柔らかな感じに見えたので、ついに自制することが出来なくて、強引に女三の宮を犯してしまった、と原文には説明されている。

当時、貴族の姫君たちが他愛《たわい》ないほど男にふみこまれて間違いを起こすのは、こうした女房の手引きによるからだった。女房がどれほど大切かは、こうした間違いを起こさせないためにも選ばれるからである。

女三の宮はこうして、全く無防御な状態で柏木と心ならずも密通してしまった。

二条院に移った紫上の看護にかかりきりで、六条院に源氏がほとんどいなかった留守を縫っての出来事であった。

密通の後

源氏物語には不倫の情事がいくつも描かれているが、柏木《かしわぎ》と女三《おんなさん》の宮《みや》の初めての姦通《かんつう》の成立後の描写は、作者が相当気を入れて書いている。

「さかしく思ひしづむる心もうせて、いづちもいづちも率《ゐ》て隠したてまつりて、わが身も世に経《ふ》るさまならず、跡絶えてやみなばや、とまで思ひ乱れぬ」

とあるのは、柏木が女三の宮に対して強引に思いをとげている時の心の内だろう。女三の宮のあまりにも嫋々《じようじよう》としたやわらかな感触が、柏木の賢《さか》しげな自制心を失わせて、どこへでもいいから遠くへ連れ出して世間から隠してしまい、自分も世間を捨てて行方知れずになってしまおうかとまで惑乱《わくらん》した、という描写は、この時の一方的な性愛の激しさが一挙に読者に伝わってくる。しかもその直後に紫式部は、

「ただいささかまどろむともなき夢に」

とつづける。身も心も打ちこんだ性愛の後に、男が睡魔に襲われるのは、至極自然な生理現象である。ただほんの少し、うとうととまどろんでしまった時、柏木は夢を見

る。あの手馴《てな》らして飼っていた猫が、何ともいえず可愛い声で鳴きながら寄ってきたのを、宮にさしあげるつもりで自分がつれてきたらしいのだが、いったいどうしてさしあげたりしてしまったのだろうと思ったところで目がさめてしまい、なぜこんな夢を見たのだろうと思っている。

一方、女三の宮はまどろむどころではない。ただもう情けなく、今のことが、現実に起きたこととも思えず悪夢の中にただよっているような気分で胸もふさがり、悲しみにおぼれ沈みきっている。

そんな女三の宮を柏木は必死に言葉をつくして慰めようとする。

「やはり、どうしてもこんなふうに逃れられず結ばれるべき前世の宿縁だったのだとあきらめてください」

といいながら、あの春の夕べ、猫の引き上げた御簾《みす》の間から女三の宮の立ち姿を垣《かい》間見《まみ》てしまったのが、恋に取り憑《とつ》かれたはじめだったことなどしみじみ話して聞かせる。女三の宮のほうは、そういえばそんなこともあったと思い出し、そうした不用意さで自分を見せてしまったことが口惜《くや》しく、情けない運命に取り憑かれたものよと、自分の身の上を浅ましく思い乱れている。こんなことになって、源氏にどんな顔で逢うことが出来ようかと、ひたすら悲しく心細く、まるで小さな童女のようにしゃくりあげて泣くのがいじらしく、柏木はその涙まで自分の袖で拭《ふ》いてやるのだった。

そのうち夜も明けはじめたのに、柏木は帰って行く気にもなれず、想いは遂げたもののかえって苦しく、いっそ逢わなければよかったかと苦しむ。女三の宮がこの情事の結果をただもう厭《いと》わしく浅ましいものと辛《つら》がって、柏木に対して一片の愛情も見せてくれないのがたまらないのだ。

「いったいどうしたらいいのでしょう。ひどくわたしを憎んでいらっしゃるので、二度とお話し申しあげることもないでしょうから、どうかただ一言でもお声を聞かせてください」

と柏木がせがめばせがむほど、宮はうるさく情けなくて、一言も声を発しない。

「こうまで黙っていられると、薄気味悪くなってしまいました。こんな無情ななさり方がまたとあるものでしょうか」

と怨《うら》んでいう。

「わかりました。どうせわたしは要《い》らない人間なんですね。いっそ死んでしまいましょう。それにしても一言ものをいってくださらないでは死ぬにも死ねない。今宵《こよい》かぎりの命と思えば、胸が切ない。どうかほんのわずかでもお心を開いてくださったなら、それを形見に死んでゆきましょう」

といいながら、柏木は女三の宮を抱きあげて外へ出ていくので、宮はどうなることかと脅《おび》えきっている。宮を抱きかかえたまま柏木は部屋を囲った屏風《びょうぶ》を引きひろげて、その向こう側の戸を押し開ける。廊下の南の妻戸《つまど》が、昨夜しのんできたままの姿で開いている。そこからさしこむ暁方《あけがた》のほの明かりで、外はまだ暗いことがわかる。柏木は少しでも宮の顔を朝の光の中で見たいと思うので、格子をそっと押し上げる。

「こんなひどい仕打ちをされるので、正気も失ってしまいました。とんでもないことをさせまいとお思いなら、一言、『可哀そうに』とおっしゃってください」

と脅《おど》かしても、宮はただもう怖がっておびえて、軀《からだ》も心も震えきって一言も出ない。あまりに幼い様子なのだ。その間にも空がしらじらと明けていく。柏木は気が気でなく、

「あわれ深い夢物語も申しあげたいのですが、こんなにわたしをお嫌いになっていらっしゃるからさしひかえます。でも、いずれすぐ思い当たられることもございましょう」

という。柏木は猫の夢にこだわっている。それを懐妊のしるしととっているのである。この夢の予兆はやがて現実となってあらわれてくる。

「起きてゆく空も知られぬあけぐれに
　いづくの露のかかる袖なり」

と後朝《きぬぎぬ》の歌を口ずさむと、女三の宮は、帰っていくと聞いて少しほっとして、

「あけぐれの空にうき身は消えななん

夢なりけりと見てもやむべく」

とはかなげに返歌を口ずさむ。その声が若く美しいのを聞きさすようにして柏木は六条院を抜け出したものの、魂はそのまま女三の宮の許《もと》に留《とど》まっているような気がする。

無言を押し通してきた最後に女三の宮が詠んだ歌は、素直でいじらしい。このまま暁闇《ぎょうあん》にこの身が消えてくれないものか、すべてが夢だったと思ってすむように、という意味である。

柏木は北の方の女二の宮の邸《やしき》には帰る気がせず、父大臣の邸へ帰っていく。横になっても一向に眠れず、夢の中の猫の予兆が当たるかどうかばかり考えている。この時から柏木は自分のしたことの重大さに気づき、罪の意識に悩み脅えはじめる。我ながらぞっとするようなことをしでかしてしまったと後悔し、人の目が恐ろしく外へも出られない心境になる。何よりも源氏に事がばれて憎まれることを想像しただけで恐ろしくなってくる。

女三の宮はただもう深い思慮もなく子供のように、思いがけなくふってわいた不慮の密通に脅えきって、明るい所ににじり出ることさえせず、ただもう情けない身になったと悲嘆に暮れている。

紫上の死と蘇生

女三《おんなさん》の宮《みや》が病気のようだという報《しら》せが、二条院で紫上《むらさきのうえ》の看病にかかりきっている源氏のところに伝わってきた。捨てておけないので、源氏は久しぶりで六条院へ帰ってきた。

女三の宮はどこが悪いというのではなく、今までになく、沈みきって、源氏を見ても妙に恥ずかしそうにしてまともに視線をあわしたがらない。源氏はいつにないそんな女三の宮の態度に、自分が紫上にばかりかかずらわって、女三の宮をかえりみないのを怨《うら》んで、すねているのだろうと解釈する。自惚《うぬぼ》れの強い源氏の考えつくのはその程度で、まさか女三の宮が自分の留守に姦通《かんつう》しているなどとは想像も出来ない。

「紫上は重病で、もうこれが最期《さいご》かもしれません。子供の頃から面倒をみてきた仲なので、捨ててもおかれません。そのためあなたのことを、ここ幾月もうち捨てておいたような形になっていますが、自然、この時期が過ぎたら、私のあなたに対する誠意もわかってもらえると思います」

と、いいわけをする。女三の宮のほうでは、源氏が何も気づかないのでいっそう心がとがめ、気の毒になる。

柏木《かしわぎ》のほうは、恋煩《こいわずら》いですっかり憂鬱《ゆううつ》になっている。想いをとげない前よりも、とげた後のほうが物想いがまさる。北の方の女二の宮にはほとんど無関心で、冷たい夫婦仲だ。女二の宮も自分が愛されていないことは感じていて、不愉快に思っている。淋しさをまぎらわして、ひとり箏《そう》の琴《こと》を弾いているのを聞いて、柏木は、

「もろかづら落葉《おちば》をなににひろひけむ
　名は睦ましきかざしなれども」

と詠む。姉妹なのに、どうして落葉のようなつまらないほうを拾ってしまったのだろう、という意味で、ずいぶんひどい歌である。この歌から女二の宮を、読者は落葉《おちば》の宮《みや》と呼ぶようになる。

たまに来たので、源氏がすぐにも二条院へ引き返せないで落ち着かぬ気持のままぐずぐずしていると、突然、紫上の息が絶えたという報せが入った。

源氏は気も動転して、あわてて二条院へ帰っていく。もう近くの大路まで、紫上が死んだと聞いて人々が集まって騒ぎ、院の中では、女房たちが大声で泣き騒いでいる。女房が、

「ここ数日は何だか小康を得られていましたのに、急にこんなことになりまして」

と訴える。もう死んだことと思って、御修法《みずほう》の壇もとりこわし、僧なども、中心の僧以外は、ばらばら退出していくのを見て、源氏は、やっぱりもう死んでしまったのだと、がっかりする。

　源氏はあきらめきれないで、僧たちに物《もの》の怪《け》のしわざかもしれないから、もっと祈ってくれ、と激励する。僧たちは頭から黒煙を立てて必死に加持《かじ》するのだった。すると、ここ幾月も全然あらわれなかった物の怪が、よりましの小さな童女に憑《つ》いてあらわれた。物の怪が大声で叫ぶ声を聞いて、死んでいた紫上が息をふきかえしたのだ。源氏は狂喜する。物の怪が口をきく。

「人は皆行ってしまえ、源氏の君だけに申しあげよう。幾月も自分を調伏《ちょうぶく》させ苦しめなさるのが、恨めしくて、どうせのことなら紫上を殺してしまうつもりでいたけれど、あなたがあまり悲しんで、命も落としそうなので、今はこうして魔界に墜《お》ちた身だけれど、まだ昔の人間の心がわずかに残っているからこそ、ここまで来たのですから、あなたの苦しむ様子を見過ごすことはできず、とうとう正体をあらわしてしまいました」

　という。髪の毛で顔をかくしてさめざめ泣く様子が、昔見た六条御息所《ろくじょうのみやすどころ》の物の怪とそっくりなので、ぞっとして、よりましの子供の手を押さえて引きすえ、あばれさせない。

「ほんとうにその人なら、はっきり名乗れ。わたしだけにわかることをいってみよ。性の悪い狐《きつね》などが化けているなら、承知しないぞ」

と言葉鋭くつめよると、物の怪はほろほろと泣いて、あなたの空とぼけているのが口惜《くや》しいといって泣く。物の怪は言葉をつづけ、

「秋好中宮《あきこのむちゅうぐう》の世話などしてくださるのは有り難いけれど、幽明境《ゆうめいさかい》を異にしてしまってからは、親子の情は深くなくなりました。それより、生前ひどい目にあわされた怨みだけが執念深く残っています。あなたに人よりつれなくされ、捨てられたことよりも、紫上との寝物語に、ひねくれたいやな性質の女だったと、わたくしのことをけなされたのが、いっそう恨めしく思われます。死人だと何事も大目にみて許してくださり、他人が悪口をいっても、かばってくださってもいいではないかと思いましたのが怨みに凝って、紫上をそんなに憎んでいるわけではないのですが、憎いあなたは神仏の御加護が強くて近よれないので、紫上に憑いてしまったのです。この上はどうか私の罪の軽くなるような法要を営んでください。修法《ずほう》や読経《どきょう》と大さわぎされても、今の私には責苦《せめく》の炎となってまつわるばかりです」

と絶え絶えにいう。もう疑うことも出来ない、六条御息所の物の怪にちがいなかった。よりましを一室にとじこめ、紫上を遠い部屋に離しておいた。まだ紫上の蘇生《そせい》したことを知らない世間では、専《もっぱ》ら、その死の噂《うわさ》で持ちきりだった。その中に、今まで

は紫上に敵《かな》わなかったが、これからは女三の宮も少しは愛されるだろう、などという噂もある。

世の中は賀茂の祭でまだ賑《にぎ》わっていた。柏木は、弟たちと無理に気をひきたてて祭見物に出て、紫上の死の噂を聞き、おどろいて二条院に見舞う。柏木は夕霧《ゆうぎり》に逢い、蘇生したことを聞く。源氏は見舞客にも逢わないので、ほっとするが、恐ろしい。

紫上のたっての願いで、剃髪《ていはつ》出家は許さないものの、病気の治るたすけにはなるかと、頭の頂に形だけ鋏《はさみ》をいれて、五戒を受けさせた。源氏はその間じゅう、みっともないほど紫上にぴったりよりそって、涙を流しながら、紫上と一緒に祈念している。看病づかれで腑《ふ》ぬけたようにはたからは見え、さしもの美貌《びぼう》もやせて衰えてみえる。

紫上の死という衝撃的な報せを女三の宮の許《もと》で聞くという筋の運びのうまさには、うならされる。紫式部の筆は、若菜《わかな》に入って、とみに冴《さ》えかえり、事件も人物の心理も、読者の想像を越えた深みにまで引っぱっていく。

ここで紫上を死なせないで物語を引っぱるかわり、女三の宮の不倫の証《あかし》の妊娠という、もっと衝撃的な事件で物語を深くえぐっていく。

コキュの嘆き

源氏が女三《おんなさん》の宮《みや》の姦通《かんつう》に気づく場面は、若菜《わかな》下の中でも圧巻である。若菜というより、源氏物語全体から見ても大変な山場であろう。

六月に入って、紫　上《むらさきのうえ》は小康を得て、時々頭も上げられるようになった。女三の宮は柏木《かしわぎ》との思いもかけない不始末があってからは、すっかり半病人になり、ろくに食事もせず、青ざめやつれている。

柏木はあれ以来、想いに耐えかねて、時々夢魔《むま》のようにあらわれては逢瀬《おうせ》を重ねていた。女三の宮は、そんな柏木を嫌いぬいている。源氏という素晴らしい申し分ない男性を見馴《しら》れた目には、柏木の若さや美男ぶりも物の数ではないのだった。

女三の宮が病気だという報せが六条院から来たので、源氏はまだ紫上が心配で、気が進まないけれど、院や帝《みかど》の手前もあるので、しぶしぶ六条院へ見舞いに帰っていった。

女三の宮は秘密を心に抱いたまま、恐ろしくて、源氏の顔もまともに見られない。

源氏は例によって、自分の薄情を恨んでいるのだろう、と思っている。女房が、懐妊した模様だ、と伝えたのを聞いた源氏の反応を、紫式部は実に鮮やかに書く。

「不思議なこともあるものだ。結婚してもう七、八年にもなるのに、今頃になって妊娠するなど、珍しいこともあるものだな」

とだけ女房にいい、内心、もう長い間連れ添ってきた女たちの間にさえ、懐妊ということはなかったのに、ひょっとしたらこれも何かの間違いで、まだはっきりしたことではあるまいと、あまり本気にせず、それについてはあまり触れないでいる。二、三日留《とど》まっている間も紫上のことが心配で、しきりに手紙を書いている。女三の宮の過ちを知らない女房たちは、相変わらず紫上より愛されない女主人をいたわしく思っている。小侍従《こじじゅう》だけは、もしも事がばれたらと恐ろしく、胸騒ぎがしている。柏木は、源氏が六条院に帰っていると聞いただけで身の程も忘れ、嫉妬《しっと》にかられて、逢えない辛《つら》さを綿々と書いて文をよこした。

小侍従が、源氏や女房たちが座を外した隙《すき》に、その手紙を女三の宮に見せた。

「そんないやな手紙を、こんな時見せるなんて……気分が悪くなるだけなのに……」

とうつ伏してしまうのに、

「でも、はじめの方だけでも読んであげてください。それはお気の毒ですよ」

といってひろげた時、人が来たので、小侍従はあわてて几帳《きちょう》を引きよせておいて出ていった。女三の宮は、いっそうどぎまぎしているところへ源氏が入ってきたので、しっかり隠すことも出来ず、ふとんの下にあわててはさみこんだ。源氏はその夜二条院へ帰るつもりで、別れを言いに来たのだった。いつもなら子供っぽい冗談など遠慮なくいうようになっていたのに、女三の宮はすっかり打ち沈んで無口になり、はっきり目もあわせないので、源氏はやはり紫上に嫉妬して恨んでいると思いこんでいる。

昼の御座所で二人で横になり、こまやかに話をしているうちにも日が暮れていき、源氏はそのままとろとろまどろみ、蜩《ひぐらし》の声で目を覚ました。源氏があわてて帰り支度をすると、

「せめて月が出るまでいてくだされればいいのに」

とつぶやくのが可憐で、源氏は思わず立ち止まってしまう。

「夕露に袖ぬらせとやひぐらしの
　　鳴くを聞く聞く起きて行くらむ」

少女のように素直な気持をそのまま口ずさまれるのが可愛くて、源氏は膝をついて、

「ああ、困ってしまう」

とため息をつくのだった。紫上も気にかかるが、あんまり今夜の女三の宮が可憐でいとしいので、ついにその夜も泊まってしまった。その時、女三の宮が引き止めず、源氏が予定通り出ていっていたら、不幸な破局は見ないですんだのに。女三の宮のあ

どけなげな引き止め方の中に、無意識の打算や演技があったとしても、とがめられないだろう。源氏が思いこんでいるより、この一か月ほどの間に不倫を味わった女のほうは、心も複雑になっていた。

翌朝早く、源氏は二条院へ戻ろうとして起き上がった。

「昨夜の扇をどこにやったのだろう。これは風が涼しくないな」

とひとり言をいい、昨日うたた寝をした昼の御座所のあたりを探すと、ふとんの下から、浅緑の薄い紙に書いた手紙の端がのぞいていた。何心なく引き出してみると、男の字の恋文で、香《こう》などたきこめ、細々《こまごま》と書きつらねた手紙を読むうち、まぎれもない柏木の手紙だと判断する。他の女房は気がつかないが、小侍従はそれを見て肝をつぶしてしまった。まさか、あの手紙を見つけられるなんて、そんなことがあってよいものか、いくら何でも宮さまはきちんとかくされただろうと、あわてて女三の宮のところへいって、まだ寝ている宮に、

「昨日の手紙はどうなさいました。今、殿がごらんになっていらっしゃる手紙が、まさか」

というと、女三の宮は狼狽《ろうばい》して涙ばかりをこぼす。

源氏は事情がわかるにつれ、女三の宮をうとましく思う。思慮の浅さを気づかっていたが、こんな軽はずみなことをして、と口惜しまれる。源氏は人目のないところで、

繰り返し読み直してみる。長年恋いこがれた恋が叶《かな》って、かえってその後は心が苦しいなど、あからさまに書いてある。自分なら、もっとぼんやり書いて、万一人目にふれても、曖昧《あいまい》で言い逃れが出来るようにしたものだがと、柏木の配慮のなさが腹立たしくなってくる。妊娠のわけもわかった。こうと知った上で、どうして今まで通り世話が出来ようか。この時、源氏が受けた衝撃は意外なほど強かった。あんな柏木風情に見変えられたということが、一番源氏の自尊心を傷つけた。

しかし、色に出してはもっと恥をかく。あれこれ悩んでいる時、源氏がはっと思い当たる。桐壺帝《きりつぼてい》もしかしたら、自分と藤壺女御《ふじつぼのにょうご》との密通をすべて承知の上で、源氏の子を抱き、そ知らぬふりをしていたのではなかっただろうか。思えばあの密通こそは、何という恐ろしい過ちであったことか。恋の無明《むみょう》の闇路《やみじ》だけは、非難することも出来ないか、と思い迷うのだった。

因果応報という単純な図式を紫式部は書きたかったのではないだろう。源氏は初めて腹の底から切実に苦悩する。

朧月夜の出家

源氏は思いがけない女三《おんなさん》の宮《みや》の密通に誇りと自信を打ちくだかれて、逢うのさえうとましくなっている。

何となく憂鬱《ゆううつ》な源氏のそぶりが聡明《そうめい》な紫上《むらさきのうえ》にははっきりわかるので、自分に遠慮して女三の宮を訪れないのを苦にしているのではないかと思い、六条院行きをすすめるのだった。源氏は、

「女三の宮の病気は大したこともないようでした。ただ私が見舞わないと、朱雀院《すざくいん》や帝《みかど》が、宮を疎略にしていると怒られるだろう、と気がもめるのです」

という。紫上は、

「帝がどうお思いになるかより、当の女三の宮さまが、御自身どんなにうらめしく思われましょう。何でもないことでも、あれこれと中傷する女房たちもいるものですから、わたくしの立場も辛《つろ》うございます」

という。それでも源氏は女三の宮の許《もと》へは寄りつきたくない気持で、ついつい日数

が過ぎていく。

その間にも、朧月夜《おぼろづきよ》の君のことを思ってはいるものの、身近に起きた姦通《かんつう》事件のショックから、朧月夜の君の情にもろい性質や態度が、今では何だか欠点のように思われて、何となく軽蔑《けいべつ》したくなってしまう。さんざん、朧月夜の君を誘惑しておきながら、「すこし軽く思ひなされたまひけり」というのは、ずいぶん勝手な男の言い分だと思う。そう思って、何となく疎遠になっている間に、突然、朧月夜の君が出家してしまった、と聞こえてきた。

源氏はびっくりして、さすがに悲しく惜しく、心が動転して、すぐ見舞いの手紙を出した。

出家することを少しもほのめかしてもくれなかったのは、ずいぶん冷たいではありませんかと、恨みがましくいい、

「あなたの出家を他人事《ひとごと》と思えましょうか。須磨《すま》の浦に辛い月日を送ったのも、あなた故なのですから。それにしても、あなたに出家の先を越されてしまって残念ですが、世をお捨てになっても、毎日の回向《えこう》の時には、まず第一にわたしのことを祈ってくださるでしょうと、しみじみ思っております」

と書いてある。

朧月夜の君はこれまでも、幾度も出家を思いたっていたが、いつも源氏に反対され

邪魔されて、ついのびのびになっていたのだった。
人にはいえないことだけれど、遠い昔から面倒なことや悲しいことの絶えない苦しい恋だったけれど、浅からぬ縁で今までつづいてきたと思えば、やはり源氏の手紙に心が動かされる。こういう恋文も、これが最後と思うと、念入りに墨つきも美しく書くものの、言葉は感情を抑えこんで、
「世の無常さは、わたくしひとりが思い知らされていましたのに、あなたが先を越されたとおっしゃいますと、ほんとうに、
あま舟にいかがはおもひおくれけん
あかしの浦にいさりせし君
なぜ尼のわたくしの舟に乗り遅れられたのでしょうね。明石の浦に海人《あま》として昔はさすらわれたあなたなのに。回向はすべての人々の為《ため》にするものですから、どうしてあなたの分も祈らないことがありましょう」
と、皮肉な文章になってしまった。
この朧月夜の君の出家のいさぎよさと、この皮肉で痛烈な手紙は、これまでの色っぽすぎる朧月夜の君の印象をくつがえしてしまう。
この年、彼女は四十をいくつか越えている。最初の出逢いは源氏二十歳の春であった。朧月夜の君の年齢はどこにも書いていないが、この頃すでに東宮妃として内定し

ていたし、後宮《こうきゅう》へ上がっていて、歌を口ずさみながら、夜の廊下をひとり歩いてくる様子などからみると、もう少なくとも十六、七にはなっていただろう。二人の仲はずっとつづき、密会の現場を右大臣に発見されたのが、源氏二十五歳の時だから、朧月夜の君は二十一、二歳で、若菜《わかな》下の巻の源氏の年齢は四十七歳だから、朧月夜の君は、四十三、四歳になっているはずである。二人の仲は二十七年つづいたことになる。その間で朱雀院一筋につとめた歳月があったものの、心の奥底では源氏への想いがくすぶりつづけていた。紫上についで、源氏の心と肉体を捉えていた相手だったといってもいい。

その朧月夜の君が出家する時に、源氏に一言も予告せず決行したというのは、かつて藤壺女御《ふじつぼのにょうご》が源氏に知らせず出家したのとは意味がちがうだろう。

朧月夜の君の場合は、源氏の気持がこの頃なぜか冷めて、訪れが間遠になったことを敏感に感じとっていたはずである。その時、朧月夜の君はもう若くはない自分の年齢をふりかえったことだろう。これ以上、源氏に執着して、見苦しい晩年の恥をさらしたくないと考えただろう。

そういう朧月夜の君の内面については紫式部は一切触れていない。しかし、朧月夜の君に対する源氏の甘えた緊張感のない見舞いの文に対し、朧月夜の君の返事の、何という皮肉で、痛烈なことか。この時点で、朧月夜の君の「心弱さ」を「すこし軽く思ひ」なしていた源氏の思い上がった立場は、一挙に粉砕され、朧月夜の君が明らかに精神的に優位に立ってしまう。

私は、源氏物語の中で、六条御息所《ろくじようのみやすどころ》と、朧月夜の君が最も好きである。一番魅力的なのは、朧月夜の君だと思っている。セクシーで、上品で、華やかで、恋に弱い。こんな女だからこそ、朱雀院が、不倫をも許し、愛しつづけたのだろう。

源氏は朧月夜の君の手紙も、もうすっかり関係のない人だから、という態度で紫上に見せる。

「ひどく馬鹿にされたものです。全く我ながら愛想がつきます。しかし、何となく世間のことを話しあったり、折々の四季のあわれを便りしあったりしてつきあうのには、この朧月夜の君と、朝顔《あさがお》の前斎院《さきのさいいん》の二人だったと思います」

と、ほめちぎっている。そして紫上と花散里《はなちるさと》に、朧月夜の君の尼の装束などを縫わせて贈っているし、出家後に必要な諸家具を新しく造らせて贈ってもいる。それを受け取った新しい尼君の感想は、全く書かれていない。

悲恋に殉じた貴公子の哀切

密通の件を源氏に知られてしまったことが苦になって、柏木《かしわぎ》はさすがに六条院に足が向かわない。何かにつけ六条院の催し事の際には、誰よりも早く源氏に呼ばれて相談されていたのに、この頃は、源氏の方からも一向に誘いがない。源氏も、あまり柏木と逢わないのも世間で怪しむのではないかと思いながら、逢えば自分の間ぬけたコキュぶりを柏木に嘲笑《ちょうしょう》されそうで、とても逢う気になれないでいる。

その年も暮れ、十二月に入って、これまで延ばしつづけていた朱雀院《すざくいん》の五十の賀を行うことに決め、その日の舞楽の予行演習をすることになった。こんな時にはこれまで必ず柏木が呼ばれていたので、今度に限り呼ばないのは世間の目にも奇異に映るだろうと、源氏はついに柏木を誘った。柏木は病気だからと辞退したが、事情を知らない父の致仕太政大臣《ちじのだいじょうだいじん》は、大して病気が重いわけでもないのに、どうしてそんな失礼なことをするのかと、無理にも行け、とすすめる。源氏は再三来るようにと使いをよこすので、柏木は断りきれず厭々《いやいや》六条院へ出向いていった。

姦通露見《かんつう》以来、はじめて対面した時、源氏はつとめて感情を殺して、

「試楽の調子を調えて出演者の音楽の指揮をしてもらうのは、あなたをおいて外にはないから、無理にもお願いしたのです」

とさりげなくいう。柏木のほうはもうその態度に気圧《けお》されてしまって、顔色も変わり、面《おもて》もあげられない。

「持病の脚気《かつけ》がこの頃重くなりまして、脚《あし》も立たないほどになって、心ならずもすっかり御無沙汰《ごぶさた》してしまいました」

としどろもどろにいいわけをして、ほうほうの体《てい》で源氏の前から下がり、出演の子供たちの舞の面倒を見るのだった。可愛い源氏の孫たちの舞が可憐で、見物していた大人たちは感動して涙をこぼすほどだった。

源氏は客たちに盃を回しながら、

「年をとったせいか、この頃は酔うと泣き上戸《じようご》になってしまいました。さっきから衛門督《えもんのかみ》はそんなわたしを見て冷笑していられるが、全く恥ずかしいことです。しかし、そんなに若さを誇るのももうしばらくのことですよ。歳月は逆さまには流れない。誰にも老いは逃れがたくやってくるものです。あなただって今に老人になるのだから」

と柏木の方をじろりと見る。柏木はさっきから人よりずっと硬くなって身をすくめているのに、わざわざ自分を名指して、空酔いを装って、皮肉をいうので、いよいよ

来たなと胸がつぶれてしまう。盃が回ってくるのも頭痛の種になり、飲むふりだけしてその場を取りつくろっている。源氏はそんな柏木を見据えて、故意にわざわざ何度も盃を回し、無理強《じ》いに酒をしつこくすすめる。柏木は身の置き所もなくて困りきってしまった。源氏の底意地の悪い対応に、自分がどれほど憎まれているか思い知らされ、居たたまれなくなり、こっそり逃げ帰ってしまった。それほど意気地なしとは思っていなかったものの、今夜の源氏の態度が恐ろしく、そのまま重い病気になって寝ついてしまった。

両親はそんな長男の有様を心配して、自分の邸《やしき》に引き取ってしまう。今でいえば嫁と暮らしている息子の病気が心配で、嫁にまかせておけないと、実家へ引き取るという形である。妻である女二《おんなに》の宮《みや》はこの際、全く無視されてしまう。

柏木の病気は神経から来ているので、今でいう鬱病《うつびょう》であろうか。全く食欲がなく、柑子《こうじ》さえ咽喉《のど》に通らなくなった。

はっきり源氏に位負けがしてしまったので、今の世の中で、源氏に睨《にら》まれたら最後、官吏として出世の道など断たれてしまうことを思い知らされるのだ。柏木の病勢は一向によくならない。よくなろうとする意志がなくなっているからだ。一種の自殺行為である。

気の弱りきった柏木は、死ぬことによって源氏の勘気《かんき》から逃れようと思う。

柏木の巻は、この一途《いちず》で純情で気位の高い青年の悲恋の悩みが、哀切に描かれている。

「どうせ誰も永久に生きられる身でもないこの世なのだから、こうして女三の宮にも少しは思い出してもらえるうちに死ねば、かりそめにせよ可哀そうだと憐《あわ》れんでくれるだろう。それをせめての思い出に、たったひとつの悲恋に身を燃えつきさせてしまおう。無理に生きながらえたところで、どうしてもみっともない浮名も立ち、自分も女三の宮も、面倒な醜聞に苦しめられることにもなろう。それよりは、死んでしまえば、自分を許しがたい無礼者と憎んでいらっしゃる源氏も、いくら何でもお許しくださるのではないだろうか。すべての罪も、人の死に際してはみな消え果ててしまうものだ。女三の宮との姦通以外は、外に大して過失もなかったのだから、この年月、何か事ある時には決まって親しく呼びよせ、目をかけてくださった、長い間の温情も、また源氏の心に戻ってくるかもしれない」

などと、病の床の所在なさに、あれこれ思いつづけている。そのあげくは、何と情けない身の上になったことかと、つくづく自分が憐れまれてくる。どうしてこうも自分を追いこんでしまったのかと、やるせなく、辛《つら》い想いに耐えがたくて、枕《まくら》も浮くばかりに泣く涙も、誰のせいでもないと、また泣きつづけている。

柏木のこの哀切な気持は、源氏物語の中でも、際立ってあわれ深い。大体が源氏をめぐる女たちの運命や喜憂が主調に描かれている中で、男の悲恋の嘆きが、こうも格調高いしらべで歌いあげられているのは見事である。柏木の男の嘆きをめめしいと思う向きもあるかもしれないが、後の浄瑠璃《じょうるり》の道行《みちゆき》などに歌いあげられる男の恋の嘆き節に受けつがれて、日本の文学には、男の恋のもののあわれも、主題の陰に生きつづけてきたのかもしれない。

源氏物語の中で好きな男性を挙げよといわれたら、私は柏木を第一にあげる。彼の父、源氏のライバル的存在の頭中将《とうのちゅうじょう》も好きだ。父の男性的な大らかさに比べ、この長男はいかにも神経質で繊細である。しかし危険をかえりみず源氏の正妻にいどんだという青年の純情は、恋愛小説の醍醐味《だいごみ》を味わわせてくれる。源氏物語の中で、若菜《わかな》上下と柏木の巻だけを読んでも、人はその作者の偉大さに脱帽するであろう。

女三の宮の決断

女三《おんなさん》の宮《みや》は罪の子を出産した。男の子だった。源氏は、これが本当に自分の子であったらと思うにつけ、顔が自分に似ていなくてもいいが、女の子だったら、家の奥深くにかくしておかれるので、顔が自分に似ていなくてもいいが、男の子は表に出るので、そのうち本当の父親の顔に似てきて、人に気づかれたらどうしよう、など取越し苦労もする。しかし、こんな不義の子なら、世話のやけない男の子だったのはかえって面倒がないかもしれない、とも思う。

また一方、この世でこうした報いを受ければ、あの父の妻をかすめて不義の子を産ませた自分の罪も、あの世ではいくぶん割引してくれるかもしれない、など思ったりする。このあたりの源氏の心の動揺は人間的で、スーパースターらしからぬところがいい。

出産に伴う表向きの儀式は、晩年に生まれた正妻の出産にふさわしく、すべて型通りに、派手に、盛大にやり通す。

女三の宮は初産で子を産むことの動物的な浅ましい生理にショックを受け、おじけづいて、罪の子を産んだ苦しさも重なり、このまま死んでしまいたいと思う。もともと至ってきゃしゃな軀《からだ》なので、お産はひどくこたえたのだ。

古女房などは、人前はともかく、源氏がこの出産に弾んでいないのに気づき、ずいぶん冷たい態度が不思議だなど囁《ささや》きあっている。それを小耳にはさむにつけ、女三の宮は、これからのことを思うと、いっそ出家してしまいたいと、産褥《さんじょく》の床で思いつく。

産後の肥立《ひだ》ちも悪く一向に枕《まくら》が上がらないので、見舞いに来た源氏に、

「どうしても生きながらえそうに思われません。お産で死ぬのは、罪が重いといわれています。出家して、もしその功徳《くどく》で生きられるかどうか試してみたいと思います」

という。いつもの頼りない感じとはちがって、思いの外しっかりと大人びた口調だった。

源氏は、とんでもないことをといいながら、内心ふっと、本気でそう望んでいるのなら、尼にして、ずっと世話するほうが楽かもしれない、このままではどうしても不倫の事実にこだわり通して、女三の宮にやさしくは出来ないかもしれないし、やがてはそれが世間に気づかれて不体裁なことになるかもしれないし、と思い迷う。この源氏の心の動きは、ぞっとするほど冷たいし、自分本位である。

柏木《かしわぎ》は重病の床から女三の宮に手紙をよこし、死んでゆく自分の悲しみを訴え、せめてお産の無事を聞いてから死にたい、といってきていた。女三の宮はそれに対して、
あなたと一緒に煙になって消えたいと書き、

「おくれるものですか」

といってやっている。原文の「後《おく》るべうやは」という語気は、なよなよしている女三の宮の言葉と思えないほど強い。その頃から女三の宮は変わってきたと見るべきだろう。思いがけない運命の試練にあい、他愛なく頼りないだけの女三の宮も、見るべきものを正確に見る目が生まれてきたといっていい。

朱雀院《すざくいん》は、女三の宮の産後がはかばかしくないとの噂《うわさ》を聞き、心配のあまり下山した。

朱雀院は、産後、食事も咽喉《のど》に通らず、すっかりやせはてた女三の宮に逢う。女三の宮は朱雀院に向かって、来たついでに尼にしてくれ、と懇願する。

朱雀院は源氏が頼み甲斐《がい》もなく、日頃、女三の宮を思うほど愛してくれなかったことを口惜しく思っているので、思いきって出家させてやろう、と決意した。源氏はそれを聞くと、日頃、あの不倫の事件以来、ずっと女三の宮をうとましく思ってきたのも忘れて、あわてふためく。

「自分を見捨てないでくれ」

と、几帳《きちょう》の中に入り、女三の宮に取りすがる。それでも女三の宮の意志は変わらない。頭をふって取りあわない。それを見て源氏は、意志もないように他愛なく見えた女三の宮も、心の中では、自分の冷たい仕打ちを恨めしく思っていたのだろうかと、初めて哀憐《あいれん》の情が湧《わ》く。

夜明け方、院は女三の宮を出家させてしまった。朱雀院は、誰よりも愛した娘を源氏のような不実な男にゆだねたことを後悔しながらも、

「尼になっても、それにふさわしい形で、どうか末長く面倒を見てやってください」

と言い残して、山へ帰ってしまった。

その後の加持《かじ》に、女の死霊があらわれて、

「してやったわ。うまく取り返したと紫 上《むらさきのうえ》のことを思っているのが口惜しくて、この宮にずっと取り憑《と》《つ》いていたのだ。今は思いを果たしたので、さあ帰ろう」

と冷笑する。さては、またしても六条 御息 所《ろくじょうのみやすどころ》の物の怪《もの》《け》のせいだったのかと、源氏はぞっとする。

柏木は、女三の宮の出家を聞き、ますます病が重くなり、泡の消えるように死んでいった。

源氏のかかわった女たちは、次々出家していく。空蟬《うつせみ》、藤壺《ふじつぼ》、六条御息所、朧月夜《おぼろづきよ》、女三の宮……この他にも朝顔《あさがお》の前斎院《さきのさいいん》というプラトニックに終わった女も出家

している。

この時代は、仏教でも浄土思想が盛んで、人はみな出家してこの世の罪をゆるされて、あの世で浄土に生まれたいという願望を持っていた。

源氏物語の女たちが次々出家していくのは、当時としては珍しくなかったかもしれないけれど、出家することをまわりの者が泣き悲しむところを見ると、仏弟子になって決然と出家するのは、必ずしもおめでたい祝うべきことではなかったのだろう。

この頃の女の出家は、今の私のようにくりくり坊主にするのではなく、背丈より長い髪を肩のあたりで切ることで、現代の女たちのロングヘアスタイルと思っていい。それでも髪を女の命としていた時代だから、それは並々の決意では出来なかった。

源氏ほどの好色な男でも、出家した過去の自分の女とは性的関係を結んでいない。紫式部は出家とはそういうものと考えていたのだろう。女たちはたいてい源氏との愛欲から逃れるために、むしろ、源氏の愛執と自分のみれんをふりきるために出家する。そして不思議にも、出家を決めた女たちは、なぜか決然として源氏に相談せず決行してしまう。すると女たちはそれまでの被保護者の弱い立場から、不意に源氏を見下ろす精神的優位に立ち至る。

真面目亭主の恋

源氏物語は光源氏《ひかるげんじ》を中心に多くの人間群の運命を描いているが、本当の主人公は「時間」であった。源氏の生まれる前から、死後二十年ほど、およそ八十年ばかりの時間がそこに流れている。

登場人物はその時間の中で、生まれ、病み、老い、死んでいく。人々の運命は厳粛な時間の間に否応なく変わっていくが、変化するのは運命だけでなく、人間の肉体と心であった。

雀《すずめ》の子の逃げたのを泣いていた無邪気な童女の紫上《むらさきのうえ》が、愛の苦悩と人間の孤独を存分にわきまえた女に成長し、変わっていくのだ。

変貌《へんぼう》する人物の中で最も読者の目をみはらせるのは、あのまめ人《びと》の夕霧《ゆうぎり》である。源氏と正妻葵上《あおいのうえ》の間に生まれた夕霧は、生後すぐ生母に死別しているから、悲劇的な運命を背負っているのに、なぜか読者にあわれを催させない人間である。いたって真面目《まじめ》で律義で、いつの場合もはめを外さない。父を反面教師として育ったせいか稀《まれ》にみる優等生タイプで、融通がきかない。雲居雁《くもいのかり》との恋と結婚にしてもそうだった。ところが、その夕霧が突如として変わった。親友の柏木《かしわぎ》の死後、その未亡人の落葉《おちば》の宮《みや》を見舞ううち、薄幸な彼女に恋心を抱き、夢中になってしまう。落葉の宮は女《おんな》三《さん》の宮《みや》の異腹の姉だが、父の朱雀院《すざくいん》に女三の宮ほど愛されていない。柏木は女三の宮の姉というだけで、女三の宮の代用品として彼女と結婚した。表向きは粗末にしないが、ずっと心は女三の宮だけを想いつづけていたので、落葉の宮は気の毒な結婚生活だった。彼女自身は、夫が自分に冷たいとも思わず、夫をそういう情熱の薄い堅い人間なのだと思っていて、結婚生活に不満も持っていなかった。

柏木は死に臨んで、愛さなかった妻を不憫《ふびん》に思い、夕霧に落葉の宮を援助してほしいと遺言して死んでいった。

律義な夕霧は、親友の遺言を忠実に守って未亡人を見舞ううち、次第に心惹《こころひ》かれていく。

静かな邸《やしき》は淋しい中に落ち着きがあって、すべて優雅な雰囲気である。落葉の宮はつれづれをなぐさめるため、よく琴などひとり弾いている。夕霧の邸では、もう古女房になった雲居雁が子沢山にかまけて身なりにも化粧にも気を使わなくなり、胸をかきひろげて赤ん坊に乳をのませているまわりを、子供たちが走り回ったり、けんかをしたり、泣き騒いだりして、うるさくてたまらない。雲居雁はあの可憐な美少女の俤《おもかげ》などどこへいったのか、髪を耳はさみして紅《べに》もつけていない。長い結婚生活に安心しきっているのだった。

柏木の一周忌の頃から、夕霧の新しい恋が始まる。十八歳で結婚して以来、妾《めかけ》としては惟光《これみつ》の娘がいるだけの堅物《かたぶつ》だった夕霧が、結婚後十年、二十八歳で初めて新しい恋にはめを外してしまうのである。倦怠期《けんたいき》の浮気と解釈出来るのだが、生真面目な夕霧は一度はめを外すと、収拾がつかなくなってしまう。夕霧のような性格の男は、家庭は家庭、浮気は浮気として適当に遊ぶことが出来ない。あくまで本気になってしまうのである。

真面目男が今でも四十七、八歳で、突然若い女に血道をあげ、生活を狂わせる例もざらにある。免疫がないと病気は重い。

夕霧の恋の仕方は強引で柔軟性がない。

落葉の宮のほうは亡き柏木を愛していて、病が重くなってからは、柏木の両親の家につれていかれてしまい、臨終にもあわせてもらえなかったので、想いはいっそう残っている。

夕霧の応対は、ほとんど未亡人の生母の御息所《みやすどころ》がしていた。この人は内親王である自分の娘が結婚したことに反対だったので、柏木が落葉の宮を心から愛していないのを知っていて不満だった。夕霧の実直で誠実な性質を気に入っている。

もの淋しい秋の夕べ、夕霧は落葉の宮を訪ね、例によって御息所と話していたが、輿に乗って柏木の遺した箏《そう》の琴《こと》を弾き、ひきつづいて琵琶《びわ》をとって想夫恋《そうふれん》を弾いた。たっての夕霧の懇望に、御簾《みす》の中から落葉の宮もつい、琴の音で想夫恋の一節を合奏した。

すっかり気をよくして夕霧が遅く帰ると、雲居雁がわざとふて寝して迎えようともしない。夕霧はもう下ろしてある格子戸をわざわざ押しあげ、

「こんな美しい月を見ない所があるなんて」

とつぶやいている。女房たちが、夕霧は落葉の宮にうつつをぬかしているという評判を伝えたので、雲居雁は心中おだやかでない。

「いい月だ。寝たりしないで出て来て見てごらん」

と夕霧が誘うが、雲居雁は知らぬ顔をしている。外で浮気をしたり、楽しんできた男は、家庭に帰っても、心が浮き浮きしていて、常になく妻に優しくなったり饒舌《じょうぜつ》になったりするものだ。この場の夕霧はまさしくその典型である。

夕霧はまだ眠る気にもならず、今夜御息所から形見としてもらってきた柏木の遺愛の笛を取り出し、月に向かって吹き鳴らす。

たくさんの子供たちが部屋いっぱいになって思い思いの寝相で寝ている中に、女房たちも込み合って眠っており、幼い子が夢におびえて泣き声をあげたりする。

そんな横で、うっとり落葉の宮の静かな邸を想い浮かべ、ひとり笛を吹く夕霧の姿は、何となくこっけいである。

雲居雁が相手にしないので、夕霧は仕方なく寝に就《つ》くが、なかなか寝つかれない。柏木は表面大切にしていたが、どうも落葉の宮を心から愛していたとは思えない、どうしてだろうなど、想いは次々広がっていく。

それにしても、自分たち夫婦の長い歳月をふりかえれば、あんな様々なことがあったのに、とにかくこうして長年つれそってきたものよと、感慨があらたになる。雲居雁が妻の座に全く安心しきってわがままにふるまい、大きな顔をしてでんとしているのも、まあ無理がないとも思われてくる。

こういう述懐をする夕霧の人のよさが、恋下手な面ともなってあらわれるのである。

父親の好色を反面教師として

夕霧《ゆうぎり》は柏木《かしわぎ》が死の直前自分に遺言したことの中で、

「源氏にうとまれることがあって、その勘気《かんき》のとけないまま死んでいくのが辛《つら》い。いつか源氏に呼ばれて朱雀院《すざくいん》の五十の賀のお祝いの試楽に六条院へいった時、その目付きで自分に対する怒りが一向に解けていず憎まれていることを感じ、もう生きていく気力も失い、それ以来ますます軀《からだ》が弱り、気力も萎《な》えて、とうとうこんな有様になった。このままでは、この世に残す気がかりが後生《ごしょう》の障《さわ》りになりそうなので、折があれば、あなたからよしなにとりなしてくれ」

という意味を訴えられたことが、ずっと気にかかっていた。それまでも、いつか蹴鞠《けまり》の日に、女三《おんなさん》の宮《みや》の姿をふたりではっきり見てしまったことから、柏木が女三の宮に懸想《けそう》しているのではないかと疑われる節もあったが、たとえそうだとしても、あくまで柏木の一方的な横恋慕で、そんな困難な恋の叶《かな》うはずはないと、自分のぼんやりした疑惑は打ち消してきたのだった。

遠い野分《のわき》の朝、偶然、紫 上《むらさきのうえ》を見てしまい、ずっと紫上への憧《あこが》れを胸にかくし抱きつづけてきた夕霧にとっては、柏木と女三の宮の不倫の恋など、とても現実のことと思われないのだった。

しかし、落葉《おちば》の宮《みや》を表面大切にしていながら、柏木が決して本気で愛していなかった様子は夕霧にもわかっている。それは源氏と女三の宮の関係にも似ていて、夕霧の心にひっかかっていた。いつか本当のことを確かめたいという好奇心を抑えることが出来ない。

落葉の宮を訪ねて夜遅く帰り、ひとり月を見ながら柏木の横笛を吹いた夜、夢に柏木があらわれて、

「どうせ笛の音を後世に伝えるなら、わが子孫に伝えさせたい。あなたにお渡ししたのは、自分の本意とはちがっています」

という。赤ん坊が夜泣きする声に夢を破られたが、夢の中の柏木のまざまざとした姿や言葉が忘れられず、柏木の子孫といえば誰だろうと思いあぐね、もしやと思っている女三の宮の産んだ幼い薫《かおる》を思う。

夕霧は六条院に行った時、明石《あかし》の女御《にょうご》のところに集まった明石の女御の若宮たちと一緒に遊んでいる薫を初めてよく見る。今まではゆっくり見る機会もなかったのだ。色がたいそう白くつやつやとして可愛らしく、目鼻立ちは一緒に遊んでいる皇子たち

よりも整っていて、まるまる肥えている。気のせいか、まなざしなど柏木以上にしっかりしているが、目じりが切れ長ですっきりとしているところなど、柏木にそっくりに見える。口もとの格別はなやかな感じがしてにっこり笑ったところなど、どきっとするほどやはり似ている。

これでは始終見ている源氏が気づかないはずはないと思う。いっそう源氏がどう思っているか知りたくなってくる。源氏に柏木の横笛をもらったことと、その夜の夢の話をまわりに人のいない時にすると、源氏はすぐには返事もせず、じっと聞いていて、

「その笛はわたしが預からなければならないわけがある。陽成院《ようぜいいん》から伝わったものだ。御息所《みやすどころ》が女心の浅はかさで、由緒も知らず渡したのだろう」

といって笛を持ってくるようにいう。源氏の屈託した表情を見て、夕霧はやっぱりそうかと思う。ついでに柏木の遺言のことも告げる。

「いったいどんなことがあったのでしょう。さっぱりわたしには思い当たりませんが」

とわざととぼけると、源氏は思案しているようにちょっと黙りこんでから、

「そんなに人に恨みを買うような態度をいつしたのだろう、思い出せないね。ま、夢の話はもっとゆっくりしよう。夢の話は夜するのは悪いというから」

と、ごまかしてしまった。

それでも夕霧はその時の源氏の態度や表情で、大体自分の想像が当たっていたと思う。

源氏が落葉の宮との間を、心配して、

「未亡人を見舞うのもいいが、とかく世間は口さがないから、同じことならきれいな間柄を保って、末長く面倒をみてあげなさい。世間によくある間違いなどおこさぬほうがいい」

などお説教したのを、よく言うよ、ひとのことならずいぶん道理がわかるんだな、自分は好色でこんな時捨てておかないくせに、と夕霧が考えるところがおかしい。

夕霧は源氏の嫡男《ちやくなん》なのにおよそ性質が似ていない。

王朝も今も、世間では親が放蕩《ほうとう》だと息子は物堅《ものがた》い人間が多いし、親が石部金吉だと、息子がびっくりするほど道楽者になることも多い。好色は隔世遺伝くらいで伝わるのだろうか。

源氏は女三の宮に裏切られた想いは消えないけれど、薫は実子のように大切に育てているし、女三の宮の出家後の生活は経済的にもすっかり面倒を見ている。女三の宮が出家してしまうと、今になって可哀そうに思う気持がつのって、この上なく大切に世話をしている。

女三の宮には朱雀院からたくさんの財産をゆずられているので、経済的には別に困らないが、やはりその財産管理や、日々の費用の出し入れは源氏が握っている。

朱雀院は、

「出家したらどうせ別居生活に入るのだから、すぐそうしたほうが世間体もいいだろう」

と、女三の宮が朱雀院から相続した三条宮に住むようすすめる。源氏は、

「別居してはとても心配でたまりません。毎日顔を合わせてあれこれ面倒を見させていただき、わたしの生きている限りはお世話したいのです」

という。それでも一方では三条宮の改築など手を入れて立派にし、諸国の荘園から集まる品々の中でこれと思うものや、女三の宮が譲り受けている多くの宝物はみんな三条宮に移し、そのための蔵も建て増しした。それらの費用は一切源氏が見ている。三条宮は出家者が住むにふさわしく造って、尼なども何人か厳選してお側《そば》に仕えさせ、不自由ないようにする。

そうしながらも時々、まだ夫婦の性をあきらめていない様子を見せるのが、女三の宮のほうでは厭《いや》でならない。こちらは出家して、もうさっぱりと気持が断ちきれていて、前とはすっかり心境が変わっている。いっそ山にでも入って源氏と無縁になりたいとさえ思っている。この物語では女のほうがいつでもあきらめが早い。

秋好中宮の悲しみ

光源氏が想いをかけながら結ばれず終わった女性たちがある。
朝顔《あさがお》の前斎院《さきのさいいん》と、玉鬘《たまかずら》と、秋好中宮《あきこのむちゅうぐう》であった。
朝顔の前斎院は、桐壺帝《きりつぼてい》の弟の式部卿宮《しきぶきょうのみや》の娘だから、源氏とは従兄妹《いとこ》にあたる。斎院になる前から源氏が想いをかけていて、朝顔の歌を贈ったということが世間には知れている。ところが朝顔は聡明で、源氏の浮気心にはおいそれとなびかない。かといって、そっけなくもしないし、折々の手紙のやりとりなどは心をこめて応答する。身分がつりあうので、源氏との結婚も噂され、紫上《むらさきのうえ》は、一時妻の座が彼女におびやかされる不安を感じ、嫉妬《しっと》をかくせなかった頃もあって、深刻に悩んだ。

朝顔は源氏を嫌ってはいなかったが、六条御息所《ろくじょうのみやすどころ》のような目に遭《あ》うのはいやだという、自分を守る本能が強かった。最後は出家してしまう。朧月夜《おぼろづきよ》の出家より早かった。

玉鬘は、源氏が養父の立場を利用し、際どいところまで進みながら、玉鬘が髭黒《ひげくろ》に奪われたので、これも結ばれなかった。

秋好中宮は、やはり養父格になって引き取り、自分の不義の子冷泉帝《れいぜいてい》の中宮にして入内《じゅだい》させている。秋好中宮の里邸は、六条院ということになっていて、六条院の西南の町があてられている。

もともと源氏はこの美しい姫君に心惹《こころひ》かれていたが、生母の六条御息所が源氏の胸中を見ぬいていて、遺言に、世話をしてほしいが愛人のひとりにして手をつけるのだけはやめてくれ、と言い置いたので、さすがにその言葉におびえて手出しはひかえている。

それでも、中宮が六条院に里帰りする度《たび》、折を見ては、好色らしいことをいって言いよる気配があるので、中宮はその点をうとましいと思っている。

中宮と冷泉帝は、中宮のほうが九つ年上なので、ずいぶん中宮のほうが大人びているが、ふたりの仲はしっくりいっている。ただし、ふたりの中に子供は生まれない。

冷泉帝は自分が源氏の実子と知って以来、源氏に格別の情を持っているが、源氏はつとめてひかえめにしている。

冷泉帝が早々と譲位して院暮らしになったのも、自由な身分になって源氏などと気やすく会いたいと考えたからだったが、実際そうなってみても、源氏はなかなか自由に冷泉院を訪ねることも出来ずにいる。

冷泉院は源氏が秋好中宮に色っぽい感情を抱いているなど夢にも知らない。六条院で鈴虫の宴をしていたところへ、冷泉院から月見の誘いがあったので、源氏は六条院の客たちをみんな引き連れて冷泉院を訪れる。その夜は冷泉院がこの賑《にぎ》やかな突然の客たちを迎え、大喜びをして、一同で月見の歌や詩をつくって楽しい宴になった。

この時冷泉院はまだ三十二歳で、年と共に源氏と瓜二《うりふた》つになっている。原文では、「ねびととのひたまへる御容貌《かたち》、いよいよ異《こと》ものならず」とある。「異《こと》もの」とは源氏との比較である。壮年でわれから退位し、ひっそりと暮らしている院の様子に、源氏は心が痛む。

夜を徹して遊び、暁方《あけがた》、お相伴《しょうばん》の人々は帰っていった。

源氏は、秋好中宮のいる所を訪ねて、久々にゆっくり話をした。

「今はこういうゆっくりした自由な御生活なのですから、もっと度々《たびたび》参上して御機嫌伺いしたいと思っておりますのに、准太上天皇《じゅんだいじょう》などというどっちつかずのあいまいな身分になって、外出なども気が引けることが多く、引きこもりがちで、暮らしています。わたしより若い人々に、近頃次々後《おく》れをとって残されるのも、無常なこの世の心細さが、しみじみ身にしみますので、早く浮世を離れた山寺にでも入りたいと、出家の気持がつのってきます。それにつけても、後に残す頼りない家族たちの御庇護《ひご》を仰ぎたいものです。前々からお願いしてありました通り、その節は、どうか世話をしてやってください」

など頼むのだった。

中宮はいつもながらの若々しいおっとりした様子で、

「宮中で奥深く住んでいた頃よりも、かえってお目にかかりにくくなったようでつまりません。わたくしこそ、皆さんが捨てていくこの世を早く逃れたいと、出家したく思いますのに、まだそのことを御相談する折もないのが心にかかって、胸がつかえるようでした」

という。

源氏が、自分より若い人に後れるといったのは、柏木《かしわぎ》の死、女三《おんなさん》の宮《みや》、朧月夜、朝顔の前斎院の出家などをさしている。

秋好中宮の出家の願望を突然聞かされ、源氏は例によってあわててそれをさえぎる。

「いくら無常の世とはいえ、これという出家の理由のない人が、きっぱりと出家するのはむずかしく、また難なく出家できる身分の者でも、いざとなると、心にかかる係累ばかり出来て迷うものです。そんな人まねのように競争して出家するなどいう道心は、かえってみっともないと、世間のそしりを受けましょう。出家するなど、ゆめゆめお考えになりませんように」

と、いさめ顔にいう。中宮は、本当の自分の心をちっともわかってくれないのだと、情けなく思う。

母の六条御息所があの世で、どんな責苦《せめく》に遭い苦しんでいるかと思うと、業火の中に、死んでも迷いさまよっている御息所があわれで、中宮は思い悩んでいるのだった。死んだ後まで、死霊になってたたっているとか、源氏に向かって御息所の霊が名乗り出たなどいう噂《うわさ》は、世間の口に蓋《ふた》は出来ず、中宮の耳にも入ってきていた。源氏は中宮に知らせまいとひたかくしにして気をつかっているだけに、中宮が母の生霊《いきりょう》や死霊について本当のことをくわしく話してもらいたいと思っても、言いだせないでいた。中宮が、母のあの世での苦患《くげん》の炎を出家して鎮《しず》めてやりたいというのを、源氏は、出家などしないで、供養して祈ってやるほうがいい、と必死になだめるのだった。

秋好中宮は母のためにひたすら仏事に心をつくすようになっていく。

恋下手な夫の朝帰り

夕霧《ゆうぎり》が落葉《おちば》の宮《みや》の母の御息所《みやすどころ》に柏木《かしわぎ》の笛をもらった頃から、早くも一年が過ぎさった。

夕霧はますます落葉の宮の慎ましい人柄に惹《ひ》かれてゆき、何とかして自分の恋心を宮に伝えたいと思っていた。

御息所に物の怪《もののけ》がつき、小野の別荘に移って養生していた。小野は叡山《えいざん》の麓《ふもと》なので、山の律師《りつし》でよく祈禱《きとう》してもらっている僧に来てもらう便がよかったからである。

夕霧は小野に移る車の便やら、御祈禱の僧の布施《ふせ》やら何かと気をつかって面倒を見ていた。本来なら柏木の弟たちがするところだが、それぞれの生活が忙しく、とても面倒を見きれない。

落葉の宮はいくら夕霧が訪ねても自分で応対などはしない。それでも、僧の布施や浄衣《じょうえ》やその他の様々の面倒を見て貰《もら》ったお礼は、女房の代筆というわけにもいかず、初めて自分で礼状を書いた。

夕霧はその文字にまた惚《ほ》れこんでしまった。

どうしても逢いたいと思い、返事も貰えないのにしきりに手紙を書く。雲居雁《くもいのかり》は、やはり唯《ただ》ではすまない事件になるだろうと察して機嫌が悪い。

八月中旬、夕霧は小野の山荘を訪ねる。御息所の見舞いは名目で落葉の宮に逢いたいばかりだった。

小野とは大原の入口に当たる比叡山の麓で、今の修学院《しゆがくいん》から北よりの上高野《かみたかの》のあたりだったらしい。私は出家した後一年、上高野の仮寓《かぐう》に暮らしたことがある。今は新興住宅が建ち並んでしまったが、まだ少し歩けば高野川ぞいに昔の閑静な趣《おもむき》が残っていた。家のすぐ後ろに山が迫ってきて、夜などは源氏物語に描かれる小野の里の風情がしのばれた。

源氏物語では、宇治十帖《うじじゆうじよう》で、浮舟《うきふね》が最後にかくれ住む場所にも選ばれている。当時の京都の貴族たちの住んでいる町からだと、嵯峨《さが》へ行くのと丁度《ちようど》同じくらいの時間がかかったのであろう。嵯峨と同様、当時の都人《みやこびと》はこのあたりを隠棲《いんせい》の地としていて、貴族の別荘などもあったようだ。

夕霧はこの夜、病の重い御息所には逢えず、落葉の宮の部屋の前に行き、綿々と恋心を訴えた。

女房が取次ぎに入る隙《すき》を窺《うかが》い、自分もすっと御簾《みす》の中へ入りこんでしまった。落葉の宮は驚いて次の間に逃げこんだが、障子《そうじ》の奥に軀《からだ》は入ったものの、着物の裾《すそ》が残り、夕霧に押さえられてしまった。

　向こう側には障子の懸け金もないので、そんな隔ては何の役にも立たないが、生真面目な夕霧はそこまで踏みこみながら、それ以上の振舞いには及ばない。われながら恋馴《こいな》れない野暮《やぼ》な男と思うけれど、源氏とちがって夕霧は、こんな時、女の心を解きほぐすすべも知らないし、情熱にまかせて踏みこむほどの野性もない。

　その晩とうとう何もせず、一晩中くどくどと訴えつづけて、夜が明けてしまった。

　夕霧がくどく言葉の中に、

「男女の仲を知らぬわけでもないだろうに」

　というような言葉があったのが、落葉の宮をひどく傷つけてしまう。生娘《きむすめ》でもあるまいし、という言葉は、馬鹿にされたようで、宮の自尊心を傷つけた。

　夕霧は宮に追い出された形で、朝霧と朝露に濡《ぬ》れそぼたれて帰る。帰りぎわに、

「何もなくて朝露に濡れて帰るなど、何と情けないことでしょう。うまく言いくるめて帰してやったなど思っておいでなら、とんでもありませんよ。このままわたしを相手にしてくださらないなら、わたしにも覚悟はありますから、どんな料簡《りようけん》を起こすかしりませんよ。それにもう世間では、この一夜のことであなたに濡《ぬ》れ衣《ぎぬ》をきせるに決まっていますから」

など凄《すご》んでみせて、かえって宮にうとまれてしまう。

濡れた着物で朝帰りすれば雲居雁に怪しまれるのは決まっているので、六条院の花《はな》散里《ちるさと》の所へ寄って着替えをする。ここでは母親代わりのつもりで花散里が、夕霧の衣裳は季節毎《きせつごと》のものをきちんといつでも用意してあるのだった。

夕霧は早速、小野に手紙を届けるが、落葉の宮は開けても見ない。

「あの程度にせよ油断して男にふみこまれてしまったことは、わたしの落ち度で口惜《くや》しいから、返事などする必要もない。見なかったといいなさい」

といって強気につっぱねる。落葉の宮と御息所の母子の間は、何もかくしだてもないので、この事件も宮はいうべきかと思い悩むが、女房たちは、はっきりと、何があったというでもないことを病人の耳に入れないほうがいいと内緒にしておく。

女房たちも、ふたりの昨夜の実情がよくわからないので、額を集めて、ほんとうはどうだったのかしら、と思いあぐねている。

御息所を祈禱している律師は、一本気のもの堅い融通のきかない男で、この男が突然、御息所の物の怪の去った時に言いだした。

「そうそう、夕霧大将はいったいいつからこちらの宮さまに通われているのですか」

御息所は驚いて、そんなことはないと強く言うと、律師は、

「かくさないでもいいでしょう。今朝わたしが参上した時、西の妻戸《つまど》から立派な男が

しのび出たのを見ました。弟子の僧たちが、あれは夕霧大将どので、昨夜は御車も帰してお泊まりになった、と口々に言っていました。あちらは雲居雁というしっかりした御本妻がいて、その親御たちは権勢家なのだから、とてもこちらの宮さまでは押しがききますまい。いい御縁ではありません。煩悩《ぼんのう》に流されて愛欲の淵《ふち》に沈めば、ろくなことはありません」

と、ずけずけという。御息所は動転して、女房に問いただすと、曖昧《あいまい》だが、とにかく夕霧にふみこまれてしまった、と告げた。

御息所は宮と逢ったが、宮は内気な性分なので、はっきりと昨夜の弁解もしない。そこへ夕霧の二度目の手紙が届き、御息所が開いて見た。昨夜のつれなさをなじったもので、正式の結婚の申込みでもない。結婚の意志があるなら、昨夜から三日間は毎夜訪ねてくるはずである。

御息所は苦しい息の下から夕霧へ手紙を出す。抗議と同時に、こうなっては仕方がないから、ふたりの仲を許すという意味もこめてあった。

夫の浮気による家庭の危機

小野から御息所《みやすどころ》の手紙が三条の夕霧《ゆうぎり》の館《やかた》に届いた時、夕霧は、小野へ行きたい気持を抑えて横になっていた。手紙は御息所が苦しい息の下から書いたものなので、筆跡が鳥の足跡のように乱れて読みにくい。灯をひきよせてよく見ようとした時、雲居《くもいの》雁《かり》が背後からしのびよって、後ろから不意に手をのばし、その手紙を取りあげてしまった。

「何をする、けしからん。それは六条院の花散里《はなちるさと》のお方が風邪で苦しそうにしていられたのでお見舞いを出した御返事ですよ。ごらんなさい、これが恋文らしい書きようですか。それにしてもはしたないことをする。わたしにどう思われても平気なのですね。あきれたことだ。だんだんわたしを馬鹿にして」

といったまま、ため息をついて、しいて奪い返そうともしないので、雲居雁もすぐにもその手紙を読む気にもなれず、持ちあぐねている。

「年月がたつにつれて、馬鹿にしてるのは、あなたのほうじゃありませんか」

と、若々しい可愛い顔をふくらませていうのは、夕霧があんまり悠然としてあわてないから気がひけたと見える。

「それはともかくとして、まあ夫婦の仲とはそんなものです。相当の地位になった男が、びくびくして、たった一人の妻を後生大事に守り通しているなんて、わたしのような男は世間に例もないだろうよ。どんなに他人《ひと》は馬鹿にして笑っていることか。そんな間抜けの男に大事に守りぬかれたところで、あなたの名誉にもなりますまい。大ぜいの妻妾《さいしょう》の中で、ひとり際だって特別大切にされてこそ、世間からも尊敬され、自分の気持も新鮮でいきいきして、夫婦の情愛の深い情趣も長つづきするものでしょう。わたしなんか、年寄りのように呆《ぼ》けてしまって、情けない。全く残念で、映えない話です」

と、さも手紙に無関心らしく装いながら、何とかしてさりげなく巻きあげようと機嫌をとる。

華やかに笑って、雲居雁は、

「今更、何を気どって見栄をはられるのやら。わたしのようなお婆《ばあ》さんはもうついていけませんわ。急に若返って浮き浮きしたこの頃のあなたの様子に呆《あき》れるばかりで、今までそんなあなたを見馴《みな》れないので、情けなくて辛《つら》いだけです。前々から馴《な》らしておかなかったのですもの」

と、文句をいう様子も憎くはない。

「ほんとに疑い深くなったものだ。どうせあなたのまわりの誰かがつまらない告げ口をしたのでしょう。昔からわたしのことをよく思わない連中があなたについているのだから、巻きぞえにされた人こそお気の毒です」

などいうけれど、いつかはどうせ落葉《おちば》の宮《みや》と結ばれると思っているからそれ以上強くはいわない。

このあたりの夕霧は、どうしてどうして、恋下手な野暮天《やぼてん》ではない。妻の嫉妬《しっと》を上手にいなして、機嫌をとっているし、自分が浮気をしながらも、古女房は可愛いといとおしむ余裕もたっぷり持っている。浮気をする夫が、決して妻と別れようとは思っていないずるさも、ここではっきり描かれている。結局、夕霧はそ知らぬふりで寝たものの、内心あの手紙が気がかりで気が気でなく、雲居雁が寝ついたのを見すまして、その夜の場所にいって探してみるがなかなか見つからない。

次の日も一日中それとなく探すが見つからない。雲居雁は、大ぜいの子どもたちの世話で夫婦げんかどころではない。夕暮れになってふと、雲居雁の座布団《ざぶとん》が少し盛り上がっているのに気づき、下を覗《のぞ》くと、そこにあの手紙があった。やっぱり御息所があの一夜のことを知って、ふたりの間にもうわけがあったと思っていることがわかったものの、一昨夜も昨夜も訪ねなかったことは、いいわけのしようもない。苦しい手紙を書いて、とにかく文使いをやる。

小野の里では、二晩も来ないばかりか、手紙の返事さえない侮辱に耐えかねて、御息所は病気が重くなり、ひたすら夕霧を恨んでいる。落葉の宮としては、母が誤解していることを晴らす言葉もなく、ただ泣き暮れている。こうした中で、御息所は恨み死にのようにあっけなくみまかってしまった。夕霧はその報《しら》せに小野に飛んでいったが、落葉の宮は御息所の死もこの人が原因だと思うと口をきく気もしない。

訪ねても相手にされず、手紙の返事も一行も貰えないのに、夕霧は落葉の宮があきらめきれない。夕霧が心も空につれない人を想いつづけているのが、雲居雁にはわかるので、次第に悩みが深くなる。噂は源氏の耳にまで入った。夕霧が六条院へ来た時、それとなくかまをかけて訊《き》いてみるが、夕霧は要心してうかつな口をきかない。

夕霧はいつまでも心を閉ざしている落葉の宮にかまわず、一条宮の邸《やしき》を立派に直し、手入れをして、そこへ移してしまった。女房たちは夕霧の誠実にうたれて、こんな立派な人と再婚したほうが宮のためだという気になっているので、落葉の宮は身を守りきることが出来ないのだった。

落葉の宮はわが邸へ帰っても、すっかり様子が変わっているので落ち着かず、そんな勝手なことをする夕霧をますます厭《いや》になる。夕霧が今夜こそ正式の結婚をしようと訪れても、塗籠《ぬりごめ》の中に逃げこんで寄せつけない。そのまま一夜が明けてしまった。夕霧はやりきれない気持で六条院へゆき、花散里に慰められ、源氏の前に出る。源氏はその夕霧の姿を見て、立派さと美しさに、これなら女なら誰だって魅力を感じるだろうと、わが子ながら見惚《みと》れるのだった。

家に帰ると、子供たちがまつわりついてくるが、雲居雁はふて寝している。

「ここをどこだと思って帰ってきたのですか。わたしはとっくに死んでしまいました。いつもわたしのことを鬼、鬼といわれるので、いっそ鬼になってしまおうと思って」

と、いう。

「心は鬼より恐ろしいけれど、顔が可愛らしいので、とても見捨てられないね」

と、夕霧はしゃあしゃあという。

妻の怒った赤い顔やすねた態度が夕霧には可愛くて、またあれこれ機嫌を取り結ぶ。

「ああ、うるさい。つべこべいわずに、あなたなんかあっさり死んでちょうだい。わたしだって死にますわ。顔見れば腹が立つし、声を聞けば癪《しやく》に障《さわ》るし、かといって見捨てて死ぬのは気がかりだし」

雲居雁が毒づくと、いっそう可愛らしさがつのるのだった。

浮気の行方

夕霧《ゆうぎり》はすねた妻の機嫌をとりながらも、心は新しい恋の方に飛んでいる。皺《しわ》になった着物は脱ぎ捨てて、新調の着物に香《こう》などたきしめ、めかして一条宮の方へ出かけてゆくのを、雲居雁《くもいのかり》は、いっそ尼になってしまいたい、と嘆きながら見送るのだった。

落葉《おちば》の宮《みや》は、夕霧を厭《いや》がってその夜も逢おうとはせず、塗籠《ぬりごめ》の中に逃げこんでしまった。

夕霧があまりのつれなさを恨むので、女房の少《しょう》将《しょう》の君が気の毒がり、女房たちが出入りする塗籠の北の戸口から、夕霧を中に入れてしまった。女房の裏切りを落葉の宮は心外に思い、悲しむけれど、今はどうしようもない。

夕霧が言葉を尽くして心情を訴えれば訴えるほど、宮は夕霧を厭な人だと思う。単《ひとえ》の着物を髪の上から引きかぶって、ただ声をあげて切なそうに泣くばかりだった。その様子が痛わしいので、どうしてこうまで嫌われるのだろうと、夕霧も情けなくなる。よほど前世からの因縁で好かれない仲なのかと思う一方、雲居雁をあんなに苦しめてと、可哀そうになる。信じきって昔から愛しあっていた頃のことや、今までも、安心しきって無邪気に自分を信じ、安心していた様子を思い出すにつけ、どうしてこんな薄情な人に恋などしてしまったのだろう、と思う。さすがに情けなく思って、それ以上、宮の機嫌をとる気にもならず、嘆き明かしてしまった。

その次の日も、夕霧は帰ろうとしない。一条宮に居つづけてしまう。そんな強引さが宮はいっそううとましくなる。

その日もそのまま過ごし、夜が明け、朝日がさし出た気配がしてきたので、宮が何枚もひきかぶった着物をひきのけ、見苦しく乱れた髪を夕霧がかきのけてわずかに顔を見ると、たいそう気高く女らしく優雅な方だった。落葉の宮のほうもはじめて夕霧の顔を身近に見てしまった。死んだ柏木《かしわぎ》は、格別な美男子というでもなかったのに、思い上がって自信たっぷりで、落葉の宮が美しくないと何かにつけて見下げていたらしかったのを思い出すにつけ、今、こんなにやつれきって化粧もしていない自分の姿を見て、夕霧が醜いと思うだろうと、気がひけてくる。こんなことになって心ならずも夕霧の強引さに押しきられてしまったことが、方々に対して恥ずかしく、喪中に早くも男をつくったと非難されるだろうと、恥ずかしくてたまらない。

雲居雁は、幾晩も一条宮に居つづける夕霧の態度に、もうこれまでと思って、真面目な堅物《かたぶつ》の男が浮気をしたら、とことんいってしまうという話は本当だったと思い、これ以上、恥を見たくないと、父の致仕太政大臣《ちじのだいじようだいじん》の邸《やしき》へ帰ってしまった。

報《しら》せを聞いて夕霧は、やれやれ案の定だ、と舌打ちする思いで、邸に帰ってくると、子供は、女の子と小さい子をつれてゆき、年上の男の子たちは残してある。残された子たちがまつわりつき、中には母を慕って泣き出す子もいる。

手紙をやったり、人を迎えに出したりするが、返事もよこさない。捨ててもおけないので、日が暮れてから迎えに行く。

雲居雁は、子供は乳母《めのと》にまかせっぱなしで、自分はひとり別の部屋でのんびりしている。夕霧が不心得をなじっても、

「どうせ、すっかり嫌われてしまったわたしですから、戻っても仕方ないでしょう。勝手にしてどうして悪いの。子供は見捨てず育ててくれると嬉しいですけれど」

という。夕霧は仕方がないので、その晩はそこに泊まり、独り寝する。致仕太政大臣は困ったことだと思うが、

「女がそんなに思い切りがよいのも、かえって軽はずみに見える。しかしまあ仕方がない。こうなった上は、おめおめ、間抜け顔をして帰っていくこともないだろう」

といって、別に雲居雁をいさめるわけでもない。

亡き息子の嫁であった落葉の宮には、皮肉な歌を届けて、今度の思いがけない不始

末をちくりと忠告する。落葉の宮は返事の仕様もなく、ただ一途《いちず》に恥じ入るばかりだった。

雲居雁のところへは、夕霧の情人の藤典侍《とうないしのすけ》から慰めの歌が届く。まめ人《びと》の夕霧も、雲居雁との仲をさかれていた年月に、惟光《これみつ》の娘の藤典侍とだけはなじみ、子供をたくさんつくっていたのだ。

この同情の手紙を、雲居雁は出過ぎた生意気なおせっかいと思いながらも、根が素直なので、淋しい落ちこんだ時だったし、ついほだされて、藤典侍だって今度のことには内心許しがたいと嫉妬《しっと》しているにちがいないと、同病相憐れむ心から、素直な返事を書き送るのだった。

源氏物語より前に生まれた蜻蛉日記《かげろうにっき》には、作者の藤原道綱《ふじわらのみちつな》の母が、正妻の時姫《ときひめ》と、夫の藤原兼家《ふじわらのかねいえ》を中にして、いつも張り合ったのに、浮気な兼家に打ちこんだ女が出来、時姫も夜離《よが》れされていると知って、同情した手紙を出すところがある。ところが時姫は、日頃はおとなしく、恋敵《こいがたき》の道綱の母に対して、意地悪のひとつも見せないのに、この時ばかりはぴしゃりと、いらぬお世話だ、という意味の返事をかえし、気位の高い道綱の母を打ちのめす。

紫式部はもちろん、蜻蛉日記を読んでいただろう。同じ関係の女同士のやりとりは書きながら、雲居雁を素直でおおらかな女にして、心のままの返事をさせたところが心憎い。この一事でも雲居雁の鷹揚《おうよう》さがあらわれている。

夕霧は、結局、この恋の始末は強引に意志を貫き、情勢に流されて運命に従わざるを得なくなった落葉の宮への愛を守り通す。

あきらめて帰ってきた雲居雁も大切にして、律義な性分をそのままに、二人の妻の間を、一月を半々に分けて、十五日ずつ往来する。

雲居雁と藤典侍との間に十二人の子があるが、落葉の宮との間には子供が生まれていない。

源氏物語の中では、この夕霧の家庭が、最も現代に通じているように思われる。

恩讐《おんしゅう》の彼方《かなた》に

紫　上《むらさきのうえ》は、数年前の大病の後、病がちの日を送っていた。

回復のきざしは一向になく、次第に弱っていくので、源氏の心配はつきない。どこが悪いというのではなく、ただ日と共に気力と体力が衰弱していくばかりなのであった。

源氏はたとえ一日でも紫上に先だたれることがつらいと心配している。

紫上自身は何不自由のない身の上だし、幸か不幸かほだしになる子供も生まれなかったので、大してこの世に未練もない。ただ長年連れ添ってきた源氏との間が、自分の死によって夫婦の縁も断ち消え、残される源氏を嘆かせるだろうと、それだけが心がかりで、つくづく悲しいことに思う。

後世《ごせ》を願って、尊い仏事をあれこれ寺に頼んでいたが、やはり自分が出家して、しばらくの間でも命のある限りは、勤行《ごんぎょう》専一に暮らしたいと、常々思いつづけ、それを源氏に頼んでみるけれど、源氏は以前通り一向に耳をかさない。とはいえ、源氏自身も出家の願望はあるので、いっそこんなにいうなら、紫上と一緒に自分も出家して、同じ仏道修行に入るのも悪くはないと思ったりするが、一度出家したなら、この世のことはふっつりと思い捨て、たとえ紫上と、あの世では同じ蓮《はちす》に坐ろうと固い約束をしていても、この世では同じ山に入っても別の峯々《みねみね》で別れて修行しなければと考えているので、こんなに弱った紫上を見捨てておけるわけもない。紫上を案じる心が修行のさまたげになってはならないと思い迷って、ぐずぐずしているうちに、まわりの女たちに次々あっさり出家され、先を越されてしまった。

あの大病以後ここ数年の間に紫上は、ひそかな自分の願をかけて、法華経《ほけきょう》千部を写経させていた。蘇生《そせい》はしたものの、紫上はあの時、命のはかなさと死の不気味さを充分身にしみて味わった。写経の供養会《くようえ》を急いでした。それも六条院ではなく、自分が伝領《でんりょう》している二条院で行った。六条院はいくら豪華でも、源氏のハレムである。紫上が心からくつろげるのは、自分ひとりの住める二条の邸《やしき》だったのだ。この法会《ほうえ》は、一切を紫上は自主的に執《と》り行い、源氏はほんの部屋の飾りつけぐらいしか指図しない。紫上がいつの間にか仏教の様々な智識《ちしき》を身につけているのに、源氏は驚かされる。

法会は三月の十日だったので、花の盛りにあい、空の色もうららかで春めき、極楽浄土もこのようかとしのばれる。帝《みかど》や東宮や中宮たちからのお布施《ふせ》の物品が山のように集まり、人々は我がちに参集してくるので賑《にぎ》やかな大法会になった。

花散里《はなちるさと》や明石上《あかしのうえ》もこの日は二条院に来て参列する。今までは長い年月の間に互いに張り合ってきた源氏の愛人たちに対しても、もう残り少ない命だと自覚している紫上は、なつかしささえ感じている。

大ぜい参集した僧たちの読経《どきょう》の声があたりに力強くどよめいた後、声がとだえてしんと静まりかえる時があると、紫上は、その静寂の中にたまらないほどの淋しさをしみじみ感じとる。

源氏の女たちの中で、誰よりも嫉妬心《しっとしん》をかきたてられてきた明石上さえなつかしい気がして、紫上は膝下《しっか》に育てていた幼い三《さん》の宮《みや》に歌をもたせてやるのだった。

「惜しからぬこの身ながらもかぎりとて
　薪《たきぎ》尽きなんことの悲しさ」

惜しくもないこの身ですけれど、寿命には限りがあって、いよいよ死期がせまり、命の終わりを迎えることが悲しゅうございます、という意味の歌は、あまりに素直で、何の気負いもなく、あわれをもよおす。外ならぬ恋敵《こいがたき》の明石上にこんなに素直な心をさらけ出すことの出来る紫上の心身の弱りが感じられるのだ。

明石上は聡明な女なので、この心細い淋しい不吉な歌にそのまま感応した返歌をしては縁起が悪いと後で非難も受けようかと、要心して、わざとさりげないあたりさわりのない歌を返す。

「薪こるおもひはけふをはじめにて
　この世にねがふ法《のり》ぞはるけき」

二つの歌に薪の語が使われるのは、法華八講の五巻を講じる日に、参集の僧も在俗の人々も、「法華経をわが得しことは薪こり菜摘み水汲み仕へてぞ得し」（拾遺和歌集）という歌を唱《とな》えて行道《ぎょうどう》することからいう。歌は、法華経・五巻・提婆達多品《だいばだったほん》に、「果《このみ》を採り、水を汲み、薪を拾い」とあるのが元になっている。明石上の歌の意味は、法華経賛仰の有り難い今日の供養をはじめとして、尊い御法《みのり》が限りなくつづくように、あなたも千年の御寿命をたもちますように、ということである。

紫上の正直で素直な歌に対し、儀礼的であるのは仕方がない。

紫上は、誰もが死ぬ運命ながら、彼女たちより自分が先にひとり死んでゆくのか、という思いがして淋しい。こんな日に音楽の才能のある人々が演奏に集まっているのを見ても、いつもならさほど目にもとまらない下級の者たちまで、今日を最後にこういう音楽も聴《き》けないかと、ひとりびとりがなつかしく思われる。

法会が終わって、みんなが引きあげていく時も、これが永《とこしえ》の別れかという思いが切なく湧《わ》き、花散里に対しても歌を送るのだった。

「絶えぬべきみのりながらぞ頼まるる
　世々にと結ぶ中の契りを」

この世での法会もこれが最後と思いますが、この会の結縁《けちえん》によって、あなたとの縁は生生世々《しょうじょうせぜ》つづき、あの世でまたお逢いできましょう、という気持である。

受けた花散里は、素直におだやかな返歌をする。

「結びおくちぎりは絶えじおほかたの

　残りすくなきみのりなりとも」

有り難い法会で結ばれた御縁は、いついつまでもつづくでしょう、わたくしもどうせ行く末短い命ではございますけれど、という意味である。

この法会の日に全精力を尽くしたせいで、その翌日から紫上は力尽きたように苦しさがまし、病の床についてしまった。

そのまま夏を迎え、例年程度の暑さにもこらえきれず、気を失うようなことが度々《たびたび》おきた。どこが悪いというのでもなく、ただもう衰弱がひどくなるばかりであった。

紫上の死

紫上《むらさきのうえ》の容体がはっきりしないので、明石中宮《あかしのちゅうぐう》は見舞いのため二条院に退出してくる。

たくさんの公卿《くぎょう》たちがお供して行啓《ぎょうけい》の儀式があるのを、紫上は病室でその気配を聞きながら、こういう儀式にあうのもこれが最後だろうと思っている。

明石上《あかしのうえ》もそこへ来て三人で話しあう。中宮は養母と生母に逢うわけだが、明石上は常にひかえめだし、中宮は養母の紫上を心から大切に思っているので、今は三人なごやかに同座することが出来るのだ。気をはって紫上が今日は起きているのが源氏は嬉しく、気を利かして、女たちだけをそこに置き、自分は自室にこもっている。中宮は紫上の容体が心配なので、そのまましばらく滞在している。

紫上は、明石中宮の子どもの中で、自分が引き取って育てている三《さん》の宮《みや》がとりわけ可愛くてならない。元気に走り回っているのをそばへ呼んで坐らせ、

「わたくしがいなくなったら、宮さまは思い出してくださるかしら」

と尋ねてみる。

「悲しくてたまらないでしょう。だって御所の主上《しゆじよう》より中宮さまより、お祖母《ばあ》さまが一番大好きなんだもの、おあいできなくなったら、きっと、つまらなくて泣いてしまうでしょう」

と、はや目にたまった涙を手で押し拭《ぬぐ》うのが何とも可愛らしい。

「大きくなられたら、宮さまはこの二条院にお住みなさいね。そしてこのお部屋の前の紅梅と桜の花の咲く時は、よくごらんなさいね。時々は仏さまにもお供えしてくださいね」

というと、三の宮はうなずいて、じっと紫上の顔をみつめ、涙がこぼれそうなので、立って行ってしまう。

この三の宮が後に匂宮《におうのみや》として、宇治十帖《うじじゆうじよう》の主人公の一人として活躍する人物である。源氏の孫に当たり、源氏の美しさや色好みの性情を一番受けついでいる。紫式部は子供の描写がうまいが、この場面の稚《おさな》い三の宮の可愛らしさも目に見えるように書いてある。

ようやく秋が来て、少し涼しくなっても、紫上の病勢は一向に回復のきざしがない。中宮に、も少し居てほしいと源氏はいいかねている。紫上はもう歩けないので、中宮が西の対《たい》へ出向き、病床を見舞う。紫上は、消え入るように痩《や》せ細ってはいるものの、その様子がかえって気高く、優雅なことこの上もない。今まであまり艶《あで》やかで色っぽく、はなやかな女盛りの頃には、咲き誇る樺桜《かばざくら》にもたとえられたが、今は無垢《むく》で清らかな風情が限りなく可憐で、もうこの世に何程も生きられないと思い定めている様子が、たとえようもなくいたわしくもの悲しい。

源氏もそこへ来て、三人で歌を詠み交わしたり少し話している間にも苦しくなり、紫上は、

「もうお引き取りくださいい。気分がひどく悪くなりましたから」

といって横になってしまう。中宮がその様子を只事《ただごと》でないとみて紫上の手をとってみると、そのままはかなくなっていきそうな様子である。祈禱《きとう》の僧たちを頼みに行く使者たちが駆けだす騒ぎになった。前にも一度死んだとばかり思ったのは物《もの》の怪《け》のせいで、蘇生《そせい》した経験があるので、源氏は物の怪のしわざかもしれないと思い、夜通し、あらゆる修法《ずほう》を尽くさせる。

その甲斐《かい》もなく、夜の明けきる前に、ついに息を引き取ってしまった。

居合わせた誰も彼も気が動転して、分別もなくなってしまった。源氏は悲しさの余り茫然《ぼうぜん》としている。夕霧《ゆうぎり》が来たのを呼びよせ、

「長年出家したがっていたのに、叶《かな》えさせずに死なせてしまったのが可哀そうだ。まだ僧も少しは残っているだろう。せめてあの世での仏の功徳に、冥途《めいど》の闇《やみ》の光となっ

てくれるよう、出家させよう。剃髪《ていはつ》の用意をさせてほしい」

という。その顔色も当人が死人のようで、涙の止まるひまもない。

夕霧は残っている僧たちを集め、剃髪の支度をする。その間にも夕霧は心ひそかに憧《あこが》れていた美しい継母に、せめてあの遠い日の野分《のわき》の朝のように、亡骸《なきがら》になっていてもその顔を見たいものだと思う。度を失って泣き迷う女房たちを、

「静かに、落ち着きなさい」

などたしなめながら、几帳《きちょう》の帷《かたびら》をつと引き上げて覗《のぞ》いてしまった。丁度《ちょうど》、源氏が灯をかかげて、紫上の死顔《しにがお》を近々と見守っているところだった。夕霧が覗いても別にかくそうともせず、

「何と美しい死顔だろう。まるで生きている時のままなのに、やはりもう死相が現れてきた」

と泣いている。夕霧もあふれでる涙を拭いながら、しっかりと目を開けて見ると、ゆたかな髪がまだつくろいもせず、そのままうちやられているのが、清らかで、もつれもなく艶々《つやつや》と美しい。無心にうち臥《ふ》した死顔の気高さは夕霧の想像の外のもので、魂もくらむようであった。

八月十四日に死亡し、十五日には葬送して荼毘《だび》に付し、野辺の煙とはかなく消えてしまった。

源氏は悲しみの余り、立っていられず、人によりかかって荼毘の場にいた。

紫上はこの時四十三歳、源氏五十一歳だった。夕顔《ゆうがお》は十九歳で死に、葵上《あおいのうえ》は二十六歳、藤壺《ふじつぼ》は三十七歳で死んでいる。源氏の生母桐壺《きりつぼ》の死も二十歳頃であった。

彼女たちに比べたら、紫上はむしろ長く生きたといえる。それにしてもこう没年をあげてみると、王朝の女たちは何という短命さだろう。

源氏はこれまでも多くの愛する女たちとの死別に逢っているが、その誰の時よりも、紫上の死がこたえる。

わずか十歳ばかりの少女の頃から手許《てもと》に引き取り、理想の女に育てあげ、妻にして三十余年も共に添いとげたのだから、共有した思い出も限りなく多い。ふたりが離れていたのは、須磨流謫《すまるたく》の三年間だけであった。

紫上の生涯は、この物語の中ではどの女よりも源氏に愛された一《いち》の人として描かれているし、理想の女性だとくりかえし書かれているが、果たして彼女は真に幸せだったといえるだろうか。

残された夫

紫　上《むらさきのうえ》に先だたれた後の源氏は、落胆のあまり腑抜《ふぬ》けのようになってしまった。寝ても覚めても涙の乾く間もなく亡き妻のことばかり思いつづけている。出家するのに何の障《さわ》りもないのだけれど、女に先だたれて、本性もないほどなげき悲しみ、悲嘆のあまり惑乱して出家したといわれるのも、後世に伝わる名が恥ずかしくて、思うように決行出来ない。

弔問は限りもなく続いていて、それも通り一遍の儀礼的なものでなく、どの人も真心こめて惜しみ、悲しんでくれるのだった。

中でも源氏は致仕大臣《ちじのおとど》の弔問が一番嬉しかった。若い日からのライバルで、致仕大臣がまだ頭　中　将《とうのちゅうじょう》だった頃から心を許した親友だった。夕霧《ゆうぎり》と雲居雁《くもいのかり》の縁談で、互いにばつの悪いことがあり、しばらく遠ざかっていた日があったことさえ、今はなつかしくなる。

頭中将時代から、この人は男らしく、さっぱりしている。源氏より繊細でない所が、裏返せば男らしいといえる面で、源氏より生涯の伴侶としては信頼出来るし、女たちは幸福になるだろう。

源氏が須磨《すま》に流された時も、まわりの者たちは、誰も彼も、当面の権力者である弘《こ》徽殿《きでんの》女御《にょうご》や右大臣をはばかって、源氏から遠ざかろうとしたのに、頭中将はひとり、はるばると、源氏を須磨に見舞うような誠実さがある。

また、日頃から形式や礼儀をきちんとする人だが、源氏の傷心の見舞いなども、時機を逃さず出来る気くばりのある人なので、しきりに慰めの手紙を届けている。それにつけても昔葵《あおいの》上《うえ》が死んだのもこんな季節だった、と大臣は思い出す。あれからもう三十年もの歳月が流れ去っている。あの頃、一緒に葵上の死を悲しんだ両親も多くの人々も、みな他界してしまっている。そんな物想いから、致仕大臣の弔問の手紙にはしみじみとした真心がこもるのだった。

ところが源氏は、その返事にも、あまり正直に悲しさを訴えれば、受け取った大臣のほうでは、何とめめしいと馬鹿にしてさげすむだろうと気を回して、あまり見苦しくないようにと、気どった返事にしてしまう。

紫上は、自分の身分や幸運を鼻にかけるような面が全くなく、下々《しもじも》の者にも思いやりがあってやさしかったので、女房たちもその死を心から悲しみ、尼になって山寺にこもろうとする者もあった。

源氏は悲嘆のあまり次第に自分でも呆《ぼ》けてきたと思うようになったので、男たちのいる公の場には全く出ず、ほとんど女房たちのいる奥の方で過ごすようになっていた。

年が明けても、悲しみは薄れず、人々にも逢わず女房たちと紫上の思い出話ばかりにふけっている。その中には気まぐれに手をつけた関《かか》わりのある女房たちもいたが、今は夜も独り寝をして、他の明石上《あかしのうえ》や花散里《はなちるさと》の方へもすっかり訪れがとだえていた。

女房たちは話のついでに、女三《おんなさん》の宮《みや》が降嫁した時の紫上の苦しみようを、過ぎたこととして話したりして、源氏は今更ながら、可哀そうなことをしたと後悔するのだった。

源氏の寵《ちょう》を受けた女房に、中納言《ちゅうなごん》の君と、中将《ちゅうじょう》の君などがいた。中将の君はまだ小さい女童《めのわらわ》の頃から紫上が可愛がってお側《そば》近くに置いていた女房だったのを、紫上の目を盗んで、源氏が情をかけてしまったので、当人は紫上に気がねして、つとめて源氏に近よらないようにしてきた。今は共通の紫上への思慕から、うちとけるようになっている。源氏は紫上の形見のような気さえしていとしく思っている。顔も姿も、気だてもよい女であった。

涙もろくなって、みっともないので、もう人には逢わないようにしていたが、春になり、所在なさから、源氏はすっかり無音《ぶいん》になっていた女君《おんなぎみ》たちを久々に訪ねる気になった。

まず女三の宮を訪ねてみる。匂宮《におうのみや》もつれていくと、薫《かおる》とちょうどいい遊び相手で、二人は元気に走り回ってはしゃいでいる。騒々しくて、静かに花など見ていられない。

女三の宮は神妙に仏前で勤行《ごんぎょう》していた。すっかり尼姿も出家の生活も板についてきて、物静かに暮らしている。思慮が浅いとなめていた女に、自分は後《おく》れをとってしまったと後悔しながら、源氏が、

「春の好きだった人が亡くなってしまって、今年は花を見ても味気ないのです。でも六条院の東の対《たい》の山吹《やまぶき》は、やはり他のとは比較にならないほど見事に咲いていますよ。植えた人がいなくなったのも知らないで」

と涙ぐむと、女三の宮のほうは、

「光なき谷には春も」

とすましている。尼の身には人の世の悲しみも喜びも無縁ですわ、という古歌のことばで、源氏は、その思いやりのない無神経な答え方に、も少し他に答えようもありそうなのにと、白けてしまった。

女三の宮にとっては、今更源氏がめめしくやってきて、紫上を追慕する情を臆面《おくめん》もなく自分に披露する気のほうが知れない、と思っているだろう。紫上を愛した余り、自分がどんな惨めな恥ずかしい立場に置かれたかをこの人は全く忘れているのだ。女三の宮の本心を叩けば、こんな想いが吐き出されるのではないだろうか。

満たされない気持を抱いて、源氏は明石上を訪ねてみた。明石上は、すっかり途絶えていた源氏の不意の訪れに愕《おどろ》いて、やさしく迎える。いつ来ても優雅にゆかしく住みこなしているのを見るにつけ、源氏はまた一味ちがった風に部屋を飾っていた紫上を思い出す。

明石上は、源氏が出家しそびれていることのいいわけをするのを聞くと、

「あなたのようなお方がどうしてそうやすやすと御出家できましょう。何か悲しい事にあって、それが動機で出家するのはよくないと昔から申しております。お孫さまやお子さまがすっかり御成人遊ばすのをお見届けになってからでも遅くはございませんでしょう」

と慰める。源氏がどういってほしいかを聡明な彼女は見抜いているのだった。

源氏はここでは思いのたけ紫上の思い出など語り、ゆっくり時を過ごしたが、それでもそこに泊まる気はせず、ひとり淋しく帰っていくのだった。

全く信じられないようなその変わり方であった。

光消えはてようとして

何かと思い出されることの多い賀茂《かも》の祭がめぐってきた頃、源氏は中将《ちゅうじょう》の君の可憐さに久々で女を可愛がる気持を取り戻した。

花散里《はなちるさと》からは例年の通り衣更《ころもが》えの夏の装束を仕立てて届けてきた。慎ましいこの女とは紫上《むらさきのうえ》の生前からもう性ぬきの間柄だったので、源氏は誰に対するよりも気がねのないなつかしさを抱いている。

五月雨《さみだれ》の降るのを見ても、池の蓮《はす》が開くのを見ても、蜩《ひぐらし》を聞いても、蛍《ほたる》の飛ぶのを見ても、源氏は亡き人を思い出し、ますます、呆《ぼ》けたようになって、終日放心の体《てい》で、ぼんやり暮らす日が多くなっていく。

七夕の夜も、例年のような音楽の遊びなどはする気にならず、ひとり所在なく起きている。

出家したいと思い、人にもいうほどには、出家を急ぐ気配もない。

紫上は生前、いつの間にか、立派な極楽浄土の曼陀羅《まんだら》などを作らせているし、紫上の発願として、法華経《ほけきよう》千部の写経などもさせてあった。出家はしなかったものの、ひそかに仏の道へ自分で近づく努力は積み重ねていた。

亡くなってみて、源氏は初めてそれらを知る。紫上から遺言を聞かされていた僧都《そうず》たちは、死んだ後にそれらの供養をするよう頼まれていた。

一周忌が近づくにつれ、さすがに法事の支度に悲しみもまぎれていた。八月十四日の一周忌には、上下の人々が大ぜい集まって故人をしのんでくれた。よくもこの一年生きてきたものよと、源氏は茫然《ぼうぜん》とする。淋しい秋がいっそう源氏の悲愁をかりたてる。

その年も暮れようとする年の瀬になって、源氏はようやく、来年こそは出家の本懐を遂げよう、と決意する。それとなく周囲の女房たちにも形見分けのつもりで物を分けてやったりする。女房たちは口には出さないまでも、さてはいよいよと、源氏の心中をおしはかっていた。

源氏は身辺の整理を始めた。女たちの恋の手紙も、つい破るには惜しいようなものは取り残しておいたので、相当たまっていた。特に須磨《すま》にいた頃、色々な女たちから来た手紙が多くあり、紫上のだけは一つにまとめて別にとって束ねてあった。それらは千年の後までも愛のかたみにと思っていたが、出家してしまう自分には、それさえ不必要と思い、信頼出来る女房たちに破らせていく。源氏は自分で決心したのに、紫上の手紙が今破かれようとするその字を見て、狂おしいほどのなつかしさに涙がこみあげてくる。

目もくらみそうな悲しさの中で、ついにその愛のかたみのすべてを焼かせてしまうのだった。

毎年十二月十九日から二十一日まで、清涼殿《せいりようでん》で仏名会《ぶつみようえ》が行われる。過去、現在、未来の三世の諸仏の名号《みようごう》を唱《とな》えて罪障《ざいしよう》の懺悔《ざんげ》をする法会である。院宮《いんぐう》や、諸寺でも行われた。

もちろん、源氏は六条院でそれを行い、この日初めて、自分が主催者として、参集した客たちの前に久々に姿を現した。一周忌も過ぎたし、音楽などの遊びもあっていいところだが、源氏はまだとてもその気になれない。朗詠や歌などが披露されただけだった。

この日初めて御簾《みす》の外に姿を現した源氏の様子を、原文は、

「その日ぞ出《い》でゐたまへる。御容貌《かたち》、昔の御光にもまた多く添ひて、あり難くめでたく見えたまふ」

とある。

幻《まぼろし》の巻という紫上死後一年の話の中で、源氏は何かにつけて泣いてばかりいてだらしなく、自分でもボケたようだというくらいで、昔の颯爽《さつそう》とした俤《おもかげ》はみられない。

けれども紫式部は年の終わりの仏名会で、人々の前に、また読者の前に、昔の輝く美しさの上にさらにまたいっそう一段と美しさを加えて、この世のものとも思えない光り輝く源氏の君を立たせて見せるのである。

その姿は、多くの僧が三千の仏の御名《みな》を称える怒濤《どとう》のようなうねりを背景としている。まことに源氏自身が仏に見まがう一瞬である。

その年の終わりには、正月年頭の行事のことを、これが最後だと思い、例年より念入りにしようと、源氏は人々に指図し、引出物や禄《ろく》なども、またとないように立派に豊富に用意させる。

「もの思ふと過ぐる月日も知らぬ間《ま》に
　年もわが世もけふや尽きぬる」

物思いに明け暮れ、月日の過ぎるのも気がつかなかったこの一年も、わが生涯も、ついに今日で終わってしまったか、という感慨を歌い、この幻の巻は終わる。

翌年の源氏の出家を予想させ、静かに大晦日《おおみそか》の幕が降りてくる。

源氏物語の中で、主人公光源氏《ひかるげんじ》は、これで舞台から静かに退場する。

次に雲隠《くもがくれ》という、題だけがあって本文のない巻があり、その後には源氏の息子の薫《かおる》や孫の匂宮《におうのみや》が物語の中心となっていく。

時代は源氏の次の世代に移り、雲隠の次の匂宮の巻へと移る。そして橋姫の巻からが宇治《う》十帖《じじゆうじよう》と呼ばれるもので、もはや光源氏の話ではなくなる。

「光隠れたまひにし後《のち》、かの御影にたちつぎたまふべき人、そこらの御末々《すゑずゑ》にあり難かりけり」

という匂宮の巻の冒頭で、読者は、はっきり源氏の死を再確認させられる。源氏の死は雲隠で暗示されているが、この「光隠れたまひにし後」は、それを文章で示したものである。

幻の巻から匂宮の一巻までには雲隠をふくむ八年の歳月が流れていて、源氏はこの間に死んでおり、死の二、三年前に出家して、嵯峨院《さがのいん》に暮らしたということが、宇治十帖の中に出てくる。

雲隠の巻に本文があったかなかったかは、古来様々な説があったが、私は本居宣長《もとおりのりなが》のいったように、はじめから紫式部は、源氏の出家と死の場面は書く意志がなかっただろうと思う。

どんなに筆をつくしてみても、源氏の愛した女たちの哀切な潔《いさぎよ》い出家と、あわれな死にまさる場面になろうとは思われないからである。

ここに来て、私は源氏物語の主人公は光源氏ではなく、彼をとりまくその女たちであったと思えてならない。

解説

林真理子

この解説をお引受けした時、私には躊躇《ちゆうちよ》するものがあった。なぜなら、「私は果して源氏物語をきちんと読んだことがあるだろうか」という疑問が湧き起こったからである。

注釈付きの原書に何度も挑戦したこともあったのだが途中で挫折し、手にしたのは谷崎源氏や円地源氏である。それも終わりのほうになるとかなり飛ばし読みしたような気がするのだ。

けれどもこの『わたしの源氏物語』は、当然のことながら源氏物語の解説書ではない。瀬戸内先生という人生の酸いも甘いも嚙みわけた方が、源氏や女君たちのことを語る。読者は瀬戸内先生が、源氏物語の主人公たちとどのように向き合い、どのように評価しているのか楽しめばよいのだ。

それに一読してわかるように、これは源氏物語とは別の独立した読物としても十分に楽しめる。自分の不勉強さを棚に上げるわけではないが、この本は源氏物語をほとんど知らない、学校の古典を齧《かじ》った程度の知識の読者でもいっきに読める。本当に面白い。なぜなら瀬戸内先生の手で、女君たちは生身のおんなとしてさまざまなものを語り出すからだ。

新しい解釈というよりも、多くの発見がある。まず空蟬《うつせみ》の章で先生は、

「今風にいえば不良少年にレイプされた人妻というところだ」

と言いきっている。源氏物語についてこのように記す人を私は他に知らない。ここで我々の積年の疑問は晴れることになる。邸の奥深く几帳の陰に住み、親兄弟にも顔を見せない姫君たちが、どのように恋をし、どのようにデイトをしていくのかという根本的なことを教えてくれた本はなく、たいていは男たちが「かきくどき」、姫君はそれに負けることになっている。が、瀬戸内先生は乳母《めのと》や女房の手引きで、男に寝所に踏み込まれた姫君、もしくは人妻たちは抗《あらが》うすべがなかったと教えてくださる。

つまり平安時代の恋愛というものの始まりは、ある時点であきらめるものの、すべからくレイプなのだ。そして女たちの意志というものは、男にいったん身を許してから始まる。ずるずると深みにはまる女もいれば、空蟬のようにたとえ位は低くても、それだからこそ矜持《きょうじ》を高くし、源氏を拒否する女も出てくるわけだ。

そして、いわば少女の頃にレイプされ、源氏の思うがままになった紫上《むらさきのうえ》を瀬戸内先生があまり高く評価していないことに私は驚かされる。紫上は長いこと理想の女人

のように喧伝《けんでん》され、子どもを生まなかったことが、最後まで女としての理想を保ったというのがおおかたのイメージである。けれども先生は、彼女の明石の君に対する嫉妬や意地の悪さも看破しておられる。女三《おんなさん》の宮《みや》に対する屈折した心理も見逃さない。それと反対に、女の嫌らしさの化身のようにいわれることの多い六条御息所《ろくじょうのみやすどころ》をこまやかに描写し、実に深い愛情と理解を注いでおられるようだ。

実は私もこの御息所が出てくるシーンになると、源氏物語がとたんに近代的色彩を帯びてくるようで興味深かった。彼女は源氏よりも年上で身分高く、なみなみならぬ知性を備えている。そういう女性がひとたび年下の、しかも多情な男に惑溺しながらも、そうした一方で自分を醒めた目で見つめ苦悩するありさまは、現代の小説にもよくあらわれるテーマだ。そして瀬戸内先生は、千年も昔にこうした女性を登場させた紫式部という人に、当然のことながら深い関心をもたれる。先生は源氏物語というのは光源氏が主人公ではなく、実は女君たちの物語だとおっしゃっているが、「わたしの源氏物語」の主人公は紫式部だという気がして仕方ない。光源氏のことを書いても、女君のことを書いても、最後は紫式部に帰結しているようだ。

瀬戸内先生がおっしゃるように、美しい女の描写は単調であるが、醜いものの描写は実にうまく、つまり意地が悪い。重要なことをごくさりげなく、暗号のように書き記していくことが出来るのは、才能があるからである。受領クラスであった式部は、彰子に仕え、道長に気に入られながら実に巧妙に貴族社会にしっぺ返しをしているのだ。

　私はかねがね源氏物語のスターといえば、夕顔、紫上、六条御息所であり、玉鬘《たまかずら》などワン・オブ・ゼンと思っていたのであるが、瀬戸内先生は紫式部がいちばん筆を費し、いちばん愛着があったのは玉鬘であると指摘するのだ。夕顔の忘れ形見で、不運な境遇に生まれ、すんでのところで運命に翻弄されそうになる女。ちょっとした神さまの匙加減《さじかげん》で、卑しい男の妻にも、高貴な男の妻にもなれそうな中どころの女、というのは、女房レベルの女たちにとっては非常に身近な存在であったようだ。この玉鬘の章は、ややもすると通俗に走りがちだと瀬戸内先生はおっしゃるが、それだからこそ興奮し、愛情を持つのは昔も今も変わりない。

「『紫式部さん、玉鬘はどうなるの、早く幸福にしてやってくださいな』

　愛読者の女房たちにせがまれている紫式部の、内心の嬉しさをかみ殺したおすまし顔が目に見えるようである」

　ひき目かぎ鼻で無表情の、絵巻の中の紫式部がこの文章で、とたんにいきいきした女流作家に変わる。ミステリーじみた、本当に存在するのかしないのかとまで論議される大昔の物書きは、瀬戸内先生の手によって、ちょっと生意気な表情をする女流作家に変貌する。墨のにおい、ちょっと筆をとめての思案のため息まで聞こえてきそうだ。こうして読者に乞われ、熱望されていく紫式部の姿と、瀬戸内先生との姿はぴったり重なるようである。長老といわれながらも、今もなお第一線で活躍する瀬戸内先生ならではの、紫式部の愛し方である。

　つくづく思うに、瀬戸内先生ほど不思議な女流作家がいるだろうか。京都の美しい郊外に庵を結び、古典を訳されたり、押しかける善男善女に仏教の教えをとくかと思うと、次の日はエイズや湾岸戦争の被害にあった子どもを救おうと世界中を飛びまわる。もちろんその間、何冊もの本をお書きになる。

　いつでも好奇心に満ち、生命力に溢れている。こう言うと誤解されるかもしれないが、決して「枯れたいい人」ではなく、人生の現役ならではの辛《しん》らつさも持っていらっしゃるようだ。

　このあいだ偶然おめにかかり食事をご一緒する幸運を得たが、ある人物を評する時の鋭さ、的確さといったら、悪口が得意の若手コラムニストたちが足元にもおよばないほどで、一緒にいた者たちはお腹をかかえて笑い続けたものだ。

「現代の紫式部」などという陳腐な形容詞を使うつもりはないが、先生と紫式部とはよく似ている。決して完全無欠の男や女がいるはずもなく、その凡庸さの中で出会い、別れ、愛情の限りをつくすのだという恋愛観、そしてそうして恋をした男も女もやがて老いていき、無に還っていくのだという諦念の心。すべてを見据えた人の意地の悪さ、といってもいいほどの鋭さ、そして無欲さ、卓越した美意識。

そして紫式部が瀬戸内先生によく似ていると読者に思わせてしまうのは、はからずもこの瀬戸内先生がお書きになった『わたしの源氏物語』なのである。これを読み終えた人はきっと源氏物語を原書で読み直そうと思うに違いなく、同時に瀬戸内先生のあの本、あの小説を読み返そうと決意するはずである。二人のとてつもなく魅力的な女流作家が、千年も前にも、現代にもいるのだという日本人としての幸福にも気づくはずだ。

この作品は、一九九三年六月、集英社文庫
より刊行されたものを再編集いたしました。

集英社文庫　目録（日本文学）

杉山俊彦　競馬の終わり
鈴木　遥　ミドリさんとカラクリ屋敷
鈴木美潮　昭和特撮文化概論　ヒーローたちの戦いは報われたか
瀬尾まいこ　おしまいのデート
瀬尾まいこ　春、戻る
瀬尾まいこ　ファミリーデイズ
瀬川貴次　波に舞ふ舞ふ　平清盛
瀬川貴次　ばけもの好む中将　平安不思議めぐり
瀬川貴次　闇に歌えば　文化庁特殊文化財課事件ファイル
瀬川貴次　ばけもの好む中将　弐　姑獲鳥《うぶめ》と牛鬼
瀬川貴次　ばけもの好む中将　参　天狗の神隠し
瀬川貴次　ばけもの好む中将　四　踊る大菩薩寺院
瀬川貴次　暗夜鬼譚　春宵白梅花《しゅんしょうはくばいか》
瀬川貴次　ばけもの好む中将　伍　冬の牡丹燈籠
瀬川貴次　暗夜鬼譚　遊行天女《ゆうぎょうてんにょ》
瀬川貴次　ばけもの好む中将　六　美しき獣たち
瀬川貴次　暗夜鬼譚　夜叉姫恋変化《やしゃひめこいへんげ》
瀬川貴次　ばけもの好む中将　七　花鎮めの舞
瀬川貴次　暗夜鬼譚　血染雪乱《ちぞめゆきみだれ》
瀬川貴次　ばけもの好む中将　八　恋する舞台
瀬川貴次　暗夜鬼譚　紫花玉響《むらさきたまゆら》
瀬川貴次　ばけもの好む中将　九　真夏の夜の夢まぼろし
瀬川貴次　暗夜鬼譚　五月雨幻燈《さみだれげんとう》
瀬川貴次　ばけもの好む中将　十　因果はめぐる
瀬川貴次　暗夜鬼譚　空蝉挽歌《うつせみばんか》〈前〉〈中〉〈後〉
関川夏央　石ころだって役に立つ
関川夏央　「世界」とはいやなものである　東アジア現代史の旅
関川夏央　現代短歌そのこころみ
関川夏央　女流　林芙美子と有吉佐和子
関川夏央　おじさんはなぜ時代小説が好きか
関口　尚　プリズムの夏
関口　尚　君に舞い降りる白
関口　尚　空をつかむまで
関口　尚　ナツイロ
関口　尚　はとの神様
関口　尚　明星に歌え
瀬戸内寂聴　私小説
瀬戸内寂聴　女人源氏物語　全5巻
瀬戸内寂聴　あきらめない人生
瀬戸内寂聴　愛のまわりに
瀬戸内寂聴　寂聴　生きる知恵　法句経を読む
瀬戸内寂聴　一筋の道
瀬戸内寂聴　寂庵浄福
瀬戸内寂聴　寂聴巡礼
瀬戸内寂聴　晴美と寂聴のすべて1（一九二二～一九七五年）
瀬戸内寂聴　晴美と寂聴のすべて2（一九七六～一九九八年）
瀬戸内寂聴　わたしの源氏物語
瀬戸内寂聴　寂聴源氏塾

集英社文庫　目録（日本文学）

集英社文庫

わたしの源氏物語《げんじものがたり》

2008年8月25日　第1刷　　定価はカバーに表示してあります。
2021年12月7日　第4刷

著　者　瀬戸内寂聴《せとうちじゃくちょう》
発行者　徳永　真
発行所　株式会社　集英社
東京都千代田区一ツ橋2-5-10　〒101-8050
電話　【編集部】03-3230-6095
【読者係】03-3230-6080
【販売部】03-3230-6393（書店専用）
印　刷　大日本印刷株式会社
製　本　大日本印刷株式会社

フォーマットデザイン　アリヤマデザインストア　　マークデザイン　居山浩二

ISBN978-4-08-746337-8 C0195